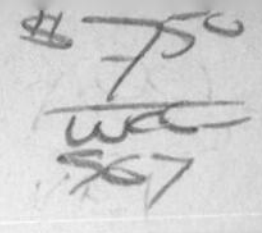

Lire le théâtre

essentiel

DU MÊME AUTEUR

Salacrou, Éditions Seghers, 1970.

Le Roi et le Bouffon, Corti, 1974.

Lire le théâtre, Éditions sociales, 1977.

L'Objet théâtral, C.N.D.P., 1978.

L'Espace théâtral, C.N.D.P., 1979 (en coll. avec G. Banu).

L'École du spectateur, Lire le théâtre 2, Éditions sociales, 1981.

Anne Ubersfeld

Lire le Théâtre

Avec une postface à la 4e édition

Cette édition de *Lire le théâtre* d'Anne Ubersfeld reproduit celle parue en 1977 aux Éditions sociales. Elle a toutefois été augmentée d'un septième chapitre : « Pour une pragmatique du dialogue de théâtre ».

Couverture d'après un masque du théâtre grec,
Photo E.S.

ISBN 2-209-05501-6

INTRODUCTION

Tout le monde sait ou croit savoir qu'on ne peut pas lire le théâtre. Les éditeurs le savent bien, hélas, qui n'éditent du théâtre que ce qui s'étudie dans les classes. Les professeurs ne l'ignorent pas, qui échappent difficilement à l'angoisse d'expliquer ou de tenter d'expliquer un document textuel dont la clef est ailleurs. Les comédiens, les metteurs en scène pensent le savoir mieux que personne, et ne regardent pas sans quelque dédain toute exégèse universitaire, qu'ils tiennent pour inutile et pesante. Les simples lecteurs le savent, qui mesurent, chaque fois qu'ils s'y risquent, la difficulté de lire un texte qui ne paraît décidément pas fait pour la consommation livresque. Tous n'ont pas l'habitude « technique » du théâtre joué ou l'imagination particulière nécessaire pour inventer une représentation fictive. C'est pourtant ce que chacun fait, et cette opération individualiste ne se justifie ni théoriquement ni pratiquement, pour des raisons qui nous apparaîtront bientôt.

Faut-il donc ou bien renoncer à lire le théâtre ou bien

le lire comme un autre objet littéraire ? Lire le théâtre de Racine comme un vaste poème, *Bérénice* comme une élégie, *Phèdre* comme on lit dans *l'Enéide* de Virgile l'épisode passionné de Didon ; lire Musset comme un auteur de romans, et Perdican comme Fabrice ? *La Tour de Nesle* comme *les Trois Mousquetaires,* et *Polyeucte* comme les *Pensées* de Pascal ?

Admettons qu'on ne puisse pas « lire » le théâtre, il faut bien le lire malgré tout : d'abord quand on est pris à quelque titre que ce soit dans la pratique du théâtre ; amateurs et professionnels, spectateurs assidus, tous vont ou retournent au texte comme à une origine ou à une référence. Ensuite, lisent le théâtre les amateurs et les professionnels de la littérature, surtout en France — professeurs, élèves, étudiants — parce que les œuvres classiques françaises, du Moyen Age au XXe siècle sont, pour une large part, théâtrales. Certes, on aimerait les étudier sur une scène, les jouer ou les voir jouer. Mais la représentation est chose instantanée, périssable ; seul le texte est perdurable. Ce petit livre n'a d'autre ambition que de donner pour la lecture du théâtre quelques clefs très simples, d'indiquer un certain nombre de procédures de lecture. Non qu'il s'agisse de découvrir les « secrets » qui seraient cachés dans un texte de théâtre et qu'on pourrait mettre au jour : notre tâche, moins ambitieuse mais plus ardue, est de tenter de déterminer les modes de lecture qui permettent non seulement d'éclairer une pratique textuelle fort particulière, mais de montrer, si possible, les liens qui unissent cette pratique textuelle et une pratique autre, qui est celle de la représentation.

Nous ne nous priverons pas de faire appel à telle ou telle analyse de la représentation et du rapport texte-représentation, l'idéal étant, ultérieurement et si la chose est possible, de fonder une « grammaire » élémentaire de la représentation (qui ferait la matière d'un autre essai). C'est la *spécificité du texte de théâtre* qui est la première question posée, la question essentielle ; trouver des éléments de réponse, c'est peut-être échapper à la fois au terrorisme textuel et au terrorisme scénique, à ce conflit entre celui qui privilégie le texte littéraire et celui qui, aux prises avec sa seule pratique dramaturgique, fait fi de l'instance scripturale. Dans cette lutte du professeur et de l'homme de théâtre, du théoricien et du praticien, le sémiologue n'est pas l'arbitre, mais si l'on peut dire l'organisateur : l'un et l'autre combattants se servent de systèmes de signes ; et c'est ce ou ces systèmes de signes qu'il faut à la fois étudier et constituer, instituant alors une dialectique véritable de la théorie et de la pratique.

Non pas que nous ne sachions la force de l'illusion scientiste et positiviste : le sémiologue n'a pas la prétention de donner la « vérité » du texte, cette vérité fût-elle « plurielle », mais d'établir le ou les systèmes de signes textuels qui peuvent permettre au metteur en scène, aux comédiens, de construire un système signifiant où le spectateur concret trouve sa place. Le sémiologue ne doit pas ignorer que le sens est « en avant » de sa lecture, que nul n'en est « propriétaire », pas même l'écrivain, et surtout pas le sémiologue, qui n'est ni un herméneute, ni un sourcier.

L'intérêt de sa tâche est de faire éclater par des pratiques sémiotiques et textuelles le discours dominant, le discours appris, celui qui interpose entre le texte et la représentation tout un écran invisible de préjugés, de « personnages » et de « passions », le code même de l'idéologie dominante pour qui le théâtre est un instrument puissant. C'est pourquoi ce petit livre trouve sa place dans une collection qui se veut marxiste.

On comprend alors les énormes difficultés théoriques que nous rencontrons dans notre tâche, non seulement parce que la sémiologie du théâtre est encore balbutiante, mais parce que la complexité de la pratique théâtrale la met au carrefour des grandes querelles modernes qui traversent l'anthropologie, la psychanalyse, la linguistique, la sémantique, l'histoire.

Certes, d'un point de vue méthodologique, la linguistique est privilégiée dans l'étude de la pratique théâtrale, non seulement pour le texte, principalement le dialogue, ce qui est évident, la matière de l'expression[1] étant verbale, mais aussi pour la représentation, vu le rapport qui existe et que nous devrons élucider entre les signes textuels et les signes de la représentation.

Nous aimerions que ce petit travail qui tente d'éclairer modestement un domaine difficile rende service à toute une série de lecteurs :

— aux gens de théâtre d'abord, metteurs en scène qui y verront pour une large part la systématisation de leur pratique spontanée ou raisonnée, « dramaturges » au sens allemand du terme, dont la tâche, proprement sémiologique, est justement de faire du texte théâtral une lecture qui se projette sur une représentation éventuelle ;

— aux comédiens désireux d'opposer à quelque tyrannie réelle ou supposée du metteur en scène la liberté qu'apporte le savoir, ou bien soucieux de servir une création collective par la contribution décisive d'une lecture renouvelée ;

— aux élèves, aux étudiants, aux enseignants irrités ou troublés par l'inéquation des méthodes traditionnelles au texte théâtral, mais sensibles tout autant aux difficultés de la *poétique* ou de l'analyse du récit devant un objet littéraire dont les structures sont plus grosses que celles d'un texte poétique, encore moins linéaires que celles d'un récit ;

— enfin à tous ceux qui, passionnés de théâtre, cherchent entre ce qu'ils lisent et ce qu'ils aiment à la scène une médiation, nécessaire et difficile.

Le cadre même de cet ouvrage rend impossibles une formulation complète et une discussion approfondie des multiples problèmes qui se posent au lecteur de théâtre ; notre travail se contente de désigner la place de problèmes qu'il ne peut ni résoudre, ni même poser en toute rigueur (ainsi par exemple, celui du rapport

---

1. Voir les distinctions de Louis Hjielmslev entre forme et matière de l'expression, forme et matière du contenu. Voir Christian Metz : *Langage et Cinéma*.

communication-expression, signe-stimulus, ou celui du non-arbitraire du signe théâtral).

On connaît les reproches parfois légitimes que l'on peut faire à toute sémiologie. D'abord qu'elle oblitère l'histoire : mais ce n'est pas parce que la sémiologie est un refuge commode à qui veut évacuer l'histoire qu'elle ne peut au contraire montrer dans les signes des produits historiquement déterminés : « Les signes sont en eux-mêmes des connaissances sociales généralisées au plus haut degré. Les armes et les insignes par exemple se rapportent emblématiquement à la structure intégrale de la société[2]. » Ensuite, elle « formaliserait » le texte et ne permettrait plus d'en sentir les beautés : argument irrationaliste, démenti par toute psychologie de la perception esthétique : une lecture plus fine de la multiplicité des réseaux est un élément de jeu, donc de joie esthétique ; bien plus, elle permet au spectateur une attitude créative de décryptage des signes, de construction du sens. Enfin elle ne s'intéresse pas à la psychologie ; certes, elle donne un coup d'arrêt au discours « psychologisant » sur le personnage, elle met fin à l'autocratie idéaliste d'une psychologie éternelle de la Personne humaine, mais elle permet peut-être de donner sa place au fonctionnement psychique du théâtre pour le spectateur, c'est-à-dire à la fonction psycho-sociale de la représentation théâtrale.

Toute réflexion sur le texte théâtral ne peut manquer de rencontrer la problématique de la représentation : une étude du texte ne peut s'identifier qu'aux prolégomènes, au point de départ nécessaire mais non suffisant de cette pratique totalisante qui est celle du théâtre concret.

---

2. Speze-Voigt : « Alternative sémiotique » in *Sémiotique, Recherches internationales*, p. 20, Cahier n° 81.

Chapitre premier

TEXTE-REPRÉSENTATION

1. RAPPORT REPRÉSENTATION-TEXTE

Le théâtre est un art paradoxal. On peut aller plus loin et y voir l'art même du paradoxe, à la fois production littéraire et représentation concrète ; à la fois éternel (indéfiniment reproductible et renouvelable) et instantané (jamais reproductible comme identique à soi) : art de la représentation qui est d'un jour et jamais la même le lendemain ; art à la limite fait pour une seule représentation, un seul aboutissement, comme le voulait Artaud. Art de *l'aujourd'hui,* la représentation de demain, qui se veut la même que celle d'hier, se jouant avec des hommes qui ont changé devant des spectateurs autres ; la mise en scène d'il y a trois ans, eût-elle toutes les qualités, est à cette heure aussi morte que la jument de Roland. Mais le texte lui, est au moins théoriquement intangible, éternellement fixé.

Paradoxe : art du raffinement textuel, de la plus

haute et de la plus complexe poésie, d'Eschyle à Jean Genet en passant par Racine ou Hugo. Art de la pratique ou d'une pratique à gros traits, à grands signes, à redondances : il faut être vu, il faut être compris de tous. Ici encore l'écart se creuse entre le texte, qui peut être l'objet d'une lecture poétique infinie, et ce qui est de la représentation, immédiatement lisible.

Paradoxe : art d'un seul, le « grand créateur », Molière, Sophocle, Shakespeare — mais qui réclame autant que le cinéma et plus que lui, le concours actif, créatif de plusieurs, sans compter l'intervention directe ou indirecte des spectateurs. Art intellectuel et difficile, qui ne trouve son aboutissement que dans l'instant où le spectateur pluriel devient non une foule mais un public, dont l'unité est présupposée, avec toutes les mystifications que cela implique : Hugo voyait dans le théâtre l'outil qui unifierait les contradictions sociales : « La transformation de la foule en peuple (par le théâtre), profond mystère ! » (*Littérature et Philosophie mêlées*). Mais Brecht en revanche montre dans le théâtre le moyen d'une prise de conscience qui divise profondément le public, approfondissant ses contradictions internes.

Plus que tout autre art — de là sa place dangereuse et privilégiée — le théâtre, par l'articulation texte-représentation, mais plus encore par l'importance de l'enjeu matériel, financier, se démontre *pratique sociale,* dont le rapport à la production, donc à la lutte des classes, n'est jamais aboli, même s'il apparaît estompé par moments, et si tout un travail mystificateur le transforme au gré de la classe dominante en simple outil de divertissement. Art *dangereux :* directe ou indirecte, économique ou policière, la censure — parfois sous la forme particulièrement perverse de l'autocensure — le tient toujours sous son regard.

Art fascinant par la *participation* qu'il requiert, participation dont ni le sens ni la fonction ne sont clairs et que nous aurons à analyser ; participation physique et psychique du comédien, participation physique et psychique du spectateur (et nous en verrons le caractère actif). Le théâtre apparaît un art privilégié, d'une importance capitale, puisqu'il montre, mieux que tous les autres, comment le psychisme individuel s'investit dans un rapport collectif. Le spectateur n'est jamais seul : son regard, en même temps qu'il embrasse ce qui lui est montré, embrasse aussi les autres spectateurs dont il est à son tour regardé. Psychodrame et révélateur des rapports sociaux, le théâtre tient en main à la fois ces deux fils paradoxaux.

1.1

La première contradiction dialectique que recèle l'art du théâtre c'est l'*opposition texte-représentation.*

Certes, la sémiologie du théâtre doit tenir l'ensemble du discours du théâtre « comme lieu intégralement signifiant (= forme et substance du contenu, forme et substance de l'expression)[1] » ; c'est la définition que donne Christian Metz du discours filmique[2], définition que l'on peut, sans forcer les choses, appliquer au discours théâtral. Mais en réalité, refuser la distinction texte-représentation conduit à toutes les confusions, d'abord parce que ce ne sont pas les mêmes outils conceptuels qui sont requis pour l'analyse de l'un et de l'autre. Confusions multiples et déterminant des attitudes réductrices en face du fait théâtral.

1.1.1. La première attitude possible est l'attitude classique « intellectuelle » ou pseudo-intellectuelle : elle privilégie le texte et ne voit dans la représentation que l'expression et la traduction du texte littéraire. La tâche du metteur en scène serait donc de « traduire dans une autre langue » un texte auquel son premier devoir serait de rester « fidèle ». Attitude qui suppose une idée de base, celle de *l'équivalence sémantique* entre le texte écrit et sa représentation ; seule changerait la « matière de l'expression », au sens hjelmslevien du

1. Distinctions de L. Hjelmslev.
2. *Langage et Cinéma*, p. 13.

terme, contenu et forme de l'expression restant identiques quand on passe du système de signes-texte au système de signes-représentation. Or, cette équivalence risque fort d'être une illusion : l'ensemble des signes visuels, auditifs, musicaux, créés par le metteur en scène, le décorateur, les musiciens, les acteurs constitue un sens (ou une pluralité de sens) au-delà de l'ensemble textuel. Et réciproquement dans l'infinité des structures virtuelles et réelles du message (poétique) du texte littéraire, beaucoup disparaissent ou ne peuvent être perçues, effacées qu'elles sont par le système même de la représentation. Bien plus, même si par impossible la représentation « disait » tout le texte, le spectateur, lui, n'entendrait pas tout le texte ; une bonne part des informations est gommée ; l'art du metteur en scène et du comédien réside en grande partie dans le choix de ce qu'il *ne faut pas faire entendre.* On ne peut donc parler d'équivalence sémantique : si T est l'ensemble des signes textuels, et P celui des signes représentés, ces deux ensembles ont une intersection mobile pour chaque représentation :

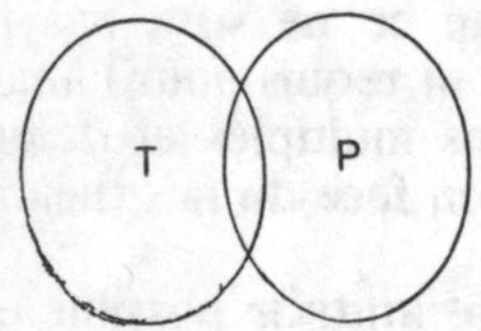

Selon le mode d'écriture et de représentation, la coïncidence des deux ensembles sera plus ou moins étroite ; et c'est un moyen intéressant de distinguer entre les différents types de rapports texte-représentation. L'attitude qui consiste à privilégier le texte littéraire comme premier s'identifie à l'illusion d'une coïncidence (en fait jamais réalisée) entre l'ensemble des signes du texte et celui des signes représentés. Et cette coïncidence, fût-elle par impossible accomplie, laisserait encore intacte la question de savoir si la représentation ne fonctionne que comme système de signes.

Le danger principal de cette attitude réside certes dans la tentation de figer le texte, de le sacraliser au point de bloquer tout le système de la représentation, et l'imagination des « interprètes[2 bis] » (metteurs en scène et comédiens) ; il réside plus encore dans la tentation (inconsciente) de boucher les fissures du texte, de le lire comme un bloc compact qui ne peut être que *reproduit* à l'aide d'autres outils, interdisant toute *production* d'un objet artistique. Le plus grand danger est de privilégier non *le* texte, mais *une* lecture particulière du texte, historique, codée, idéologiquement déterminée, et que le fétichisme textuel permettrait d'éterniser ; vu les rapports (inconscients mais puissants) qui se nouent entre tel texte de théâtre et ses conditions historiques de représentation, ce privilège accordé au texte conduirait, par une voie étrange, à privilégier les habitudes codées de représentation, autrement dit à interdire toute avance de l'art scénique. Ainsi, les comédiens et certains des metteurs en scène de la Comédie-Française s'imaginent assurément défendre l'intégrité et la pureté du *texte* de Molière ou de Racine quand ils n'en défendent qu'une lecture codée et plus encore un mode très déterminé de représentation. On voit par cet exemple non seulement comment le privilège accordé au texte risque de stériliser le théâtre, mais aussi pourquoi il est si nécessaire de distinguer nettement dans le fait-théâtre ce qui est *du texte* et ce qui est *de la représentation.* Si cette distinction n'est pas faite, il sera impossible d'analyser leurs rapports et leur *travail* commun. C'est l'indistinction texte-représentation qui permet paradoxalement aux tenants de la primauté du texte de reverser sur ce dernier l'*effet* de la représentation.

1.1.2. L'autre attitude, beaucoup plus courante dans la pratique moderne ou l' « avant-garde » du théâtre (une

2 bis. Que nous préférons appeler « praticiens ».

avant-garde un peu décolorée ces derniers temps), c'est le refus, parfois radical du texte : le théâtre est tout entier dans la cérémonie qui se réalise en face ou au milieu des spectateurs. Le texte n'est qu'un des éléments de la représentation, et peut-être le moindre. On aurait alors quelque chose comme :

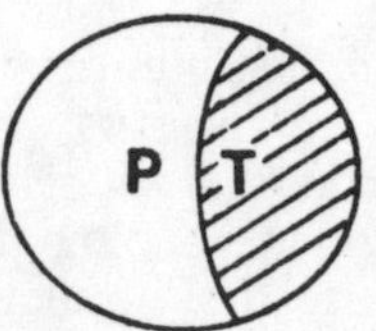

la part de T pouvant être aussi réduite que possible et même tomber à rien. C'est la thèse d'Artaud, non sans doute telle qu'il l'a énoncée, mais telle qu'elle a été trop souvent mal comprise comme refus radical du théâtre à texte[3]. Autre forme d'illusion inverse et symétrique de la précédente et qui nous contraint d'examiner de plus près la notion de texte au théâtre dans ses rapports avec la représentation.

1.2.

La raison principale des confusions qui s'établissent, en particulier dans les analyses de sémiologie théâtrale, vient du refus de distinguer entre ce qui est du texte et ce qui est de la représentation. L'ouvrage récent d'André Helbo, qui contient tant de contributions importantes, porte le titre usurpé de *Sémiologie de la représentation*[4], alors que l'essentiel du travail porte sur le texte théâtral.

1.2.1. Or il n'est pas possible d'examiner avec les mêmes outils les signes textuels et les signes non

---

3. Voir la remarquable analyse de J. Derrida : « La Parole soufflée » in *L'Ecriture et la Différence,* où il montre comment la tentative d'Artaud est, à propos du texte de théâtre, un passage à la limite. Notons pour notre part que la matérialité du théâtre est aussi dans le langage (*phoné*).

4. Ed. Complexe, Bruxelles, 1975.

verbaux de la représentation : la *syntaxe* (textuelle) et la *proxémique*[5] sont des approches différentes du fait théâtral, approches qu'il n'est pas bon de confondre au départ, même et surtout s'il faut en montrer ultérieurement les rapports, et même si ces rapports ne peuvent pas se laisser entrevoir très vite.

1.2.2. Confusion qui s'installe au cœur de la notion de théâtralité telle que la définit Barthes dans le texte célèbre des *Essais critiques :* « On a donc affaire à une véritable polyphonie informationnelle, et c'est cela la théâtralité : *une épaisseur de signes* (je parle ici par rapport à la monodie littéraire, en laissant de côté le problème du cinéma). » Où se situe la théâtralité ainsi définie ? Faut-il donc l'expulser du texte pour la réserver à la représentation ? Le texte serait alors simple pratique scripturale justiciable d'une lecture « littéraire », tandis que la théâtralité serait le fait de la représentation ? S'il en est ainsi, une sémiologie du texte théâtral n'a aucun sens et toute sémiologie du fait théâtral devrait être celle de la représentation. Rappelons un certain nombre de données :

a) le texte de théâtre est présent à l'intérieur de la représentation sous sa forme de voix, de *phoné ;* il a une double existence, d'abord il précède la représentation, ensuite il l'accompagne ;

b) en revanche, il est vrai qu'on peut toujours lire un texte de théâtre comme non-théâtre, qu'il n'y a rien dans un texte de théâtre qui interdise de le lire comme un roman, de voir dans les dialogues des dialogues de roman, dans les didascalies des descriptions ; on peut toujours « romaniser » une pièce comme on peut inversement théâtraliser un roman : « on peut faire théâtre de tout » dit Vitez, construisant *Catherine* avec *Les Cloches de Bâle* d'Aragon. Ce qui signifie qu'on effectue sur le texte romanesque un travail de transfor-

5. Etude des rapports entre les hommes fondés sur la distance physique. Voir Edward T. Hall : *Le langage silencieux,* Mame, 1973 et *La dimension cachée,* Seuil, 1972.

mation textuelle, analogue et de sens inverse à celui qu'on exécute en construisant la *fable* de la pièce comme une sorte de récit romanesque [6], faisant abstraction de la théâtralité. Notre présupposé de départ est qu'il existe à l'intérieur du texte de théâtre des matrices textuelles de « représentativité »; qu'un texte de théâtre peut être analysé selon des procédures qui sont (relativement) spécifiques et mettent en lumière les noyaux de théâtralité dans le texte. Spécificité non tant du texte que de la lecture qui peut en être faite. Si l'on peut lire Racine comme un roman, l'intelligibilité du texte racinien ne s'en porte pas bien.

Ajoutons ce point que nous tâcherons de montrer plus tard : il y a dans l'écriture théâtrale, et plus précisément dans ses présupposés, une *spécificité* que nous aurons à cerner, et que l'adaptation d'un texte poétique ou romanesque à la scène est contrainte de donner à ce texte.

1.2.3. Qu'est-ce qu'un texte de théâtre ? Il se compose de deux parties distinctes mais indissociables, le *dialogue* et les *didascalies* (ou indications scéniques ou régie) [7]. Le rapport textuel dialogue-didascalies est variable selon les époques de l'histoire du théâtre : parfois nulles ou quasi nulles (d'autant plus signifiantes quand par hasard elles existent) [8], les didascalies peuvent occuper une place énorme dans le théâtre contemporain, chez Adamov, chez Genet, où le texte didasca-

---

6. Dans le programme accompagnant la représentation de *Noce chez les petits-bourgeois,* de Brecht, par Vincent et Jourdheuil, le nom de chaque personnage était accompagné d'une biographie « romancée ».

7. Le terme usuel est *indications scéniques,* mais il est incomplet ; dans notre travail sur Hugo, nous nous sommes servis du terme *régie,* suivant en cela Jansen (voir la bibliographie). Le terme *didascalie* est plus précis et plus complet.

8. Elles n'ont jamais été nulles, bien entendu, mais les auteurs ne jugeaient pas utile d'en garder la trace. Dans Shakespeare, la première édition n'en comporte pas, les suivantes en ont, mais elles sont *tirées du texte.*

lique est d'une importance, d'une beauté, d'une signifiance extrêmes ; dans *Actes sans paroles* de Beckett, le texte est uniquement composé d'une immense didascalie.

Même là où elles apparaissent inexistantes, la place textuelle des didascalies n'est jamais nulle, puisqu'elles comprennent le *nom des personnages,* non seulement dans la liste initiale, mais à l'intérieur du dialogue, et les indications de lieu, donc répondent aux deux questions *qui* et *où;* ce que désignent les didascalies, c'est le contexte de la communication ; elles déterminent donc une *pragmatique,* c'est-à-dire les conditions concrètes de l'usage de la parole : on voit comment la textualité des didascalies ouvre sur l'usage qui en est fait dans la représentation (où elles ne figurent pas en tant que *paroles*).

La distinction linguistique fondamentale entre le dialogue et les didascalies touche au sujet de l'énonciation, c'est-à-dire à la question *qui parle?* Dans le dialogue, c'est cet être de papier que nous nommons le *personnage* (distinct de l'auteur) ; dans les didascalies, c'est l'auteur lui-même qui :

a) nomme les personnages (indiquant à chaque moment *qui parle*) et attribue à chacun un *lieu pour parler* et une *partie du discours ;*

b) indique les gestes et les actions des personnages, indépendamment de tout discours.

Distinction fondamentale et qui permet de voir comment l'auteur *ne se dit pas* au théâtre, mais écrit pour qu'*un autre* parle à sa place — et non pas seulement un autre, mais une collection d'*autres* par une série d'échanges de la parole. Le texte de théâtre ne peut jamais être décrypté comme une confidence, ou même comme l'expression de la « personnalité », des « sentiments » et des « problèmes » de l'auteur[9], tous les aspects subjectifs étant expressément renvoyés à

9. Non qu'on ne puisse faire à l'aide du texte de théâtre une herméneutique du sujet écrivant, mais telle n'est pas la *fonction* de ce texte

d'autres bouches. Premier trait distinctif dans l'écriture de théâtre : elle n'est jamais subjective, dans la mesure où, de sa propre volonté, l'auteur refuse de parler en son nom propre ; la part textuelle dont l'auteur est sujet est seulement constituée par les *didascalies*. Or les didascalies sont justement la part contextuelle du texte et peuvent être réduites à peu de chose [10]. Le dialogue étant toujours la voix d'un *autre* — et non seulement la voix d'un autre, mais de plusieurs autres —, si l'on pouvait décrypter par telle ou telle démarche herméneutique la voix du sujet écrivant, ce serait la superposition de toutes les voix ; le problème « littéraire » de l'écriture de théâtre étant d'ailleurs ce recouvrement de la parole du *moi* par la parole de l'autre, corollaire d'un refus de *se* dire [11].

1.2.4. Tel qu'il se présente, imprimé ou manuscrit, entre les pages d'un livre ou d'un cahier, le texte de théâtre possède un certain nombre de caractéristiques :

a) sa matière de l'expression est linguistique (celle de la représentation est multiple, linguisition et non linguistique) !

b) il se dit diachroniquement, selon une *lecture linéaire,* en opposition avec le caractère matériellement polysémique des signes de la représentation. Le texte littéraire, même « tabulaire », suppose une lecture selon l'ordre du temps (même si la relecture ou le retour en arrière inverse cet ordre), tandis que la perception du représenté suppose chez le spectateur l'organisation spatio-temporelle de signes multiples et simultanés.

D'où, pour la représentation, la nécessité d'une pratique, d'un travail sur la matière textuelle, qui est en

---

10. Voir, chez Benveniste, l'opposition discours-récit.

11. Si l'on nous oppose l'écriture *objective* du « nouveau roman », par exemple, nous dirons que l'écriture romanesque, elle, ne peut pas effacer la marque subjective du sujet écrivant, en la *recouvrant* par une autre marque subjective. Voir *infra*, dans le chapitre « Le discours du théâtre », une approche un peu moins sommaire de ce problème de l' « objectivité » au théâtre.

même temps travail sur d'autres matériaux signifiants. Mais le travail sur le texte suppose aussi la transformation *en texte,* par le praticien de théâtre, des signes non linguistiques, par une sorte de réciprocité. De là la présence, à côté du texte de l'auteur (en principe imprimé ou tapé à la machine), que nous appelons T, d'un autre texte, *de mise en scène,* et que nous appelons T', l'un et l'autre s'opposant à P, la représentation :

$$T + T' = P$$

Etant bien entendu que, comme tout texte littéraire, mais plus encore, pour des raisons évidentes, le texte de théâtre est *troué,* T' s'inscrit dans les trous de T. L'exemple le plus simple montrera l'importance de ces trous textuels et leur nécessité pour la représentation : non seulement nous ne savons rien de l'âge ou de l'aspect physique ou des opinions politiques ou de la vie passée de personnages aussi nettement caractérisés qu'Alceste ou Philinte, mais si l'on prend la première réplique, le tout début de la scène Alceste-Philinte qui ouvre la pièce *Le Misanthrope,* nous nous apercevons que nous ne savons rien de la *situation contextuelle :* les deux personnages sont-ils *déjà là,* dans le lieu scénique ou arrivent-ils ? Comment arrivent-ils ? Courent-ils ou non ? Qui suit l'autre et comment ? Autant de questions que pose ce texte théâtral nécessairement troué, et qui, s'il ne l'était pas, ne pourrait même être représenté ; au reste, la représentation devra répondre à ces questions. Un travail *textuel* est nécessaire pour constituer ces réponses : ce travail est celui du cahier de mise en scène, écrit ou non écrit ; verbal ou scriptural, un texte T' s'interpose nécessairement, servant de médiateur entre T et P, mais par nature assimilable à T (comme linguistique) et radicalement différent de P, dont la matière et les codes sont d'un autre ordre ; la partie linguistique du fait théâtral étant composée des deux ensembles de signes de T + T'. Nous sommes confrontés à cette notion que nous utilisons pour le moment en son sens usuel, celle de *signe.*

2. LE SIGNE AU THÉÂTRE

2.1.

Dans la mesure où l'on définit un langage comme un système de signes destinés à la communication, il est clair que le théâtre n'est pas un langage, qu'il n'y a pas à proprement parler de langage théâtral. De même que Christian Metz nie qu'il y ait un « signe cinématographique », on ne peut parler en toute rigueur de « signe théâtral » : il n'y a pas d'élément isolable dans la représentation théâtrale qui soit l'équivalent des signes linguistiques avec leur double caractère d'arbitraire (relatif) et de double articulation (en morphèmes et en phonèmes) [12]. En conséquence, toute identification du processus théâtral avec un procès de communication (émetteur code-message-récepteur) prête le flanc à des attaques dont G. Mounin s'est fait l'interprète passionné [13].

Cependant, il faut faire remarquer :

1° Que le *texte* théâtral, s'il n'est pas un langage autonome, est analysable comme tout autre objet à code linguistique selon :

a) les règles de la linguistique ;

b) le procès de communication, puisqu'il a incontestablement un émetteur, etc.

2° Que la *représentation* théâtrale est un ensemble (ou un système) de signes de nature diverse, relevant sinon totalement, du moins partiellement, d'un procès de communication, puisqu'elle comporte une série complexe d'émetteurs (en liaison étroite les uns avec les autres), une série de messages (en liaison étroite et complexe les uns avec les autres, selon des codes extrêmement précis), un récepteur multiple, mais situé

12. Seul peut-être le *corps* de l'acteur peut être tenu pour un système de signes « articulé » en parties et dont le rapport signifiant/signifié est relativement arbitraire.

13. G. Mounin : *Introduction à la sémiologie*, éd. de Minuit, 1970.

en même lieu. Que le récepteur ne puisse pas, en règle générale, répondre suivant le même code, comme le remarque G. Mounin, ne signifie pas du tout qu'il n'y ait pas communication. A un message émis en morse ou en langage chiffré peut parfaitement correspondre une réponse par geste, en langage vulgaire, ou pas de réponse du tout. L'identité des codes aller-retour n'est donc pas du tout une condition absolue de la communication.

S'il est vrai que la communication n'est pas le tout de la fonction de la représentation, que l'on ne peut négliger ni l'expression ni ce que G. Mounin appelle le *stimulus*[14], il est cependant possible de tenter d'analyser comment peut s'organiser le rapport texte-représentation, en partant de l'hypothèse du fait théâtral comme rapport entre deux ensembles de signes, verbaux et non verbaux.

2.2.

La définition saussurienne du signe :

On sait que, selon Saussure, le signe est un élément signifiant composé de deux parts pratiquement indissociables, mais séparables en droit et méthodologiquement (de même qu'un système isolé n'existe pas dans le monde et que l'on peut tout de même étudier les lois, thermodynamiques par exemple, d'un système isolé) : le *signifiant Sa* ou *S* et le *signifié Sé* ou *s*[15]. La

---

14. L'existence de *stimuli* n'est pas propre au théâtre ou même au spectacle. Beaucoup des signes perçus dans tout procès de communication fonctionnent à la fois comme signes et comme stimuli : le signe (ou plus précisément le signal) *danger* est compris comme signe mais peut aussi nous faire courir à toutes jambes. Par exemple, la littérature érotique, le système des couleurs sont à la fois des ensembles de signes intelligibles et des stimuli.

15. La comparaison que fait Saussure est celle de la feuille de papier, indivisible dans son épaisseur, mais qui possède son endroit et son envers, indépendants (c'est *l'arbitraire* du signe), mais indissociables. Hjelmslev a prolongé cette distinction en opposant plan de l'expression et plan du contenu, distinction elle-même raffinée en
— forme/substance de l'expression,
— forme/substance du contenu.

caractéristique du signe linguistique est son relatif *arbitraire,* c'est-à-dire l'absence de rapport visible, de « ressemblance » entre le signifiant et le signifié ou plus exactement de ressemblance entre le signifiant et le référent : le mot chaise ne ressemble pas à une chaise.

Un autre de ses caractères est la *linéarité,* c'est-à-dire le fait que les signes linguistiques sont décodés successivement dans l'ordre du temps. Le troisième élément de la triade du signe est le référent du signe, autrement dit, l'élément à quoi renvoie le signe dans le procès de communication, et qu'on ne peut pas renvoyer sans précaution à un objet dans le monde : il existe des référents imaginaires. Ainsi, le signe chaise a pour signifiant le morphème *chaise* (scriptural ou phonique), pour signifié le concept de chaise, et pour référent la possibilité ou l'existence d'un objet chaise (mais non pas nécessairement un objet *chaise* dans le monde).

Les signes de l'ensemble textuel T + T' au théâtre correspondent à cette définition et sont donc justiciables de toute procédure linguistique [16].

2.3. *Les signes non verbaux*

Nous présenterons ici quelques définitions, sans entrer le moins du monde dans les discussions que soulèvent ces termes : la théorie de la sémiologie théâtrale n'est pas faite, et ce n'est pas notre propos que de lui donner ici ses fondements théoriques.

Luis Prieto distingue les signes non intentionnels qu'il nomme *indices* (ainsi la fumée est l'indice du feu) et les signes intentionnels qu'il nomme *signaux* (la même fumée peut *signaler* ma présence dans la forêt, si tel est le code de reconnaissance convenu). Verbaux ou non verbaux, les signes peuvent être *indices* ou *signaux :* je peux indiquer ou signaler par la parole ou par tout autre moyen (le geste, etc.). Dans le domaine de la représentation, les signes, verbaux ou non, sont

16. Nous nous excusons de reprendre sommairement des notions bien connues, mais dont l'omission risquerait d'obscurcir pour certains notre propos.

en principe tous *signaux,* dans la mesure où ils sont théoriquement tous *intentionnels;* ce qui ne les empêche pas d'être aussi *indices* (d'autre chose que de leur dénoté principal)[17]; ce qui n'empêche pas la présence d'une multitude de signes-indices qui ne peuvent pas être pris en compte, volontairement, par le metteur en scène ou le comédien, et qui fonctionnent cependant. La terminologie de Peirce classe les signes en *indices, icônes* et *symboles :* l'*indice* est dans un rapport de contiguïté avec l'objet (par exemple fumée-feu) auquel il renvoie; l'*icône* soutient un rapport de ressemblance avec l'objet dénoté (ressemblance sous certains rapports : ainsi le *portrait*). Ces notions font l'objet de discussions : ainsi L. Prieto montre que l'indice, bien loin de marquer un rapport évident, implique un travail de classement en fonction d'une classe plus générale, « l'univers du discours[18] ».

Si nous reprenons le même exemple vulgaire, la fumée ne peut être indice de feu que si l'univers socioculturel a déjà établi cette liaison; supposons un feu qui brûle sans faire de fumée, le fonctionnement de l'indice s'effondre.

L'icône est elle aussi mise en question par Umberto Eco[19] qui remarque que les « ressemblances » entre l'icône et l'objet sont très sujettes à caution.

Quant au *symbole* selon Peirce, il est un rapport préexistant, et soumis aux conditions socioculturelles, entre deux objets : ainsi le lys et la blancheur ou l'innocence.

Il est évident que tout signe est plus ou moins à la fois icône, indice et symbole selon son fonctionnement et l'usage qu'on en fait, autant et plus que selon sa nature : qui nous dira à propos du noir, couleur des vêtements de deuil en Occident (en Asie, c'est le

17. On peut dire que les indices renvoient aussi à des *connotations,* c'est-à-dire à des significations secondes; voir *infra,* p. 31.

18. L. Prieto : *Messages et signaux,* P.U.F., 1972.

19. Umberto Eco : *La Structure absente,* Mercure de France, 1972, pp. 174 et suiv.

blanc), si c'est là icône, indice ou symbole ? On peut dire d'une façon générale que dans le domaine littéraire, l'indice sert *plutôt* à annoncer ou à articuler les épisodes du récit, il renvoie à la diégèse ou, selon la formulation de Barthes, au code proaïrétique (voir *S/Z*). L'icône fonctionne comme « effet de réel » et comme stimulus. Quant à la symbolique du signe, nous la verrons mieux à propos de l'objet théâtral.

Inutile de dire que tout signe théâtral est à la fois indice et icône, parfois symbole : icône, puisque le théâtre est d'une certaine façon la production-reproduction des actions humaines[20] ; indice, puisque tout élément de la représentation s'insère dans une suite où il prend son sens : le trait le plus innocent, le plus apparemment gratuit a tendance à être perçu par le spectateur comme l'indice d'éléments à venir, l'attente dût-elle être déçue.

2.4. Représentation et code

La représentation est constituée par un ensemble de signes verbaux et non verbaux ; le message verbal figurant à l'intérieur du système de la représentation avec sa matière de l'expression à lui, qui est acoustique (la voix), et comportant deux espèces de signes, les signes linguistiques, composant le *message* linguistique, les signes acoustiques proprement dits (voix, expression, rythme, hauteur, timbre). Le message verbal est donc déjà dénoté selon deux codes, linguistique et acoustique. A quoi s'ajoutent tous les codes grâce auxquels peuvent être décodés les signes non verbaux, les codes visuels, musicaux, la proxémique, etc. Tout message théâtral, dans la représentation, requiert donc pour être décodé une multitude de codes, ce qui permet d'ailleurs paradoxalement au théâtre d'être entendu et compris même de ceux qui n'ont pas *tous* les codes : on

---

20. On peut dire qu'au théâtre les icônes sont des signes servant à la représentation des choses, signes à valeur paradigmatique : elles sont comme substituables aux choses ; elles sont la source même de la *mimésis* théâtrale : le comédien est l'icône d'un personnage.

peut comprendre une pièce sans comprendre la langue, ou sans comprendre les allusions nationales ou locales, ou sans saisir tel code culturel complexe ou hors d'usage : il est clair que les grands seigneurs ou les laquais qui assistaient aux représentations de Racine ne comprenaient rien aux allusions mythologiques, étant les uns et les autres ignorants comme des carpes ; les spectateurs parisiens qui ont vu (et adoré) les représentations de *Campiello,* de Goldoni, monté par Giorgio Strehler, ne comprenaient pas le dialecte vénitien ; beaucoup d'entre eux n'étaient pas à même de lire les références à la peinture vénitienne, à Guardi en particulier ; restaient tous les autres codes, qui permettaient une saisie suffisante des signes.

A quoi il faut ajouter les codes proprement théâtraux, et d'abord celui qui suppose une « relation d'équivalence » entre les signes textuels et ceux de la représentation ; on peut considérer comme le code théâtral par excellence celui qui se donne comme « un répertoire d'équivalence[21] », ou une « règle d'équivalence terme à terme entre deux systèmes d'oppositions ». Ce code théâtral est aussi souple, mutable et dépendant des cultures que le code de la langue : ainsi les systèmes fixes d'équivalence entre une parole (représentant une situation) et un geste dans le *nô* japonais.

2.5. *Remarques sur le signe théâtral*

Vu le nombre des codes dans la représentation théâtrale, le signe théâtral est une notion complexe qui met en jeu non seulement une coexistence, mais une superposition de signes. On sait que tout système de signes peut se lire selon deux axes, l'axe des substitutions ou axe paradigmatique et l'axe des combinaisons ou axe syntagmatique : autrement dit, à chaque instant de la représentation, on a une possibilité de *substitution*

21. Umberto Eco : *La Structure absente,* Mercure de France, 1972, p. 56.

d'un signe à l'autre, faisant partie du même paradigme ; par exemple, à la présence réelle d'un ennemi, au cours d'un conflit, on peut substituer un objet qui en est l'emblème ou un autre personnage faisant partie du même paradigme *ennemi;* de là la souplesse du signe théâtral et la possibilité de substitution d'un signe appartenant à un code, à un signe appartenant à un autre code ; les *larmes* dans la *Phèdre* montée par Vitez étaient figurées (substituées) par une cuvette remplie d'eau où les comédiens baignaient leur visage. L'*axe syntagmatique* comprend l'enchaînement de la suite des signes, et l'on réalise comment, sans rompre à proprement parler l'enchaînement, on peut à la faveur d'une substitution faire jouer un code contre l'autre, faire passer le récit d'un type de signe à un autre.

On voit comment l'*empilement vertical* des signes simultanés dans la représentation (signes verbal, gestuel, auditif, etc.) permet un jeu particulièrement souple sur les deux axes paradigmatique et syntagmatique ; d'où la possibilité pour le théâtre de dire plusieurs choses en même temps, de suivre plusieurs récits simultanés ou entrelacés. L'empilement des signes permet le contrepoint.

En conséquence :

1) La notion de *signe* perd de sa précision et on ne peut repérer un signe minimal : il n'est pas possible, comme le voudrait Kowsan[22], d'établir une unité minimale de la représentation, qui serait comme une coupe dans le temps, échelonnant verticalement tous les codes : tel signe est ponctuel, éphémère (un geste, un regard, un mot), tel autre peut se prolonger tout au long de la représentation (tel élément de décor ou tel costume) ; le travail de démêlage des fils multiples des signes codés ne peut se faire qu'en utilisant des unités variables selon le code : ce que nous verrons en analysant les microséquences du texte dramatique.

2) Tout signe théâtral, même peu indiciel et purement iconique, est passible d'une opération que j'ap-

---

22. Kowzan : « Sur le signe théâtral », *Diogène* n° 61, 1968.

pellerai la « resémantisation » : tout signe, fût-il accidentel, fonctionne comme une question posée au spectateur, et qui réclame une ou plusieurs interprétations ; un simple stimulus visuel, une couleur par exemple, prend sens par sa relation paradigmatique (redoublement ou opposition) ou syntagmatique (rapport avec d'autres signes dans la suite de la représentation), ou par son symbolisme. Là encore, les oppositions signe-stimulus, indice-icône sont sans cesse dépassées par le fonctionnement même de la représentation : le trait distinctif du théâtre est de sauter la barre des oppositions.

2.6. Dénotation, connotation

On comprend bien que la difficulté principale dans l'analyse du signe au théâtre est liée à sa *polysémie*. Cette polysémie n'est pas seulement due à la présence d'un même signe dans des ensembles ressortissant à des codes différents, quoique scéniquement présents ensemble : ainsi, tel détail coloré d'un costume est d'abord élément visuel d'un tableau scénique, mais il s'inscrit aussi dans une symbolique codée des couleurs ; il fait aussi partie du costume d'un personnage, renvoyant par exemple à la place sociale du personnage, ou à son fonctionnement dramatique ; il peut encore marquer le rapport paradigmatique de son porteur avec un autre personnage dans le costume duquel il figure aussi. Polysémie liée surtout à ce processus de constitution du sens : à côté du sens principal, dit dénotatif (lié en général à la fable principale), sens en général « évident », tout signe (verbal ou non verbal) emporte avec lui des significations secondes, décalées par rapport à la première[23]. Ainsi « l'homme rouge » dont parle Marion de Lorme dans la pièce de Hugo qui porte son nom, dénote le cardinal de Richelieu (mais aussi la couleur de son costume) ; il connote la fonction de

23. Chez Hjelmslev, les connotations sont le *contenu* d'un plan de l'expression qui est l'ensemble des signes dénotatifs (analyse reprise par Barthes : *Communications* n° 4, « Eléments de sémiologie »).

cardinal, la puissance d'un quasi-roi, la cruauté d'un bourreau (rouge = sang) ; connotations liées au contexte socioculturel : le rouge connote non seulement la couleur du costume de cardinal, mais le sang et la cruauté (en russe, il ne connote que la beauté, mais après la Révolution d'Octobre il connote aussi la révolution) ; en Asie, le blanc connote non l'innocence, mais le deuil et la mort ; en Inde, une femme vêtue de blanc n'est pas une vierge, mais une veuve. Mais peut-être peut-on faire l'économie de la notion de connotation, surtout en ce qui concerne le signe théâtral, dans la mesure où à l'opposition dénotation-connotation on peut substituer la notion de pluralité de codes sous-tendant une multitude de réseaux textuels représentés. Ce qui rendrait compte de la possibilité de privilégier au niveau de la représentation un réseau secondaire, le réseau principal étant celui qui s'accorde à la fable principale. Encore reste-t-il à déterminer la fable principale : tâche du lecteur-dramaturge et du metteur en scène ; l'intérêt et la spécificité du théâtre résident précisément dans la possibilité toujours présente de privilégier un système de signes, de faire jouer les réseaux les uns contre les autres, et ainsi de faire produire au même texte-parution un jeu de sens dont l'équilibre final est différent.

2.7. La triade du signe au théâtre

A partir du présupposé sémiologique (l'existence de deux systèmes de signes au théâtre, l'un verbal, celui du texte T, l'autre verbal/non verbal, celui de la représentation P) nous déduisons un certain nombre de conséquences sur les rapports T/P. Si T est l'ensemble des signes textuels, P l'ensemble des signes de la représentation, Sa le signifiant, Sé le signifié, R le référent de T, r le référent de P, nous aurons :

$$T = \frac{Sa}{Sé} \rightarrow R$$

$$P = \frac{Sa'}{Sé'} \rightarrow r$$

L'hypothèse « classique », celle du théâtre joué comme représentation « traduction » du texte, voudrait qu'on ait *sé = sé'* et *R = r*, le signifié des deux ensembles de signes étant identique ou extrêmement proche (et s'il n'est pas identique, ce serait dû à l'infirmité de toute « représentation ») — et renvoyant au même référent. Tout se passe comme s'il y avait *redondance,* redoublement de sens entre le texte et la représentation.

Mais c'est supposer que deux ensembles de signes, dont la matière de l'expression est différente, peuvent avoir un signifié identique, c'est supposer donc que la matérialité du signifiant n'influe pas sur le sens. Or, on peut remarquer que :

1° l'ensemble des réseaux textuels ne peut pas trouver dans sa totalité d'équivalent dans l'ensemble des signes de la représentation ; il reste une part Y, qui tombe ;

2° s'il y a perte de l'information en passant du texte à la représentation (toute une poétique textuelle est parfois difficilement figurable), il y a d'un autre côté gain d'information dans la mesure où beaucoup des signes de la représentation peuvent former des systèmes autonomes X (X1, X2...) qui n'ont pas d'« équivalent » dans l'ensemble des signes textuels.

Toute la question est de savoir si l'idéal de la représentation est de diminuer au maximum la valeur de X et de Y pour obtenir une coïncidence approchée entre $\frac{\text{Sa}}{\text{Sé}'}$ et $\frac{\text{Sa}'}{\text{Sé}'}$. C'est l'idéal « classique » de la représentation : il suppose que l'on peut construire des systèmes réellement *équivalents.* Inversement, on peut considérer que la construction des signes de la représentation sert à constituer un système signifiant autonome dans lequel l'ensemble des signes textuels ne joue que pour une part. Hypothèse plus féconde et correspondant mieux aux tendances du théâtre contemporain, le travail pratique de la représentation consistant à reprendre en compte pour les combiner les deux systèmes signifiants ; mais aussi hypothèse réductrice si elle conduit à diminuer la part des signes textuels.

2.8. Le problème du référent

Le référent R du texte théâtral renvoie à une certaine image du monde, à une certaine figure contextuelle des objets du monde extérieur. Ainsi le *diadème* dans une tragédie de Corneille renvoie non tant à un objet réel, en or plus ou moins couvert de pierreries, qu'à la royauté ou au roi : le référent du diadème, c'est la royauté telle que la voit Corneille (et son public). Même l'objet réel qui est le référent du lexème[24] *diadème* n'a d'importance que secondaire.

Dans le domaine de la représentation, le référent a un double statut :

1° il s'identifie au référent R du texte théâtral ; le diadème dans l'*Othon* de Corneille, joué en 1975, a pour référent la royauté cornélienne ;

2° il est aussi *matériellement présent sur scène* sous une forme concrète ou figurée, un vrai diadème ou un *acteur en chair et en os* jouant le roi et auquel s'identifie métonymiquement le *diadème.* On voit le statut singulier du signe iconique au théâtre : il s'identifie à son propre référent, qui lui « colle dessus ».

Ainsi, la représentation construit au texte et si l'on peut dire se construit à soi-même son propre référent. Situation paradoxale, sémiotiquement monstrueuse ; un signe P (de la représentation) se retrouverait avec trois référents :

a) le référent R du texte dramatique ;
b) lui-même (P = R) *comme son propre référent.*
c) son référent r dans le monde.

Cette situation paradoxale *signe le fonctionnement même du théâtre* dans la mesure où :

— 1° le référent R du texte T est à la fois :

a) un système dans le monde (par exemple la royauté au temps de Corneille) ;

24. Voir l'index des notions en fin de volume.

b) les signes concrets qui « représentent » T sur la scène. Autrement dit, les signes textuels T sont tels et sont construits tels (par l'auteur) qu'ils renvoient à deux ordres de réalité, *dans le monde* et *sur la scène ;*

— 2° l'ensemble de signes P est construit comme le *système référentiel de T = le réel à quoi renvoie l'écriture théâtrale* ; mais en même temps, comme tout signe, il a son propre référent, actuel, r (sans compter, par ricochet, le référent R de T).

Si l'on prend l'exemple du *diadème* chez Corneille, tout se passe comme si la représentation construisait un *roi porteur de diadème* concrètement présent sur la scène et référent du texte cornélien, en même temps que ce roi porteur de diadème fonctionne comme *signe* renvoyant au référent historique du XVIIe siècle (Mazarin, Louis XIV) *et* au référent historique du XXe siècle (... et qu'est-ce qu'un roi pour nous, aujourd'hui ?). On voit comment c'est la nature même du signe théâtral (T + P), dans sa totalité, qui conditionne le statut du théâtre et son caractère d'activité pratique indéfiniment renouvelable.

Nous espérons que notre thèse, paradoxale, sur le signe théâtral éclaire son fonctionnement *historique.* Chaque moment de l'histoire, chaque représentation nouvelle reconstruit P comme un référent nouveau à T, comme un nouveau « réel » référentiel (nécessairement quelque peu décalé), avec un référent second r différent, dans la mesure où ce référent r est *actuel* (en fonction du moment précis, *hic et nunc,* de la représentation).

On comprend ainsi comment et pourquoi le théâtre (même le théâtre pittoresque ou psychologique) est une pratique idéologique, et même, le plus souvent, très concrètement politique.

On voit aussi pourquoi on ne peut espérer ni reconstituer une représentation du temps de Louis XIV, ni même, ce qui n'est pas la même chose, donner une image référentielle du siècle de Louis XIV (autrement que par plaisanterie), ni oblitérer ce référent historique pour actualiser brutalement, par exemple, un texte du XVIIe siècle : *Le Misanthrope* en costumes de ville actuels ne peut fonctionner, il manquerait de sa *double référence.* Il devient clair que l'activité théâtrale, dans la représentation, est par excellence un *lieu dialectique.*

C'est l'une des raisons aussi qui font des tentations du théâtre naturaliste une véritable illusion : la formule du théâtre naturaliste serait R = r, c'est-à-dire l'espérance de faire coïncider le monde sur scène avec le monde extérieur ; là aussi, la solution naturaliste est non dialectique, et le danger de cette coïncidence entre R et r demeure présent dans la représentation dite « réaliste ».

Corollaire : le théâtre est là pour *dire,* mais aussi pour *être,* et c'est un problème que nous aurons l'occasion de retrouver ; c'est réduire beaucoup l'activité théâtrale que de la faire fonctionner uniquement comme système de signes, en oubliant son fonctionnement référentiel : le théâtre est à soi-même un *référent,* dont il est vain d'essayer de rendre signifiants *tous*[25] les éléments ; il est pour le spectateur un *donné* dont le caractère iconique est dominant : le théâtre est vu avant d'être compris.

Mais si nous parlons de signe et de référent, ce ne peut être qu'en fonction du destinataire du « message », cet acteur indispensable du procès de communication qu'est le récepteur-spectateur.

Communication, au-delà de la communication, le paradoxe du théâtre n'a pas fini de nous atteindre.

3. THÉÂTRE ET COMMUNICATION

3.1.

Si nous résumons l'essentiel de ce que nous avons tenté de montrer jusqu'ici, les hypothèses de travail,

---

25. Voir Umberto Eco : *La Structure absente,* pp. 69 et suiv., sur la sémiotisation du référent.

concernant les rapports du texte et de la représentation dramatique, nous dirons que la « performance » théâtrale est constituée par un *ensemble de signes,* ensemble articulé en deux sous-ensembles : le texte T et la représentation P.

Ces signes s'inscrivent dans un procès de communication dont ils constituent le message. Procès certes passablement complexe, mais obéissant vaille que vaille aux lois de la communication :

Emetteur (multiple) : auteur + metteur en scène + autres praticiens + comédiens.

Message : T + P.

Codes : code linguistique + codes perceptifs (visuel, auditif) + socioculturel (« bienséances », « vraisemblance », « psychologie », etc.) + codes proprement théâtraux (spatial-scénique, de jeu, etc., codifiant la représentation à un certain moment de l'histoire).

Récepteur : spectateur (s), public.

L'objection de base qu'adresse G. Mounin à l'hypothèse incluant le théâtre dans le procès de communication ne paraît pas absolument convaincante ; il dit :

> « La linguistique a (...) valorisé comme centrale la fonction de communication. Cela a conduit Buyssens et d'autres linguistes à bien distinguer les faits qui relèvent d'une *intention* de communication qu'on peut mettre en évidence (existence d'un locuteur relié à un auditeur par un message déterminant des comportements vérifiables) et à les séparer des faits qui n'offrent pas ce caractère, même si jusqu'à maintenant on appelait ces faits du nom de signes et si on les étudiait dans le langage. Ces faits que Troubetzkoï appelle des *indices* et des *symptômes* (...) sont des renseignements que le locuteur donne sur lui-même sans aucune intention de les communiquer[26]. »

Mounin subordonne donc la communication à l'intention de communiquer. Or cette intention de commu-

26. G. Mounin : *op. cit.,* p. 68.

niquer ne paraît pas niable dans le domaine du théâtre. Même si le comédien affirme son intention de *s'exprimer,* ce n'est pas *soi* qu'il veut exprimer, c'est soi disant quelque chose. L'intention de communiquer ne peut se ramener à l'intention de communiquer une science ou une connaissance déterminée, claire et distincte. On peut vouloir communiquer, même si l'on ne sait pas clairement ce qu'on communique. L'art en général distingue l'intention de communiquer et la volonté de dire telle chose précise : on peut vouloir communiquer alors que le message comporte toute une part qui ne ressortit pas à l'intentionnalité. Il en est du théâtre comme d'autres formes d'art : la richesse des signes, l'étendue et la complexité des systèmes, qu'ils forment, dépassent infiniment l'intention première de communiquer. S'il y a *perte* de l'information par rapport au projet primitif, il y a aussi *gains* imprévus ; même si nous laissons de côté la question des *bruits* (c'est-à-dire des signes involontaires qui troublent la communication), il y a dans toute communication une part d'information involontaire, inconsciente (mais qu'on ne saurait sans abus dire non intentionnelle), dont la réception est possible ou s'impose à l'auditeur ; dans la vie quotidienne, les mimiques, le ton, les lapsus, les coq-à-l'âne composent un discours en général parfaitement entendu par le récepteur. Ces observations banales depuis Freud, et même avant lui sans doute, permettent de comprendre comment la communication théâtrale est intentionnelle dans son ensemble, et même (c'est le travail du metteur en scène) dans tous ses signes essentiels ; elle mérite donc bien le nom de communication au sens restrictif du terme, même si beaucoup des signes émis par l'activité théâtrale ne peuvent être pris en compte par un projet conscient, et si la question de leur intentionnalité ne se pose guère, parce qu'elle ne peut concerner tous les signes du langage poétique. L'écrivain de théâtre et le metteur en scène peuvent dire : j'ai voulu *parler,* même s'il leur arrive aussi de dire : je n'ai pas voulu dire *cela,* où s'ils ne peuvent dire ce qu'ils ont « voulu dire ».

3.2. Les six fonctions

Si l'on admet l'hypothèse que l'activité théâtrale est un procès de communication (même si elle ne se réduit pas à cela), on en déduit que les six fonctions distinguées par Jakobson[27] sont pertinentes non seulement pour les signes du texte, mais pour ceux de la représentation. Chacune de ces fonctions se rapporte, on le sait, à l'un des éléments du procès de communication :

a) la fonction *émotive,* renvoyant à l'émetteur, est capitale au théâtre, où le comédien l'impose par tous ses moyens physiques et vocaux tandis que le metteur en scène, le scénographe disposent « dramatiquement » les éléments scéniques.

b) la fonction *conative,* renvoyant au destinataire, impose au double destinataire de tout message théâtral, le destinateur-acteur (personnage), le destinataire-public, de prendre une décision, de donner une réponse, fût-elle provisoire et subjective ;

c) la fonction *référentielle* ne laisse jamais le spectateur oublier le *contexte* (historique, social, politique, voire psychique) de la communication et renvoie à un « réel » (voir *supra* la complexité du fonctionnement référentiel du signe théâtral) ;

d) la fonction *phatique* rappelle à chaque instant au spectateur les conditions de la communication et sa présence de spectateur au théâtre : elle interrompt ou renoue le contact entre l'émetteur et le récepteur (tandis qu'à l'intérieur du dialogue elle assure le contact entre les personnages). Texte et représentation peuvent l'un et l'autre assurer concurremment cette fonction.

e) la fonction *métalinguistique*[28], rarement présente à l'intérieur du dialogue, qui réfléchit peu sur ses

---

27. R. Jakobson : *Essais de linguistique générale,* éd. de Minuit, 1966.

28. « La fonction métalinguistique est la fonction du langage par laquelle le locuteur prend le code qu'il utilise (...) comme objet de son discours. » *Dictionnaire de linguistique* (Larousse). Définir les mots qu'on utilise appartient à la fonction métalinguistique.

conditions de production, fonctionne à plein dans tous les cas où il y a théâtralisation, affichage du théâtre ou théâtre dans le théâtre ; c'est dire : mon code c'est le code théâtral ;

f) bien loin de n'être qu'un mode d'analyse du *discours théâtral* (et particulièrement du *texte dialogué*), l'ensemble du procès de communication peut éclairer la représentation en tant que pratique concrète : la *fonction poétique,* celle qui renvoie au message proprement dit, peut éclairer les rapports entre les réseaux sémiques textuels et ceux de la représentation. Le fonctionnement théâtral est plus qu'un autre de nature *poétique,* si le travail poétique est, comme le veut Jakobson, *projection du paradigme* sur le syntagme, des signes textuels-représentés sur l'ensemble diachronique de la représentation.

3.3. *Le récepteur-public*

Il serait faux de dire que le rôle du spectateur dans le procès de communication est passif. Aucun comédien, aucun metteur en scène ne l'a jamais pensé. Mais beaucoup se contentent de voir dans le spectateur une sorte de miroir qui renvoie réfractés les signes qu'on a émis à son intention ; au plus un contre-émetteur, renvoyant des signes de nature différente, indiquant simplement un fonctionnement phatique : « Je vous reçois cinq-cinq » (comme dans les messages-radio) ou « je ne vous reçois pas du tout » (disent les sifflets ou les rires malencontreux).

En fait, la fonction-récepteur du public est beaucoup plus complexe. D'abord parce que le spectateur trie les informations, les choisit, les rejette, pousse le comédien dans un sens, par des signes faibles, mais très clairement perceptibles en *feedback* par l'émetteur. Ensuite, il n'y a pas *un* spectateur, mais une multiplicité de spectateurs réagissant les uns sur les autres. Non seulement on va rarement seul au théâtre, mais *on n'est pas seul* au théâtre, et tout message reçu est réfracté (sur les voisins), répercuté, repris et renvoyé dans un échange très complexe.

Enfin, et c'est sans doute l'aspect le plus paradoxal, le plus difficile à saisir dans les conditions du théâtre à l'italienne, conditions particulières et limitées, c'est le spectateur, bien plus que le metteur en scène, qui fabrique le spectacle : il doit recomposer la totalité de la représentation, à la fois sur l'axe vertical et sur l'axe horizontal. Le spectateur est obligé, non seulement de suivre une histoire, une fable (axe horizontal), mais de recomposer à chaque instant la figure totale de tous les signes concourant à la représentation. Il est contraint en même temps de s'investir dans le spectacle (identification) et de s'en retirer (distance). Il n'est sans doute pas d'activité qui demande un tel investissement intellectuel et psychique. De là sans doute le caractère irremplaçable du théâtre et sa permanence au milieu de sociétés très diverses et sous des formes variées. Ce n'est pas Brecht qui a inventé cet arbitrage créatif du spectateur[29], mais il a retrouvé, au-delà de la passivité du public bourgeois, la loi fondamentale du théâtre, celle qui fait du spectateur un participant, un *acteur* décisif (... sans qu'il soit nécessaire de faire intervenir le moindre *happening*).

Notre tâche n'est pas ici d'étudier la *réception* du spectacle, pas plus d'ailleurs que le mode particulier de lecture du texte théâtral hors représentation, avec son recours à un type très formalisé d'imagination. Qu'il nous suffise de dire que cette réception nous paraît marquée de trois éléments-clefs :

a) la nécessité de se raccrocher, devant le torrent des signes et des stimuli, à de grandes structures (par exemple narratives) ; nous verrons que ce point implique la nécessité d'étudier *d'abord* les macrostructures du texte ;

b) le fonctionnement du théâtre non seulement comme message, mais comme expression-stimulation,

---

29. « Dans cette perspective, le théâtre laisse un rôle actif au spectateur qui ne se borne plus à regarder (...). Qu'il profite de cette latitude d'être actif de la façon la plus facile qui soit : car le mode d'existence le plus facile est dans l'art. » *Petit Organon, Ecrits,* p. 207.

c'est-à-dire induction chez le spectateur d'une action possible ;

c) la perception de tout l'ensemble des signes théâtraux comme marqués de négativité. C'est ce dernier point que nous voudrions ne pas omettre.

3.4. La dénégation-illusion

3.4.1. La caractéristique de la communication théâtrale, c'est que le récepteur considère le message comme non réel ou plus exactement comme non vrai. Or si la chose va de soi, ou peut aller de soi dans le cas d'un récit ou d'un conte (verbal ou scriptural) où le récit est expressément dénoté comme imaginaire, dans le cas du théâtre la situation est différente : ce qui figure dans le lieu scénique c'est un *réel concret,* des objets et des personnes dont l'existence concrète n'est jamais mise en doute. Or s'ils sont indiscutablement existants (pris dans le tissu du réel), ils se trouvent en même temps niés, marqués du signe moins. Une chaise sur la scène n'est pas une chaise dans le monde : le spectateur ne peut ni s'y asseoir, ni la déplacer ; elle est interdite, elle n'a pas *d'existence pour* lui. Tout ce qui se passe sur la scène (si peu déterminé et clôturé que soit le lieu scénique) est frappé d'irréalité. La révolution contemporaine dans le lieu scénique[30] (disparition ou adaptation de la scène à l'italienne, scène en anneau, théâtre en rond, tréteaux, théâtre de rue), tout ce qui mélange public et action scénique, spectateurs et acteurs n'entame pas cette fondamentale distinction : le comédien serait-il assis sur les genoux du spectateur qu'une rampe invisible, un courant à 100 000 volts l'en sépareraient encore radicalement. Même s'il y avait (comme dans le théâtre politique, le théâtre d'agitation) mise en scène d'un événement réel, ce réel aurait, une fois théâtralisé, un statut de non-réalité qui l'appa-

---

30. Voir l'admirable ouvrage de Denis Bablet : *Les Révolutions scéniques du XXe siècle,* Société internationale d'art du XXe siècle, 1975.

rente au rêve. O. Mannoni, dans son ouvrage intitulé *Clefs pour l'imaginaire*[31], analyse avec force ce processus de dénégation. Pour Freud, le rêveur sait qu'il rêve même quand il ne le croit pas, ou ne veut pas le croire. De même le théâtre a le statut du rêve : une construction imaginaire dont le spectateur sait qu'elle est radicalement séparée de la sphère de l'existence quotidienne. Tout se passe comme s'il y avait pour le spectateur une double zone, un double espace (nous retrouverons ce problème à propos de l'espace au théâtre) : l'un qui est celui de la vie quotidienne et qui obéit aux lois habituelles de son existence, à la logique qui préside à sa pratique sociale, l'autre qui est le lieu d'une pratique sociale différente et où les lois et les codes qui le régissent, tout en continuant à avoir cours, ne le régissent plus, lui, en tant qu'individu pris dans la pratique socio-économique qui est la sienne ; il n'est plus « dans le coup » (ou sous le coup ?). Il peut se permettre de voir fonctionner les lois qui le régissent sans y être soumis, puisqu'elles sont expressément niées dans leur réalité contraignante. Ainsi se justifie la présence, toujours actuelle au théâtre, de la *mimésis*, c'est-à-dire de l'*imitation* des êtres et de leurs actions, en même temps que les lois qui les régissent paraissent dans un imaginaire retrait. Telle est la *catharsis :* de même que le rêve accomplit d'une certaine façon les désirs du dormeur, par la construction du fantasme, de même la construction d'un réel concret qui est en même temps l'objet d'un jugement qui en nie l'insertion dans la réalité, libère le spectateur, qui voit s'accomplir ou s'exorciser ses craintes et ses désirs, sans qu'il en soit victime, mais non sans sa participation. On voit que ce fonctionnement de la dénégation trouve sa place aussi bien dans le théâtre-cérémonie, lié à un rituel de la fête, que dans le théâtre dit de l'illusion. (Y a-t-il contradiction entre une telle vue de la catharsis et la thèse brechtienne ? N'en croyons rien : le fonctionnement de

31. O. Mannoni : *Clefs pour l'imaginaire,* Seuil, 1969.

la dénégation touche toutes les formes de théâtre : catharsis et « réflexion » brechtienne sont deux fonctionnements en opposition dialectique, non en exclusion).

3.4.2. L'illusion théâtrale. Allons plus loin : il n'y a pas d'*illusion théâtrale.* Le théâtre de l'illusion est un accomplissement pervers de la dénégation : il s'agit de pousser si loin la ressemblance avec la « réalité » de l'univers socio-économique du spectateur, que ce soit l'ensemble de cet univers qui bascule dans la dénégation ; l'illusion se reverse sur la réalité elle-même, ou plus précisément, le spectateur, devant une réalité qui tente de mimer parfaitement ce monde, avec la plus grande *vraisemblance,* se trouve contraint à la passivité ; le spectacle lui dit : « ce monde, qui se trouve ici reproduit avec tant de minutie, ressemble à s'y méprendre au monde où tu vis (où vivent d'autres que toi, plus chanceux) ; pas plus que tu ne peux intervenir dans le monde scénique enclos dans son cercle magique, tu ne peux intervenir dans l'univers réel où tu vis ». Nous rejoignons ici, par le biais imprévu de la dénégation freudienne, la critique que fait Brecht du processus d'identification.

Ainsi prend son sens l'histoire absurde et parlante du cow-boy qui, pour la première fois admis dans une salle de spectacle, sort son pistolet et ajuste le traître. Ce n'est pas qu'il ignore que ce qu'il voit n'est pas « vrai » (et Mannoni a bien raison de le faire remarquer), mais à partir du moment où l'on raffine sur l'illusion tout en enfermant les gens dans une impuissance de plus en plus grande, la révolte du spectateur mal initié au code et bouleversé par cette contradiction explosive prend cet aspect dérisoire : le cow-boy, habitué à l'action immédiate, n'a pas appris *qu'il n'était pas permis d'intervenir.*

Nous touchons ici au paradoxe brechtien : c'est au point de l'identification maximale du spectateur avec le spectacle que la distance entre le spectateur et le spectacle est la plus grande, entraînant par contrecoup la « distance » la plus grande entre le spectateur et sa propre action dans le monde. C'est le point où le théâtre, si l'on peut dire, désarme les hommes devant leur propre destin. Nous disons *distance :* inutile de rappeler qu'il ne s'agit pas de la « Verfremdung » brechtienne (distanciation), processus dialectique que nous n'avons pas fini de retrouver sur notre route.

Il y aurait beaucoup à dire, et ce serait un travail que nous ne pouvons mener à bien ici, sur le sens même de la *mimésis* envisagée comme « copie » de la réalité. Toute l'analyse précédente s'inscrit délibérément dans ce qui est *une illusion,* l'illusion que le théâtre naturaliste par exemple copie la réalité, alors qu'il ne la copie pas le moins du monde, mais qu'il met en scène une certaine image des conditions socio-économiques et des relations entre les hommes, image construite en conformité avec les représentations que se fait la classe dominante, donc avec le code dominant ; et qui de ce fait s'impose sans réaction au spectateur[32]. Certes, la dénégation fonctionne, le spectateur sait parfaitement qu'on ne lui donne pas de ce monde une image « vraie », mais ce qui lui est proposé par la perfection de l'illusion, c'est le modèle d'une certaine attitude devant le monde, attitude de passivité. Ce ne sont pas les rapports objectifs qui sont ici mimés, mais un certain type de « représentation » de ces rapports, et l'attitude qui en découle.

3.4.3. Le phénomène de la dénégation (celle qui est spéciale au théâtre et que nous verrons mieux fonctionner au niveau de l'espace scénique) n'est pas sans conséquences idéologiques immédiates. Tout d'abord le théâtre naturaliste fondé sur la recherche de l'illusion, le théâtre à l'italienne avec son présupposé du quatrième mur transparent, isolant un morceau de

32. Non que l'on puisse accuser avec raison la classe dominante d'imposer sa propre *imposture* aux classes dominées ; en fait ce sont ses propres vues, ses propres illusions, *son idéologie.*

« réalité », transposé, a son incidence : le spectateur devenu voyeur impuissant répète au théâtre le rôle qui est ou sera le sien dans la vie ; il contemple sans agir, il est concerné sans l'être ; Brecht a raison de le dire, cette dramaturgie est conservatrice, paternaliste ; le spectateur est un enfant bercé ; rien, de son fait, ne sera changé au monde : le désordre doit être résorbé ; mélodrame ou drame bourgeois inscrivent le rêve d'une libération passionnelle qui n'aura lieu que dans l'imaginaire. C'est ainsi que quelques centaines de milliers de gens (quelques millions en ajoutant le cinéma) auront vu et compris *La Dame aux camélias.* Que la passion ne dérange pas l'ordre (bourgeois) du monde ! Le spectateur peut sans danger s'identifier à Marguerite ou à Armand Duval : ce qu'il contemple ne saurait être changé de son fait.

Inversement, tout théâtre historique-réaliste mettant en scène tel exaltant événement révolutionnaire (ainsi Brecht et *Les Jours de la Commune*), tout théâtre de l'événement inscrivant son texte dans la vérité d'un processus historique court le risque de sombrer dans l'irréalité : comment éviter que fonctionne la dénégation, renvoyant à l'illusion l'ensemble du processus scéniquement figuré ? Ainsi, trop souvent, le théâtre de rue devient irréaliste, faute de comprendre que, quoi qu'il arrive, la rampe existe toujours, que le comédien sur le macadam la traîne avec lui, isolant le cercle magique où même la grève et l'arrestation d'hier sont irréelles. Le « réalisme » théâtral ne peut pas passer par la voie du réalisme textuel/scénique. Il a d'autres chemins. Tels surprenants mécomptes n'ont pas d'autres causes. Dans ce qu'on appelle maintenant le « théâtre du quotidien », le danger apparaît : que ce soit la réalité quotidienne des pauvres et des opprimés qui soit irréalisée, rendue exotique comme celle des « sauvages » ; ainsi le travail du théâtre du quotidien ne peut-il être qu'un travail de *langage :* c'est le langage quotidien qui apparaît irréalisé ; la leçon politique est justement dans l'irréalisme d'un langage stéréotypé : le divorce se fait entre le langage et la puissance contraignante du réel. Ce que le spectateur voit et entend c'est son propre langage, irréalisé par la dénégation.

3.4.4. Dénégation, théâtralisation. Si le réalisme naturaliste est par nature irréaliste et producteur de passivité, si un « naturalisme » révolutionnaire n'est pas plus avancé, les mêmes causes produisant les mêmes effets, et la considération illusoire du réel clouant le spectateur dans son fauteuil, il y a bien une possibilité théorique et pratique de dépasser ce stade de l'illusion. Artaud choisit la voie « régressive » — le terme n'étant nullement péjoratif, on s'en doute, mais simplement historique — du retour infra-théâtral à la « cérémonie » où la « réalité » n'a pas besoin d'être figurée, où est construit un rituel délibérément fantasmatique. Brecht, moins révolutionnaire qu'il n'y paraît sur ce terrain, retrouve la voie royale de la *théâtralisation.* Autrement dit, Brecht construit une série de signes chargés d'assurer le spectateur qu'il est bien au théâtre. C'est ce qu'ont admirablement compris la troupe de Mnouchkine ou le « Bread and Puppet » qui jouent de tous les moyens de la théâtralisation : commedia dell'arte, cirque, marionnettes.

A l'intérieur de l'espace scénique se construit, comme déjà dans Shakespeare, voire dans le théâtre grec, une *zone privilégiée où le théâtre se dit comme tel* (tréteaux, chansons, chœur, adresse au spectateur). On sait après Freud que, lorsqu'on rêve qu'on rêve, le rêve intérieur au rêve dit la vérité. Par une double dénégation, le rêve d'un rêve, c'est le vrai. De même le « théâtre dans le théâtre » dit non le réel, mais le *vrai,* changeant le signe de l'illusion et dénonçant celle-ci dans tout le contexte scénique qui l'entoure.

Donc, si le message reçu par le spectateur est « normalement » (c'est-à-dire dans un théâtre où l'illusion prévaut) de la forme $m = -x$, le message reçu, s'il y a théâtralisation, se traduit par une mise entre parenthèses d'une partie des signes :

$$m = -x - (-y) = -x + y$$

De là une situation de réception complexe où le spectateur est contraint de prendre conscience du double statut des messages qu'il reçoit, donc de renvoyer à la dénégation tout ce qui appartient à l'ensemble de l'espace scénique, mise à part la zone où se fait le renversement opéré par la théâtralité. La scène des comédiens dans *Hamlet* (comme celle de *L'Illusion comique,* de Corneille, ou la scène des comédiens dans la *Marion de Lorme,* de Hugo) est un bon exemple de démasquage par la théâtralité, de mise au jour du vrai. Plus généralement, dans Shakespeare et dans Brecht, le rôle des chansons, des bouffons, des pancartes est déjà théâtre dans le théâtre, éléments désignant le théâtre comme tel. Un exemple inattendu : celui du *Cercle de craie caucasien,* où la « mise en scène » tentée par le juge Azdak dans l'espace privilégié du « cercle de craie » est jugement de Salomon, révélateur de la vérité ; vérité double : elle dénoue l'« énigme » de la pièce (qui est la vraie mère de Michel ?), mais elle renvoie aussi au caractère illusoire et parabolique de l'ensemble de la représentation — caractère déjà dénoncé par le fait que toute l'histoire est la mise en scène d'une fable exemplaire[33].

Une remarque : le mécanisme de ce renversement du signe est fort complexe ; il opère pour une très large part du fait que sur scène il y a des *acteurs* qui sont en même temps *spectateurs,* qui regardent ce qui se passe dans l'aire interne de théâtralisation et qui renvoient inversé au public le message reçu. Ce qui explique que la simple théâtralisation ne suppose pas toujours l'inversion du message : l'aspect de *clowns* des personnages de Beckett, s'il indique la théâtralisation, ne renverse que partiellement l'illusion, et l'on pourrait analyser l'effet particulier de la théâtralité beckettienne comme un jeu de va-et-vient entre l'illusion et son inversion. Pour qu'il y ait réellement renversement du

33. La scène est jouée par les kholkoziens d'une vallée à l'intention de ceux d'une autre vallée pour les convaincre de leur céder une terre.

signe, il faut qu'il y ait deux zones scéniques, de sens inverse. De toute manière, même s'il y a un espace double, une part des messages scéniques provient de la zone non « théâtralisée » ; elle est donc soumise à la dénégation. Le travail du scripteur et du metteur en scène est de faire fonctionner dénégation/théâtralisation dans leur rapport dialectique[34].

3.4.5. Théâtralisation-texte. Tout ce qui touche à la dénégation-théâtralisation paraît ne pas appartenir au texte, mais à la représentation. Ce serait une erreur de le croire, dans la mesure où la dénégation est déjà textuellement inscrite. Elle est inscrite :

1° dans les *didascalies* qui sont comme les figures *textuelles* de la dénégation-théâtralisation : le lieu est indiqué comme lieu-théâtre, non comme lieu réel, et le costume indique le déguisement, le masque ; il y a théâtralisation de la personne du comédien ;

2° négativement par l'existence de « *trous textuels* », place nécessaire laissée à la représentation, qui rendent la simple lecture du texte de théâtre bien peu confortable ; en particulier tout ce qui appartient à la présence simultanée de deux espaces ou aires de jeu risque de ne se manifester que par des apartés ou par des trous dans le dialogue ;

3° dans l'absurde et les *contradictions textuelles :* la présence en même lieu de catégories opposées, la non-cohérence d'un personnage avec lui-même, ce que la critique classique (et aussi la critique scolaire et universitaire) appelle « invraisemblance », sont les indices textuels de la fonction théâtrale de dénégation ; comme le rêve, le fantasme théâtral admet la non-contradiction, l'impossible et s'en nourrit, les rendant non

---

34. Scène X (– y) ← Ⓨ
Public – x + y

Le message reçu par *X* est — *y* renvoyé avec inversion : le public reçoit donc *y* (positif) et le message direct venu de *X*, c'est-à-dire — *x*.

seulement signifiants mais opérants. Le lieu de l'invraisemblance est le lieu même de la spécificité théâtrale. A quoi correspond au niveau de la représentation la mobilité des signes[35] : glissement d'un objet d'un fonctionnement à un autre, échelle devenue pont, coffre à trésor devenu cercueil, ballon qui devient un oiseau, glissement du comédien d'un rôle à l'autre ; toute atteinte textuelle ou scénique à la logique courante du « bon sens » est théâtralité. Le théâtre[36], on le sait depuis longtemps, apporte la possibilité de dire ce qui n'est pas conforme au code culturel ou à la logique sociale : ce qui est impensable logiquement, moralement, socialement scandaleux, ce qui devrait être récupéré selon des procédures strictes est dans le théâtre à l'état de liberté, de juxtaposition contradictoire. C'est par là que le théâtre peut désigner le lieu des contradictions non résolues.

3.5. La transe et la connaissance

Il devient alors clair que le fonctionnement théâtral ne peut pas se réduire à la communication, même envisagée non seulement dans sa fonction référentielle (qui est la seule à laquelle paraît songer G. Mounin), mais dans la totalité de ses fonctions, y compris la fonction poétique. Réduire la réception du message théâtral à une audition voire à un décryptage de signes serait, nous l'avons vu, une opération stérilisante. Mais la « communication » théâtrale n'est pas un processus passif, il est aussi — il peut l'être si on ne l'en empêche pas — l'indication d'une pratique sociale. Il n'est peut-être pas juste d'opposer sur ce point message et stimulus. La publicité et l'ensemble des *mass media* sont, outre des messages référentiels (sur les qualités d'un produit, ou le charme d'un film), des stimuli à l'achat et à la consommation, qui sont des pratiques sociales. En ce sens le théâtre n'est pas distinct des *mass*

---

35. Voir *infra*, chap. « l'objet », p. 177.
36. « C'est là du grand art : tout y est choquant » (« Sur le théâtre épique », Brecht : *Ecrits*, p. 113).

media. Il n'est pas jusqu'au langage qui n'ait aussi le même double fonctionnement des signes. Selon Sapir :

> « toute activité linguistique suppose l'imbrication étonnamment complexe de deux systèmes isolables que l'on désignera de façon un peu schématique comme un système référentiel et un système expressif ».

Mais, plus que toute autre activité, le théâtre réclame un travail, une inscription complexe, volontaire et involontaire dans le processus théâtral. Ce n'est pas le lieu d'examiner ici (il y faudrait un autre ouvrage) ce qui ressortit à la psychologie et à la psychosociologie du spectateur. Rappelons cependant que dans l'activité propre du spectateur deux éléments entrent en concurrence, la réflexion d'une part et de l'autre la contagion passionnelle, la transe, la danse, tout ce qui partant du corps du comédien induit l'émotion dans le corps et le psychisme du spectateur ; tout ce qui fait que le spectateur de la cérémonie théâtrale est induit par des signes (signaux) à éprouver des émotions, qui sans être les émotions représentées soutiennent avec elles des rapports déterminés[37]. En ce sens, une fois de plus nous remarquerons que les signes théâtraux sont à la fois icônes et index ; et ce que Brecht appelle le *plaisir* théâtral tient pour une part considérable à cette construction visible et tangible d'un fantasme que l'on peut vivre par procuration sans être tenu de le vivre pour soi, dangereusement. Mais il est un autre élément qui réagit dialectiquement avec le précédent, c'est la réflexion sur un événement tel qu'il éclaire les problèmes concrets de la vie même du spectateur : identification et distanciation jouant en symbiose leur rôle

---

37. Rapports qu'il faudrait étudier : notons que l'émotion provoquée par le spectacle de la douleur n'est pas la douleur, mais autre chose (« pitié » accompagnée d'un plaisir ?). Ne pas oublier que ce n'est pas telle ou telle émotion qui est cause du plaisir théâtral, mais l'ensemble de la cérémonie : se plaire à une part seulement (une scène, une interprétation), c'est une « perversion » ; une représentation réussie est un acte dans sa totalité.

dialectique. Ainsi — exemple historique — le peintre Abidine, jouant dans des villages turcs en proie à la malaria un spectacle de rue qui montrait des paysans faisant rendre gorge à un commerçant accapareur de quinine, raconte comment, après avoir participé fantasmatiquement à cette victoire « théâtrale », les paysans spectateurs se réveillèrent et coururent sus à leurs propres accapareurs de médicaments... Naturellement les représentations furent interdites.

Le théâtre ne produit pas seulement chez les spectateurs le réveil des fantasmes, mais aussi parfois le réveil de la conscience — y compris de la conscience politique —, l'un peut-être n'allant pas sans l'autre; comme le dit Brecht, par l'association du plaisir et de la réflexion.

Chapitre II

LE MODÈLE ACTANTIEL AU THÉÂTRE

1. LES GRANDES STRUCTURES

Par où commencer ? C'est la question clef que Barthes posait naguère [1] et qui ouvre toute recherche sémiologique. Certes, il est théoriquement possible de commencer l'étude du texte de théâtre par l'analyse du discours ; mais outre le fait qu'il est nécessaire, vu la dimension du texte de théâtre, de procéder à un échantillonnage qui rendrait illusoire par exemple toute recherche d'une spécificité du discours propre au personnage (de son idiolecte), il semble que la « lecture » du texte de théâtre par le lecteur et par le spectateur ne se fasse qu'au niveau de la totalité du spectacle, de la cérémonie, ou à défaut du texte-partition. La reconstruction intellectuelle et la catharsis psychique ne trouvent leur aliment qu'à la faveur de la *fable* comprise comme une totalité.

---

1. Voir la revue *Poétique*, n° 9.

Il est donc théoriquement possible de partir de la fable ; mais la fable entendue au sens brechtien de *mise à plat diachronique du récit des événements* est précisément ce qui, dans le domaine du théâtre, est non-théâtre. La fabrication de la fable — et nous n'en parlerons pas ici — est ce qui refait du drame un récit non dramatique, ce qui renvoie le conflit à l'histoire. Travail parfaitement légitime et que les metteurs en scène et dramaturges brechtiens tiennent pour indispensable, cette démarche est une démarche d'abstraction, de constitution d'un récit abstrait, non la recherche d'une structure. Si cette étape est importante, elle est à notre sens une recherche *seconde.* Que la fable soit une abstraction, non une structure, la démonstration en est facilement apportée par la possibilité de donner de la fable d'un texte dramatique des formulations extrêmement diverses, en particulier quant à l'ordre des facteurs : la pure diachronie rendrait parfaitement inintelligible la formulation fabulaire d'un texte hautement conflictuel : comment construire la fable d'*Andromaque* ? En partant de quel fil ? Il semble donc que l'opération de construction de la fable en partant du texte dramatique soit une opération seconde par rapport à celle qui consiste à déterminer des *macrostructures* textuelles.

1.1.

Nous partirons de l'hypothèse de recherche qui est celle des grammaires de texte (Ihwe, Dressler, Petöfi, Van Dijk) et qui se relie aux recherches de tous les sémanticiens qui, à partir de Propp et de Souriau[2], ont tenté de constituer une grammaire du récit, et dont le chef de file est A.J. Greimas. Cette hypothèse de base est formulée très clairement par Van Dijk :

> « l'hypothèse centrale de notre grammaire textuelle *est* la présence d'une macrostructure. Cette hypothèse implique aussi des macrostruc-

2. V. Propp : *Morphologie du conte;* E. Souriau : *Les deux cent mille situations dramatiques.*

tures narratives. La contrainte superficielle de la présence d'actants humains et d'actions ne peut qu'être déterminée par des structures textuelles profondes : le récit n'a pas une présence occasionnelle (stylistique superficielle) de " personnages " mais une permanente dominance d'actants humains[3] ».

Ce qui signifie très simplement que sous l'infinie diversité des récits (dramatiques et autres) peut être repéré un petit nombre de relations entre des termes beaucoup plus généraux que les personnages et les actions et que nous nommons *actants,* quitte à préciser ultérieurement ce qu'on entend par là.

Ce qui suppose un certain nombre de conditions :

1° que « la cohérence textuelle soit définie aussi à un niveau macrostructurel » (*id.* page 189) ;

2° (corollaire) qu'on puisse « établir une homologie entre ces structures profondes du texte et celles de la phrase », donc que la *totalité textuelle puisse correspondre à une seule grande phrase* (que l'on puisse construire à l'aide du texte une phrase dont les relations syntaxiques seront l'image des structures de ce texte).

L'hypothèse de Van Dijk est que les macrostructures sont *en fait* les structures profondes du texte par opposition à ses structures de surface. Il nous faudrait théoriquement choisir entre cette hypothèse et celle qui fait des structures actantielles simplement un mode de lecture et de la notion d'actant un concept opératoire. Nous butons ici sur le débat philosophique que soulève la notion même de la structure[4]. A notre avis, il n'est pas nécessaire de penser que l'on découvre *réellement* les structures profondes du récit dramatique ; sans doute suffit-il que la détermination de la structure actantielle nous permette de faire l'économie d'analyses aussi confuses que la classique analyse « psychologique » des personnages et aussi aléatoires que la tout

---

3. Van Dijk : « Grammaires textuelles et structures narratives », in *Sémiotique narrative et textuelle,* Larousse, 1974, p. 204.

4. Voir l'ensemble de cette discussion in Umberto Eco, *op. cit.*

aussi classique « dramaturgie » du texte de théâtre : cette dernière ne s'applique valablement qu'au texte classique conçu dans des limites fort étroites et ne permettant nullement de faire le rapport historique entre des textes classiques et d'autres qui le sont moins[5].

Notons que, du fait même de son rapport non avec la linguistique mais avec la sémantique, ce mode d'analyse, s'il est extrêmement difficile à formaliser, échappe en revanche à l'écueil du « formalisme ».

1.2.

Un double problème que n'esquive pas Van Dijk et auquel nous nous sommes singulièrement trouvés confrontés dans notre analyse du théâtre de Hugo c'est celui du rapport entre déterminations textuelles « superficielles » et structures « profondes »[6]. Comment rendre compte de la double démarche inductive et déductive qui va de la surface au profond et inversement ? « Si cette hypothèse est correcte, dit Van Dijk, il faut aussi pouvoir la contrôler, trouver les règles (transformationnelles) qui relient ces macrostructures avec les représentations sémantiques de la surface textuelle[7] ». Van Dijk avoue son impuissance. Nous ne sommes pas plus avancés : c'est une recherche à ses débuts. Seules quelques procédures artisanales nous permettront de montrer à mesure quelques détails.

1.3.

Il va sans dire qu'à partir du moment où nous nous retrouvons dans des structures qui dépassent celles de

---

5. Ainsi par exemple *La Dramaturgie classique en France* de J. Schérer produit les effets les plus surprenants quand ses concepts sont appliqués au théâtre africain ou extrême-oriental.

6. Déterminations « superficielles » : personnages, discours, scènes et dialogues, tout ce qui relève de la « dramaturgie »; structure profonde : la syntaxe de l'action dramatique, ses éléments invisibles et leurs rapports : ainsi « sous » les multiples aventures des *Chevaliers de la Table ronde,* la *Quête du Graal.*

7. *Ibid.,* p. 190.

la phrase (à un niveau transphrastique), nous sommes aussi au-delà de la linguistique classique ; au-delà d'une formalisation purement phonologique-syntaxique, nous nous situons sur le plan du *contenu* (forme et substance du contenu), c'est-à-dire dans le domaine de la sémantique.

Au-delà même de la sémantique proprement dite, l'analyse des macrostructures rejoint d'autres disciplines et bute, nous le verrons, sur le problème de l'idéologie. Van Dijk affirme lui-même qu'« une théorie des structures narratives est une partie d'une théorie des pratiques symboliques de l'homme et donc objet aussi bien de l'anthropologie que de la sémiotique, de la linguistique et de la poétique ». Non sans problème : à cet émiettement possible s'oppose la nécessité d'une lecture totalisante *idéologique :*

> « La linguistique, l'anthropologie structurale, la sémiotique, ont construit à partir de ce qu'on appelle des idéologies, des systèmes signifiants. Tout en ouvrant la possibilité d'une science des formations signifiantes, cette démarche est lourde de conséquences qui en limitent la portée scientifique (...). Remplacer idéologie par système signifiant comporte le risque non seulement de couper l'analyse de ces systèmes signifiants de leur rapport à l'histoire et au sujet, mais aussi de ne pouvoir jamais élucider la production et la transformation internes ou externes de ces systèmes[8]. »

L'avertissement de J. Kristeva vient à point pour rappeler à toute réflexion marxiste la nécessité de tenir ces procédures d'analyse des systèmes signifiants pour ce qu'elles sont : la mise en œuvre de concepts opératoires utiles et éclairants permettant de déblayer la recherche sémiologique, de la débarrasser des concepts idéalistes qui l'encombrent mais qui ne sauraient dispenser d'une réflexion sur la transformation de ces structures et sur leur fonctionnement idéologique.

---

8. J. Kristeva : *Cinétique* 9/10, p.73.

Peut-être est-il encore utopique de tenter d'analyser ces macrostructures textuelles tout en s'efforçant de ne pas les couper de leurs conditions de production, c'est-à-dire de leur rapport à l'histoire. Mais l'enjeu est tel que la démarche vaut au moins d'être esquissée. Si simple et naïve qu'apparaisse notre recherche, elle peut permettre dans le domaine du théâtre de cerner le lieu où s'articulent structure et histoire.

1.4.

Les analyses du récit telles qu'elles découlent des travaux de Propp et de Bremond portent sur des récits linéaires et relativement simples. Même la plupart des analyses de Greimas ont pour domaine des récits non dramatiques. Il est nécessaire, pour adapter le modèle actantiel (Greimas) et les fonctions du récit (Propp, Bremond) à l'écriture théâtrale, de leur faire subir un certain nombre d'aménagements. Sans doute est-il aussi nécessaire de se poser et de poser au texte un certain nombre de questions : le caractère *tabulaire* du texte de théâtre (texte à trois dimensions) oblige à supposer la concurrence et le conflit de plusieurs modèles actantiels (au moins deux). De même que le caractère conflictuel de l'écriture dramatique rend difficile, sauf dans des cas particuliers, le repère d'une succession fixe de fonctions du récit[9]. La spécificité de l'écriture théâtrale pourrait trouver ici son champ d'application. Nous essaierons de montrer comment la théâtralité s'inscrit dès le niveau des macrostructures textuelles du théâtre : pluralité des modèles actantiels, combinaison et transformation de ces modèles, telles sont les caractéristiques principales qui permettent au texte de théâtre de préparer la construction de systèmes signifiants pluriels et spatialisés. Au reste, nous ne nous lasserons pas de le répéter, la théâtralité dans un texte de théâtre est toujours virtuelle et relative, la seule théâtralité concrète est celle de la représentation ; en corollaire : rien n'interdit de faire théâtre de tout dans

9. Sur ces fonctions voir Bremond, *Communications* n° 8.

la mesure où la même pluralité de modèles actantiels peut se trouver dans des textes romanesques ou même poétiques.

2. ÉLÉMENTS ANIMÉS : DE L'ACTANT AU PERSONNAGE

La première démarche de toute analyse sémiologique est la détermination des *unités*. Or il se trouve que, dans le domaine du théâtre, elles sont particulièrement difficiles à saisir et pourraient bien à la limite ne pas être identiques selon qu'on considère le texte ou la représentation. On sait que s'il est un élément caractéristique de l'activité théâtrale, c'est la présence du comédien :

> « Le théâtre peut-il exister sans acteurs ? Je n'en connais aucun exemple. On pourrait avancer le spectacle de marionnettes. Néanmoins même là, un acteur sera trouvé derrière la scène, bien que d'une autre sorte [10]. »

Le corps humain, la voix humaine sont des éléments irremplaçables. Sans cela il y a lanterne magique, dessin animé, cinéma, pas théâtre. Il est donc normal et comme évident que l'unité de base de toute l'activité théâtrale ce soit le comédien — ou, au niveau textuel, la « partition » qui est la sienne. Une réponse naïve paraît s'imposer : l'unité de base du texte théâtral, c'est le personnage [11].

Mais qui ne voit que :

1° il est impossible, pour mille bonnes raisons, d'identifier personnage et comédien : un comédien peut dans le même spectacle jouer plusieurs personnages, et inversement l'éclatement du personnage dans

---

10. Grotowski : *Vers un théâtre pauvre,* page 30.
11. Voir *infra,* chapitre « Le personnage ».

le théâtre contemporain suppose qu'on puisse faire jouer le même personnage par plusieurs acteurs successivement ou simultanément : ainsi le *Robinson,* de Michel Tournier (monté par Vitez), multiplié scéniquement. Les mises en scène modernes jouent avec l'identité du personnage, le dédoublent ou fondent plusieurs personnages en un seul ;

2° nous le verrons, la notion de personnage arrive à nous chargée d'un lourd passé mystifiant ; raison de plus pour qu'on ne lui confie pas la tâche écrasante d'être l'unité de base du théâtre.

A.J. Greimas apporte à la suite de Souriau une série de solutions qu'il raffine peut-être excessivement dans ses dernières recherches [12], et pose une série d'unités hiérarchisées et articulées : *actant, acteur, rôle, personnage ;* ce qui permet de retrouver les mêmes unités au niveau scriptural comme au niveau de la représentation. Nous reprendrons ces unités en tâchant de voir comment elles fonctionnent à l'intérieur du texte théâtral et dans quelle mesure elles commandent le rapport texte-représentation [13]. En ce sens, la « structure profonde » du texte serait aussi la « structure profonde » de la représentation, et l'on comprendrait comment la même structure profonde (dans la mesure où elle est « substance de l'expression » [14]) trouve dans des matières diverses un déploiement de structures de surface tout à fait différent ; ainsi se trouverait expliqué le fait qu'une similitude fondamentale de squelette peut porter des sens différents ; ou comment une similitude fondamentale de sens peut se déployer en connotations différentes ; ou comment des structures de surface apparemment tout à fait différentes peuvent porter un

---

12. A.J. Greimas : « Actants, Acteurs, Rôles » in *Sémiotique narrative et textuelle.*

13. Nous rappelons ici que les recherches de Greimas ne portent pas spécifiquement sur le théâtre mais sur toute forme de récit.

14. Il serait intéressant de voir sur le terrain théorique comment l'opposition chomskyenne peut se combiner avec les distinctions formalisées par Hjelmslev.

sémantisme voisin. Recherches sans aucun doute fécondes pour le but dernier de notre tentative qui n'est pas tant de mettre au jour les structures textuelles du théâtre[15] que de montrer comment, dans son fonctionnement concret, s'articulent texte et représentation.

Sur ce point, l'analyse actantielle, bien loin d'être rigide et figée apparaît, si on la dialectise un peu, un instrument utile à la lecture du théâtre. L'essentiel est de ne pas y voir une forme préétablie, une structure figée, un lit de Procuste où coucher tous les textes, mais un mode de fonctionnement infiniment diversifié. A proprement parler le modèle actantiel n'est pas une forme, il est une *syntaxe,* donc capable de générer un nombre infini de possibilités textuelles. Ce que nous pouvons tenter dans le sillage de Greimas et de François Rastier, c'est une syntaxe du récit théâtral dans sa spécificité, sans oublier que chacune des formes concrètes engendrées par le modèle est :

a) inscrite dans une histoire du théâtre ;

b) porteuse de sens, donc en relation directe avec les conflits idéologiques.

3. LE MODÈLE ACTANTIEL

3.1. Les actants

Depuis la *sémantique structurale* de Greimas et déjà depuis les *Deux cent mille situations dramatiques* de Souriau on sait construire un modèle de base à l'aide d'unités que Greimas nomme les actants et qui ne peuvent pas s'identifier au personnage puisque :

a) Un actant peut être une abstraction (la Cité, Eros, Dieu, la Liberté) ou un personnage collectif (le chœur antique, les soldats d'une armée), ou bien une réunion

15. Nous ne nous lasserons pas de rappeler à quel point il est difficile de saisir au *niveau textuel* une spécificité du théâtre qui apparaît simple dans la pratique concrète de la représentation.

de plusieurs personnages (ce groupe de personnages pouvant être, nous le verrons, l'opposant à un sujet et à son action)[16] ;

b) Un personnage peut assumer simultanément ou successivement des fonctions actantielles différentes (voir *infra*, l'analyse du *Cid*) ;

c) Un actant peut être scéniquement absent, et sa présence textuelle peut n'être inscrite que dans le discours d'autres sujets de l'énonciation (locuteurs) tandis que lui-même n'est jamais sujet de l'énonciation, ainsi dans *Andromaque*, Astyanax ou Hector.

« Le modèle actantiel, dit Greimas, est en premier lieu l'extrapolation d'une structure syntaxique[17]. » Un actant s'identifie donc à un élément (lexicalisé ou non) qui assume dans la phrase de base du récit une fonction syntaxique : il y a le *sujet* et l'*objet*, le *destinataire*, l'*opposant* et l'*adjuvant*, dont les fonctions syntaxiques sont évidentes ; le destinateur dont le rôle grammatical est moins visible et qui appartient si l'on peut dire à une autre phrase antérieure (voir *infra*), ou selon le vocabulaire de la grammaire traditionnelle, à un « complément de cause ».

Voici comment se présente le modèle actantiel à six cases tel que l'a déterminé Greimas :

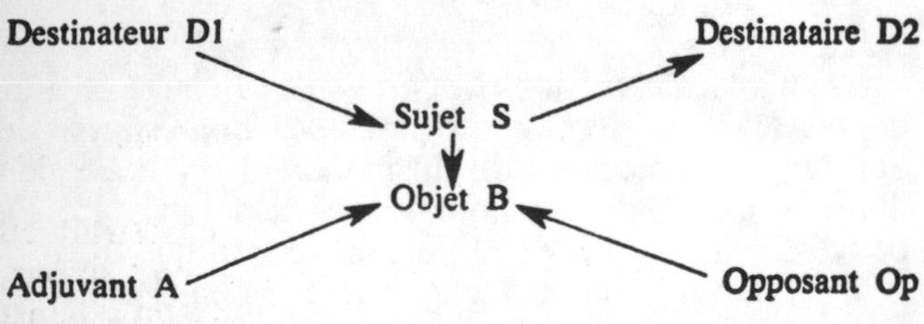

16. Voir dans Greimas, *Sémantique structurale*, p. 184, la notion d'archi-actant.

17. Greimas, *ibid.*, p. 185.

Notons que Greimas a déjà tordu le cou (légitimement semble-t-il) à la 7e fonction du modèle de Souriau, la fonction d'*arbitre,* à laquelle on ne peut assigner de fonction syntaxique et qu'une analyse plus fine ramène toujours à l'une des autres fonctions actantielles, celle de destinateur, de sujet ou d'adjuvant[18]. Ainsi le roi dans Le *Cid,* dont le rôle est apparemment arbitral, est successivement le *Destinateur* (= Cité, Société), l'*Opposant* et l'*Adjuvant* des actions dont Rodrigue est le sujet.

Si nous développons la phrase implicite dans le schéma, nous trouvons une force (ou un être D1); conduit par son action, le sujet S recherche un objet O dans l'intérêt ou à l'intention d'un être D2 (concret ou abstrait) ; dans cette recherche, le sujet a des alliés A et des opposants Op. Tout récit peut se réduire à ce schéma de base que Greimas illustre par l'exemple très parlant de la *Quête du Graal :*

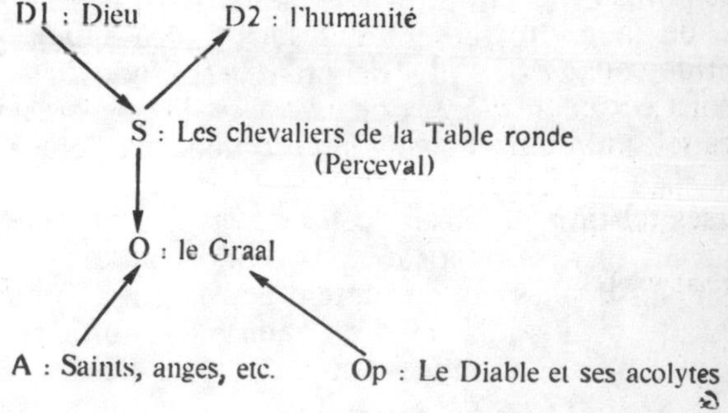

On voit ici très clairement le caractère abstrait ou collectif possible des actants. Tout roman d'amour, toute quête amoureuse peuvent se réduire à un schéma

18. Remarquons la signification idéologique de cette fonction d'arbitre : elle suppose qu'il y a au-dessus des forces en présence conflictuelles une force décisoire ou conciliatrice, un pouvoir au-dessus du conflit, « au-dessus des classes », par exemple.

du même ordre, avec cette fois des actants individuels, et qui adopterait la forme suivante :

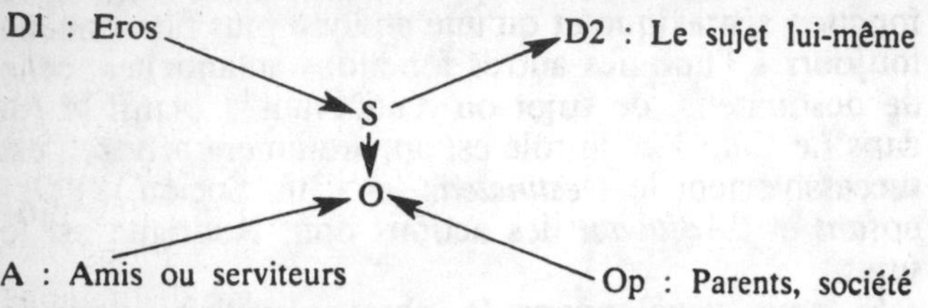

Ici sujet et destinataire se confondent. Le sujet veut pour soi-même l'objet de sa quête et à la place « destinateur » il y a une force « individuelle » (affective, sexuelle) qui d'une certaine manière se confond avec le sujet.

Remarquons que la possibilité de cases vides n'est jamais exclue : ainsi, la case *destinateur* peut être vide indiquant l'absence d'une force métaphysique ou l'absence de la *Cité.* On aura un drame dont le caractère individuel sera fortement marqué ; la case *adjuvant* peut, elle aussi, être vide, dénotant la solitude du sujet. On peut aussi considérer que telle case, la case *objet* par exemple, est, nous le verrons, occupée par plusieurs éléments à la fois.

Une question se pose : celle de la place exacte de l'adjuvant et de l'opposant par rapport au sujet et à l'objet ; les flèches qui en partent pourraient aboutir au sujet ; c'est la solution de Greimas. Je préfère en principe les faire aboutir à l'objet, dans la mesure où le conflit se fait *autour de l'objet.* Cependant, pour l'entière précision, il faut distinguer les cas où l'adjuvant est l'adjuvant *du sujet* (ami ou compagnon de quête : Gauvain pour Lancelot dans la *Quête du Graal*) et les cas où l'adjuvant est l'adjuvant de *l'objet* (la nourrice, adjuvant de Juliette dans *Roméo et Juliette*). De même on peut distinguer les cas où l'adjuvant est l'opposant radical au sujet (par exemple dans la légende d'Hercule, Junon s'opposant à lui dans toutes ses entreprises) et les cas où l'opposant ne s'oppose au sujet que sur le point déterminé de sa quête d'un objet : ainsi dans *Britannicus,* le héros s'opposant non pas à Néron empereur mais à l'amour de Néron pour Junie.

Ainsi, dès le départ, des questions multiples se posent pour l'établissement du schéma, et les réponses elles aussi sont multiples : nous verrons mieux comment chaque élément du schéma pose des problèmes susceptibles de recevoir plusieurs solutions.

A ce point de notre recherche, nous ne distinguons pas entre les différents types de récits dramatiques et non dramatiques, le modèle actantiel s'appliquant aux uns comme aux autres ; cependant nous empruntons de préférence nos exemples à des textes de théâtre, tout en précisant bien que nous aurions à raffiner des schémas qui sont ici d'une extrême généralité ; nous rechercherons dans quelle mesure tel ou tel type de fonctionnement actantiel est plus propre au théâtre.

3.2. Le couple adjuvant-opposant

Nous remarquons que les actants se distribuent en couples positionnels : sujet/objet, destinateur/destinataire, et couples oppositionnels adjuvant/opposant dont la flèche peut fonctionner dans les deux sens, le conflit apparaissant souvent comme une collision, un combat entre ces deux actants. Là encore on peut distinguer les cas où l'aide de l'adjuvant porte directement sur l'action du sujet, des cas où le travail de l'adjuvant est de rendre l'objet accessible : ainsi dans *Les Fausses Confidences,* de Marivaux, l'action du valet Dubois porte sur l'objet Araminte, tandis qu'un confident de tragédie agit *sur le sujet* en le réconfortant ou en le conseillant par exemple.

Le fonctionnement du couple adjuvant-opposant est loin d'être simple : comme celui de tous les actants, en particulier dans le texte dramatique, il est essentiellement *mobile,* l'adjuvant pouvant à certaines étapes du processus devenir soudain opposant, ou, par un éclatement de son fonctionnement, l'adjuvant peut être en même temps opposant ; ainsi les conseillers de Néron dans *Britannicus,* tous deux adjuvants-opposants, selon une loi que nous tenterons d'élucider.

Ce qui est remarquable, et qui éclaire les rapports de la fable et du modèle actantiel, c'est qu'il s'agit très rarement de la conversion d'un opposant qui deviendrait adjuvant par une démarche psychologique, une modification des mobiles du personnage-actant ; la mutation de fonction dépend de la complexité inhérente à l'action même, c'est-à-dire au couple fondamental sujet-objet. Ainsi les filles aînées du Roi Lear jouent pour leur père le rôle d'adjuvant au départ pour le partage du royaume, tandis qu'elles se révéleront opposantes par la suite : mais la modification de leur rôle actantiel ne tient pas à un *changement de leur volonté* mais à la complexité de la situation de Lear ; et ceci même dans les cas où l'on pourrait penser à une modification psychologique du personnage : Lady Macbeth par exemple apparaît adjuvant de son mari pour le meurtre de Duncan mais finit par ne plus pouvoir l'aider quand l'action tyrannique du roi sort de son champ d'action à elle. Les actants qui sont à la fois adjuvants et opposants (catégorie infiniment plus fréquente qu'on ne croit), s'ils soutiennent des rapports très subtils avec l'ensemble de l'action dramatique, ont en général des déterminations immédiatement perceptibles par le spectateur. Dans d'autres types d'actions, c'est la détermination de la fonction adjuvant-opposant qui est l'énigme posée au spectateur et mise en forme par l'ambiguïté ou l'illusion délibérée des signes de la représentation : ainsi dans *Fin de partie* de Beckett, l'incertitude sur le rôle de Clov par rapport à Hamm. Enfin il existe des cas où l'ambiguïté adjuvant-opposant est constitutive non seulement du personnage mais de son rapport au sujet : ainsi Sganarelle dans *Dom Juan* ou Méphistophélès dans *Faust.*

3.3. Le couple destinateur-destinataire

C'est probablement le couple le plus ambigu, celui dont les déterminations sont les plus difficiles à saisir, dans la mesure où il s'agit rarement d'unités clairement lexicalisées, notamment de personnages, fussent-ils collectifs : le plus souvent, il s'agit de « motivations » qui déterminent l'action du sujet (étant bien entendu que ce mot motivation n'a aucun sens psychologique intériorisé). Ainsi la *Cité* dans la tragédie grecque est quasi toujours en position de destinateur même si elle se retrouve aussi en position d'opposant et même si elle devient destinataire. Si nous prenons l'exemple assez clair d'*Œdipe roi* on a :

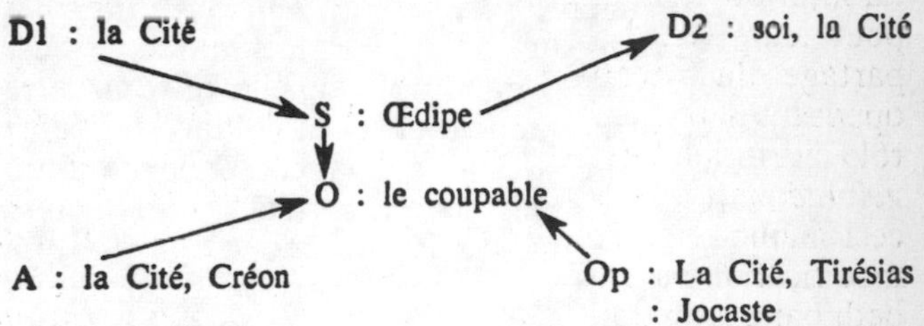

C'est la Cité qui mande expressément Œdipe pour chasser la peste d'Athènes en trouvant le meurtrier de Laïos. Mais contrairement à ce qu'affirme Greimas niant la possibilité de trouver le même X dans les deux positions de D1 et de D2, c'est à elle-même que la Cité offre un sacrifice expiatoire en contraignant Œdipe à pourchasser et à convaincre un criminel qui n'est autre que lui-même. En ce sens, la Cité passe d'un actant à l'autre, exécutant une sorte de mouvement tournant par lequel elle occupe successivement les places de destinateur, puis d'adjuvant, puis d'opposant, puis de destinataire, encerclant progressivement l'homme seul, le *sujet* qui s'est identifié à elle et qu'elle désavoue et chasse. Le sujet Œdipe ne peut continuer à s'identifier à la Cité qu'en prenant son parti contre lui-même ; de là le fait étrange qu'il s'aveugle et s'exile. Il devient manifeste alors que c'est la Cité qui s'offre à elle-même la représentation dramatique du sort d'*Œdipe roi.*

On voit ici comment c'est la place destinateur qui porte avec elle la signification idéologique du texte dramatique. Et cela vaut même dans le cas où ce qui figure à la place destinateur c'est une pulsion apparemment en relation avec la destinée individuelle du sujet : Eros par exemple.

Eros ne saurait se concevoir comme un simple équivalent du désir sexuel ou même de l'amour sublimé, de l'*agapé* chrétienne ; il est toujours en relation avec cette fonction éminemment « collective » qui est celle de la *reproduction sociale*[19]. Ainsi dans la pièce élisabéthaine de John Ford, *Dommage qu'elle soit une putain,* la société, destinateur, veut qu'Annabella et Giovanni se reproduisent mais en même temps, c'est la société qui, par les conditions qu'elle offre à cette reproduction, en bloque le mécanisme : l'inceste, refus de la reproduction sociale est la conséquence d'un conflit au niveau du destinateur-société ; cette révolte individuelle qu'est l'inceste apparaît donc non pas une bizarrerie du désir, mais une catastrophe sociologique[20]. De même, on ne comprend rien au *Cid* si on ne voit pas que l'Eros destinateur qui pousse l'un vers l'autre Rodrigue et Chimène est *aussi* l'Eros de la reproduction sociale conforme aux lois de la société féodale.

De quelques conséquences :

a) Le *double destinateur :* la présence, à l'intérieur de la case destinateur, à la fois d'un élément abstrait (valeur, idéal, concept idéologique) et d'un élément animé (personnage) aboutit à l'identification de l'un et de l'autre. Ainsi dans *Le Cid,* à la place destinateur D1, nous avons à la fois la féodalité (comme système de valeurs) et Don Diègue, le Père ; inutile de développer quelles en sont les conséquences idéologiques, et les

---

19. Quand nous parlons de Cité ou de Société, il s'agit de la Cité et de la Société telles qu'elles figurent dans la perspective idéologique de la classe dominante, et non pas d'une société une et abstraite ; de là les possibilités de conflit à *l'intérieur* de la case D1.

20. L'exemple de deux mises en scène simultanées de la même pièce montre comment le fonctionnement actantiel peut être souligné ou gommé par le metteur en scène : en 1975, la mise en scène de M. Hermon montrait beaucoup plus clairement que celle de Stuart Seide le rôle de la reproduction sociale dans la tragédie de l'inceste.

questions posées à partir du moment où le Roi rejoint les précédents dans la case destinateur : peut-on compter sur le Roi pour maintenir et sauver les valeurs féodales, ou le conflit à l'intérieur de la case destinateur aboutira-t-il à la mort de ces valeurs ? Dans l'exemple classique de la *Quête du Graal,* l'échec de la quête signifie l'échec et la mort du Roi Arthur, dans la mesure où dans la case destinateur figurent côte à côte Dieu et le Roi Arthur : c'est l'ensemble des valeurs qui se trouve alors brutalement questionné, et la fonction du roi féodal *primus inter pares* reçoit un coup fatal[21] : Dieu a « divorcé » du Roi Arthur.

b) Parfois la place destinateur est vide ou problématique ; on s'épargnerait beaucoup de considérations oiseuses, si l'on voulait bien admettre que la question posée par le *Dom Juan* de Molière au spectateur est justement celle du destinateur : qu'est-ce qui *fait courir* Dom Juan ?

c) Il arrive, dans certains schémas, que la *Cité* se retrouve à deux places opposées, non pas successivement comme dans *Œdipe roi* mais simultanément, comme c'est le cas par exemple dans *Antigone :*

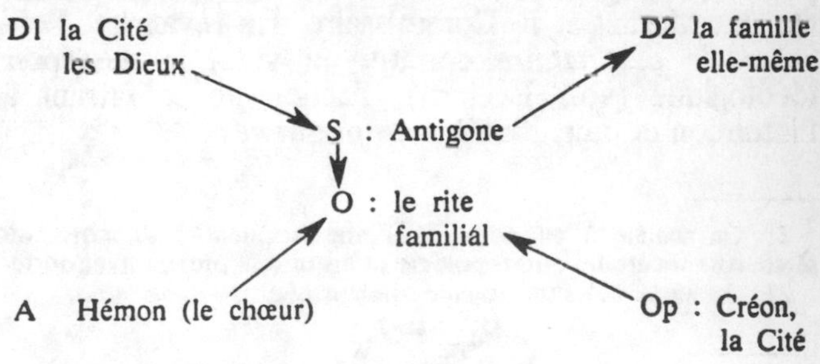

Dans cette situation complexe, la cité figure deux fois, à deux places radicalement opposées ; signe d'une crise dans la cité, d'une division interne en fonction de

21. Ce que montrait admirablement le film de Bresson, *Lancelot du Lac.*

« valeurs » (c'est-à-dire en définitive en fonction de formations sociales, de classes en lutte, lutte dont l'historien devra rendre compte)[22]. Ici la réflexion sophocléenne paraît porter sur les rapports de la cité et du tyran, des lois et du pouvoir centralisateur. On voit donc comment la détermination de l'actant-destinateur est décisive pour la détermination du conflit idéologique sous-jacent à la fable ;

d) Corollaire : au couple destinateur-destinataire se substitue ou se combine le couple destinateur-opposant : parfois la lutte dramatique passe, si l'on peut dire, par-dessus la tête du sujet ; dans la légende de Faust comme dans les *auto-sacramentales,* la lutte se fait entre le destinateur divin et l'Adversaire diabolique[23] ;

e) Quant au *destinataire* D2, son identification (ou non) au sujet[24], la présence, dans la case destinataire de telle ou telle hypostase de la collectivité ou du groupe, permettent de décider du sens individualiste ou non du drame ; ainsi dans *La Tragédie optimiste,* de Vichnevsky, le destinataire du drame est indiscutablement la jeune République des Soviets ; destinataire pour lequel agissent finalement les deux *sujets* affrontés, les Marins et le Commissaire. En revanche, l'*absence de destinataire* connote le vide, le désespoir idéologique (voir Beckett), l'action ne se faisant à l'intention et dans l'intérêt de *personne ;*

22. On touche à un point où l'interdisciplinarité s'impose, où sémiologie théâtrale, anthropologie et histoire se prêtent main-forte.

23. On aurait alors un triangle fondamental :

L'élément conflictuel serait constitué par le couple D1-Op ; en exemple, l'*Esther* de Racine, où l'action est le conflit entre Dieu, protecteur des Juifs, et le ministre Aman, conflit passant par-dessus la tête de ces instruments que sont Esther et Assuérus (Dieu étant « manifesté » par Mardochée).

24. Sujet et destinataire s'identifient dans le cas où le sujet agit *pour soi,* ainsi la quête amoureuse.

f) Dans le fonctionnement même du spectacle théâtral, *le destinataire est aussi ce à quoi peut s'identifier le spectateur;* de toute manière, nous l'avons vu, le spectateur se sait le destinataire du message théâtral ; il peut penser, dans certaines conditions, que c'est *pour lui* que se fait l'action ; ce qui apparaîtrait un mauvais jeu de mots, par confusion des deux sens du mot destinataire, pourrait bien correspondre à un des fonctionnements psychiques du spectateur : ainsi le spectateur brechtien, ou celui de la tragédie grecque, dans la mesure où il est, politiquement, partie prenante dans le débat, peut s'identifier au destinataire actantiel, comme le citoyen soviétique peut se voir le destinataire de *La Tragédie optimiste.* Le problème de l'identification se complique étrangement.

3.4. Sujet-objet

3.4.1. Nous en arrivons au couple de base de tout récit dramatique, celui qui unit le sujet à l'objet de son désir ou de son vouloir par une flèche qui indique le sens de la quête. La première et la plus grande difficulté est donc de déterminer textuellement le sujet ou tout au moins le sujet principal de l'action. En général, dans un texte narratif, conte, nouvelle, roman, l'équivoque n'est pas fréquente, le sujet se confondant avec le *héros* de l'histoire, celui à qui il arrive des aventures, celui qui poursuit une quête, une tâche. Non, bien entendu, que toutes difficultés soient levées : si l'on dit qu'Ulysse est le héros (et le sujet) de l'*Odyssée,* Achille est-il le héros-sujet de l'*Iliade* ? La question peut au moins se poser. Si dans un texte dramatique, nous comptons le nombre d'apparitions d'un personnage, le nombre des répliques, voire le nombre de lignes de son discours (dans le cas même où la pondération des trois chiffres donne une solution incontestable), encore aurons-nous trouvé le personnage principal, le « héros » de la pièce, pas nécessairement le « sujet » : ainsi l'analyse du *Suréna* de Corneille peut faire apparaître le personnage éponyme comme héros, pas nécessairement comme sujet. Malgré l'importance du rôle (et du *discours*) de Phèdre, si elle est à coup sûr l'héroïne de la pièce qui porte son nom, il n'est pas évident qu'elle en soit le *sujet.* La détermination du sujet ne peut se faire que par rapport à l'action, et dans sa corrélation avec un objet. A proprement parler, il n'y a pas de sujet autonome dans un texte, mais *un axe sujet-objet.* Nous dirons alors qu'est sujet dans un texte littéraire ce ou celui autour du *désir* de qui l'action, c'est-à-dire le modèle actantiel, s'organise, celui que l'on peut prendre pour sujet de la phrase actantielle, celui dont la positivité du désir avec les obstacles qu'elle rencontre entraîne le mouvement de tout le texte. Ainsi pour prendre un exemple romanesque, c'est la positivité du désir de Julien Sorel ou de Fabrice del Dongo qui en fait non les héros seulement, malgré leur présence décisive, mais les *sujets* du *Rouge et le Noir* ou de *La Chartreuse de Parme.* La figure héroïque de Rodrigue n'en fait pas un héros seulement, mais un sujet de l'action.

3.4.2. D'où un certain nombre de conséquences :

a) Ce n'est pas, nous l'avons vu, la présence du sujet seul, mais la présence d'un couple sujet-objet qui fait l'axe du récit. Un actant n'est pas une substance ou un être, il est *un élément d'une relation.* Un personnage *welthistorisch*[25], comme disait Lukács, grandiose, n'est pas nécessairement ou même pas du tout un sujet s'il n'est pas orienté vers un objet (réel ou idéal, mais *textuellement présent*) ;

b) On ne peut considérer comme sujet du désir quelqu'un qui veut ce qu'il a ou cherche simplement à ne pas perdre ce qu'il possède ; la volonté conservatrice n'engage pas facilement une action, s'il manque la force dynamique et conquérante du désir. Le héros « conservateur » peut être un opposant ou à la rigueur un destinateur, pas un sujet. C'est le statut — et le drame — de Thésée dans *Phèdre ;*

c) Le sujet peut être collectif ; ce peut être un groupe

25. Traduction littérale : mondialement historique.

qui désire son propre salut ou sa liberté (menacés ou perdus), ou la conquête d'un bien ; ce ne peut être une abstraction. Le destinateur et même le destinataire, à la rigueur l'adjuvant ou l'opposant peuvent être abstraits, le sujet est toujours animé, présenté comme vivant et agissant (animé *vs* inanimé, humain *vs* non humain)[26] ;

d) L'objet de la quête du sujet peut parfaitement être *individuel* (une conquête amoureuse par exemple), l'enjeu de cette quête dépasse toujours l'individuel par le lien qui s'établit entre le couple sujet-objet, jamais isolé, et les autres actants. Roméo peut bien désirer Juliette, la flèche de son désir touche un enjeu plus vaste, qui est l'*ennemi du clan ;*

e) L'*objet* de la quête peut être abstrait ou animé, mais d'une certaine façon il est *métonymiquement* représenté sur scène ; ainsi le duc Alexandre, métonymie de la tyrannie qui pèse sur Florence dans *Lorenzaccio.*

Note. On voit la conséquence théorique : tout le système actantiel fonctionne comme un *jeu rhétorique* (sans qu'il y ait, bien entendu, la moindre connotation péjorative dans ces deux mots), c'est-à-dire comme la combinaison de plusieurs « places » paradigmatiques. Tout se passe comme si chaque *actant* était le lieu d'un paradigme ; de là tout un jeu de substitutions possibles. De là, au niveau de la représentation, toute une série de présences paradigmatiques (personnages, objets ; voir *infra* « *L'objet* ») se substituant à tel ou tel actant : ainsi dans la *Lucrèce Borgia* de Hugo, personnages (la Negroni, par exemple) ou objets (les armoiries) font partie du paradigme du *sujet-Borgia* (Lucrèce). C'est par ce biais qu'il est possible à une mise en scène de *montrer* le modèle actantiel.

3.5. Destinateur et sujet : autonomie du sujet ?

L'intérêt de l'analyse actantielle est d'échapper au danger de psychologiser les actants et leurs rapports (d'hypostasier les « personnages » en « personnes ») ;

---

26. *Vs* (abréviation de *versus*) signifie « opposé à ».

mais surtout on est contraint de voir dans le système actantiel un *ensemble* dont tous les éléments sont interdépendants, et dont aucun n'est isolable.

Si nous reprenons la proposition de base du modèle actantiel, peut-être pouvons-nous lui donner une formulation plus exacte et plus précise : D1 veut que (S désire O) à l'intention de D2.

Nous nous apercevons que la proposition *S désire O* est une proposition *enchâssée* dans la proposition *D1 veut* (X) *à l'intention de D2.* Or cet enchâssement de la proposition *S désire* (ou *recherche*) *O* est ce qui échappe à l'analyse dramaturgique classique, toute prête à croire à l'autonomie du désir de S[27], sans destinateur et même sans destinataire autre que soi-même. En fait, la proposition *S désire, recherche O* est une proposition *non autonome* qui n'a de sens que par rapport à l'acte social *D1 veut que...*

Ex. : Dieu (le roi Arthur) veut que
les chevaliers de la Table ronde recherchent le Graal.

Ex. : L'ordre féodal veut que
Rodrigue recherche Chimène
Rodrigue venge son père.

Dans la mesure où il y a une vraie dramatisation, l'opposant aussi est sujet d'une proposition de « désir », semblable et de sens contraire à celle du sujet S ; et, l'enchâssant, il y a une proposition du type :

D1 veut que (Op, etc.).

Chaque fois qu'il y a affrontement de deux « désirs », celui du sujet et celui de l'opposant[28], c'est qu'il y a division, clivage interne de D1, signe d'un conflit idéologique et/ou historique.

De toute manière, dans le conflit théâtral nous pouvons poser en principe qu'une telle analyse exclut l'*autonomie* du sujet : quand celle-ci apparaît, elle ne

---

27. Le *présupposé* de cette proposition est qu'il existe un objet O capable d'être objet de désir pour S.

28. Voir *infra,* « Modèles multiples ».

peut être qu'illusion ou truquage au service d'une idéologie réductrice.

3.6. La flèche du désir

Si les relations entre les actants sont d'une certaine façon formelles, précontraintes, avec un jeu de substitutions relativement limité, la flèche du désir, *vecteur orienté,* est plus nettement encore *sémantisée :* on peut dire que la psychologie, refoulée des relations entre actants (*qui ne sont pas des personnages*), se réfugie dans la flèche du désir, celle qui unit le sujet à l'objet. De là un danger certain, celui de retourner aux catégories idéalistes de la psychologie traditionnelle. Nous essayerons de donner au sémantisme de la flèche du sujet des limites relativement strictes. Remarquons d'abord que grammaticalement la flèche du sujet correspond dans la phrase de base au *verbe;* mais le « sens » de ce verbe est déjà étroitement limité par le fait que ne peuvent figurer dans la liste de ces verbes que ceux qui servent à établir une relation (et une relation dynamique) entre deux lexèmes dont l'un (le sujet) est nécessairement *animé* et *humain :* X veut Y, X aime Y, X déteste Y. On voit tout de suite se restreindre encore le champ sémantique de la « flèche »; verbes de volonté, de désir. La flèche détermine à la fois un *vouloir* (« classème anthropomorphe qui instaure l'actant comme sujet, c'est-à-dire opérateur éventuel du *faire* »; Greimas, *Du sens,* p. 168) et un *faire* décisif, puisqu'il détermine l'action dramatique[29].

Si le rapport du destinateur au sujet, voire de l'adjuvant ou de l'opposant au sujet, a rarement besoin d'être motivé, la flèche du désir est, elle, toujours motivée ; et c'est probablement là que pourrait trouver son lieu une *psychanalyse du sujet désirant.* De là une nouvelle restriction de sens : contrairement aux ana-

---

29. Une autre analyse, celle d'O. Ducrot, éclairerait peut-être cette liaison, à l'aide de la notion de *prédicat complexe* (voir *Dire et ne pas dire,* p. 121).

lyses de Greimas qui énumère les motivations possibles du sujet désirant (amour, haine, envie, vengeance, etc.), nous limiterions volontiers ce désir à ce qui est fondamentalement le désir du sujet freudien, c'est-à-dire le désir proprement dit, avec ses diverses virtualités : narcissisme, désir de l'autre et peut-être pulsion de mort.

Mais ce qui est habituellement compris comme des *motivations,* le « devoir » ou la « vengeance » par exemple, ne nous paraît pas pouvoir être des *désirs* (investissant la flèche sujet-objet), mais l'envers de désirs, avec toute une série de médiations et de transferts métonymiques ; ainsi le désir de mort de Lear pour ses filles aînées qui l'ont trahi n'occupe pas la flèche du désir. Peut-être cette analyse menée à son terme éclairerait-elle ce qu'on est convenu d'appeler l'« impuissance » d'Hamlet ; elle pourrait se formuler ainsi : le désir qui le pousse ne va pas dans le sens du meurtre de son beau-père ; ce meurtre est pour lui secondaire et médiat. Ainsi le désir qu'éprouve Lorenzo dans le *Lorenzaccio* de Musset, pulsion narcissique vers une Florence identifiée à lui-même (ou à la *mère*[30]), désir quasi sexuel pour la « liberté de Florence », se retourne par toute une série de passages métonymiques en désir de tuer le tyran (Clément VII puis Alexandre de Médicis) et finit par se confondre avec le désir du tyran lui-même — cette passion pour Alexandre qui n'est pas pure feinte, mais aussi pulsion de mort. A la limite, jamais la haine ou la vengeance en tant que telles ne peuvent informer ou investir la flèche du désir, qui est toujours *positivement* désir de quelqu'un ou de quelque chose : cette hypothèse est la seule permettant de ne pas retomber dans les motivations psychologiques archaïques — la seule surtout justifiant la dépense d'énergie vitale qui propulse scéniquement

30. Cf. le caractère quasi incestueux de cet amour, indiqué par le double Tebaldeo qui appelle Florence « ma mère », et connoté par les deux figures maternelles, Marie Soderini et Catherine.

le héros dans le *faire*. Ainsi chez Macbeth[31], le désir d'*être* (grand, roi, homme + le désir de sa femme) s'investit métonymiquement dans le « désir » ou plus exactement le vouloir de tuer Duncan ; après quoi c'est le désir d'être ou plutôt de persévérer qui engendre mécaniquement le « vouloir » des autres meurtres, inépuisable.

3.7. *Les triangles actantiels*

Si l'on considère le modèle actantiel non plus dans son ensemble de six cases, mais en prenant un certain nombre de ses fonctionnements à l'intérieur des six cases, on peut isoler un certain nombre de triangles, matérialisant des relations (relativement) autonomes. Ainsi dans la plupart des scènes « classiques » à deux ou trois personnages, fonctionne tel ou tel de ces triangles, soit que sujet et opposant se disputent un objet absent, soit que sujet et objet s'unissent contre l'opposant, soit que, comme dans une célèbre scène du *Cid*, Don Diègue, destinateur, désigne à Rodrigue l'objet de sa quête.

3.7.1. Le triangle actif. C'est la flèche du désir qui oriente l'ensemble du modèle et fixe le *sens* (à la fois *direction* et *signification*) de la fonction d'opposant.

Deux solutions (voir *supra*) :

a) L'opposant est opposant au sujet : par exemple la marâtre de Blanche-Neige s'oppose à sa personne, non à son désir pour le Prince ; en ce cas le triangle actif (sujet-objet-opposant) est de la forme :

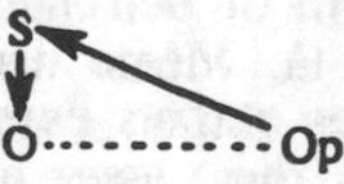

Tout se passe alors comme si le sujet détenait quelque chose que l'opposant désire (la suprême

31. Il ne serait peut-être pas difficile de lire le désir de Macbeth comme désir (frustré) de sa femme ; le reste étant désir médiat : être grand, roi, viril, etc., pour être aimé d'elle.

beauté, par exemple, dans le cas de Blanche-Neige). En ce cas, la bataille est décalée par rapport au désir du sujet (voir *infra,* « Modèles multiples ») ; l'opposant est, si l'on peut dire, un adversaire existentiel, non conjoncturel. Le sujet se trouve menacé dans son être même, dans sa propre existence : il ne peut satisfaire l'opposant qu'en disparaissant : ainsi Othello par rapport à Iago ;

b) L'opposant est opposant au désir du sujet et par rapport à l'objet.

Le triangle sera de la forme :

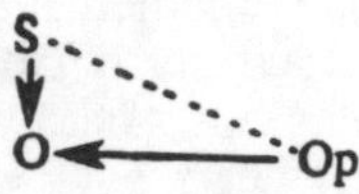

En ce sens, il y a à proprement parler *rivalité* (amoureuse, familiale ou politique) et choc des deux désirs se rencontrant sur l'objet. Ainsi Britannicus et Néron affrontés pour Junie.

D'une façon très raffinée, Corneille donne dans *Suréna* simultanément les deux solutions. Le roi Orode est l'opposant n° 1 au héros Suréna, parce qu'il a peur de la gloire de ce grand homme qui menace sa royauté par sa propre existence : mon crime, dit Suréna, est d'« avoir plus de nom que mon roi ». Quant au prince héritier Pacorus, il est par rapport à Eurydice dans une situation de rivalité avec Suréna. Les deux modes d'opposition s'unissent ici. Nous avons nommé ce triangle le triangle *actif* ou *conflictuel,* parce qu'il est constitutif de l'action : tous les autres actants peuvent à la rigueur être absents ou peu clairement indiqués, mais aucun de ces trois-là. Même dans *Fin de partie,* de Beckett, où tous les actants paraissent s'effilocher et s'évanouir, on peut dire, assez grossièrement, que le désir de mort de Hamm est contré par le désir de vie de tous les autres personnages, qui fonctionnent comme une sorte d'opposant collectif : « ça va finir » dit Hamm, avec une sorte d'espérance, mais personne, à part lui, ne veut « finir ».

3.7.2. Le triangle « psychologique ». Nous appelons « psychologique » le triangle de la forme :

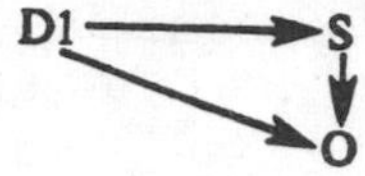

Car il sert à la double caractérisation à la fois idéologique et psychologique du rapport sujet-objet ; il sert dans l'analyse à montrer comment l'idéologique est réinséré dans le psychologique ou plus exactement comment la caractérisation psychologique du rapport sujet-objet (la flèche du désir) est étroitement dépendante de l'idéologique. Dans *Le Cid,* exemple privilégié pour la clarté de ses déterminations, la présence d'Eros dans la case D1 se combine avec des déterminations historiques, présence dans D1 à la fois des valeurs féodales et des idéaux monarchiques, qui les uns et les autres finissent par valoriser le choix que fait Rodrigue de l'objet Chimène. En particulier, c'est ce triangle que l'on pourra interroger pour la détermination psycho-idéologique de l'objet : le *choix de l'objet* ne peut se comprendre comme on le fait traditionnellement en fonction des seules déterminations psychologiques du sujet S, mais en fonction du rapport D1-S. Ce qui correspond à une remarque de bon sens : que l'objet d'amour par exemple n'est pas choisi en fonction des seuls goûts du sujet mais de toutes les déterminations socio-historiques dans lesquelles il s'inscrit.

Un exemple, particulièrement éclatant : le choix étrange que fait Pyrrhus de l'objet d'amour le plus « impossible » pour lui, sa prisonnière et sa victime, Andromaque ; on peut rechercher les motivations individuelles, le rapport au père (Achille, meurtrier d'Hector, époux d'Andromaque), ce qui permet à Pyrrhus de s'égaler au père en épousant Andromaque (de *devenir* le père), mais on ne peut pas négliger la présence dans la case D1 à la fois de la Grèce et du Dieu vengeur de Troie (le *deus absconditus* qui rétablit l'équilibre entre vainqueurs et vaincus). Une fois de plus, on voit comment *le modèle actantiel sert non pas tant à résoudre les problèmes qu'à les poser.*

3.7.3. Le triangle idéologique. Le triangle que nous qualifions ainsi se présente sous la forme suivante :

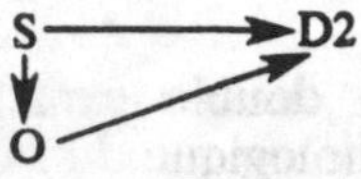

Il est si l'on peut dire l'envers du précédent et il marque le *retour de l'action à l'idéologique :* il sert à découvrir comment l'action telle qu'elle se présente dans le cours du drame se fait à l'intention d'un bénéficiaire, individuel ou social. A l'autre extrémité de l'action, il éclaire, non pas l'origine de l'action, mais le sens du dénouement, permettant de voir qu'il y a à l'intérieur du modèle formel une sorte de diachronie, un *avant* et un *après.* Si nous reprenons l'exemple précédent, la question posée est : à qui a servi l'action engagée par le désir de Pyrrhus pour Andromaque ? La réponse est claire : si le désir de Pyrrhus était pour lui-même, la conséquence est *pour Troie :* Andromaque devenue reine de l'Epire qui est à présent une nouvelle Troie, *Troja rediviva.*

Il est sans exemple, au moins dans le domaine du théâtre autre que digestif, que le triangle défini ci-dessus ne se ferme pas sur un retour non seulement à la cité, mais à *l'idée que les hommes se font de la situation socio-historique dans laquelle ils se trouvent, c'est-à-dire à l'idéologique :* le problème final posé par le dénouement d'*Andromaque* est celui de la justice divine et du retournement de l'histoire. L'analyse du triangle idéologique suppose que nous examinions les différentes médiations par lesquelles se fait le passage de l'action d'un sujet à ses conséquences pour la société (et/ou pour la *classe sociale*) en question. Ce que nous dit le triangle idéologique, c'est la manière dont l'action du sujet s'inscrit dans la résolution (ou du moins la position nouvelle) du problème posé ; ainsi par exemple, la question finale posée par *Le Roi Lear* peut se formuler ainsi : le roi peut-il continuer à être un féodal parmi les autres (et régler ses propres problèmes en fonction de cette situation de féodal) quand la féodalité se meurt ? La question posée par le triangle idéologique c'est le rapport entre le sujet et le destinataire, entre l'action individuelle du sujet et ses conséquences individuelles, mais aussi socio-historiques. Une telle analyse, dans sa variété quasi infinie, pose au metteur en scène la question sémiologique clef : comment montrer le sens, à la fois individuel (pour le sujet) et socio-historique, du dénouement ? Si nous mettons en scène *Hamlet,* il ne nous suffira sûrement pas de faire verser une larme sur le sort du « gentil prince de Danemark », il nous faudra montrer aussi quel est le sens d'une action qui remet le Danemark entre les mains de Fortimbras, qui fait donc de ce roi « légitime » le destinataire de toute l'action[32].

3.8. *Modèles multiples*

Jusqu'à présent, nous avons pris des exemples empruntés au théâtre, peut-être pourrions-nous aller chercher des modèles dans d'autres formes de narration, sans que notre raisonnement en soit fondamentalement changé. Ce n'est pas au niveau actantiel que nous pouvons atteindre, au moins jusqu'à présent, à la spécificité du texte dramatique. Allons un peu plus loin : peut-être pourrons-nous dire que ce qui distingue le texte dramatique du texte romanesque par exemple, c'est le fait qu'au théâtre nous ne sommes pas confrontés à un seul modèle actantiel, mais au moins à deux.

Il n'est pas difficile de voir ou de soupçonner que si la détermination d'un sujet de la phrase actantielle est parfois difficile, c'est qu'il n'y a d'autres phrases possibles, avec d'autres sujets ou des transformations

---

32. Ainsi une mise en scène récente d'*Hamlet,* par Denis Llorca, montrait un Fortimbras arrivant en conquérant tyrannique et dont le premier acte est de faire tuer d'un geste Horatio, l'ami du prince défunt.

de la même phrase, qui font de l'opposant ou de l'objet des sujets possibles.

3.8.1. Réversion. Réversion de l'*objet* d'abord : dans toute histoire d'amour il y a une réversibilité possible du sujet et de l'objet : si Rodrigue aime Chimène, Chimène aime Rodrigue : le modèle actantiel qui prendrait Chimène pour sujet serait aussi légitime que l'autre. Si Roméo a commencé d'aimer Juliette, Juliette s'est mise à aimer Roméo. Seule la contrainte sociale, le code limitent les possibilités pour l'actant féminin d'être constitué en sujet. Mais il n'est jamais impossible à la représentation de privilégier un modèle actantiel qui pourrait paraître moins évident qu'un autre, mais dont la lecture est plus intéressante ou plus riche de sens pour nous maintenant. L'analyse sémiologique d'un texte dramatique n'est jamais contraignante : elle permet à un autre système sémiologique, celui de la représentation, de jouer avec ses structures en fonction d'un autre code ; la représentation peut construire un modèle actantiel nouveau ou textuellement peu apparent, par insistance sur certains signes textuels, par gommage d'autres signes, par construction d'un système de signes autonomes (visuels, auditifs), installant le sujet choisi dans l'autonomie et le triomphe de son désir[33]. La représentation peut produire un nouveau modèle actantiel en retournant une structure dont la transformation est possible et partiellement présente : il peut y avoir des séquences installant le personnage-objet comme sujet de son propre désir : ainsi dans *Roméo et Juliette,* la scène de la nourrice.

3.8.2. Autre inversion possible, elle aussi virtuellement inscrite dans les textes, celle qui fait dans un certain cas, non dans tous, de l'opposant le sujet du désir. Ainsi l'*Othello,* de Shakespeare, se lit plus facilement si l'on

33. Ainsi Hermon dans la pièce de Ford, *Dommage qu'elle soit une putain,* privilégiant Annabella et son désir — structure textuellement visible, mais laissée dans l'ombre par les contraintes du code.

fait d'Iago le sujet inverse, le double noir d'Othello[34]. Dans le mélodrame, c'est le traître qui doit être considéré comme le véritable sujet actif[35]. Que penser de cette inversion ? Il est possible scéniquement de la privilégier. Mais il est aussi possible, au niveau de la représentation de laisser substituer les deux modèles actantiels, de les faire jouer l'un contre l'autre, de les montrer imbriqués l'un dans l'autre avec leurs possibilités conflictuelles et leur concurrence. L'écriture plurielle du théâtre (plus nettement que celle de tout texte) permet cette double programmation, qui conditionne l'efficacité de la confrontation dramatique, dans la mesure où l'affrontement des deux désirs du sujet et de l'objet ou de l'opposant est réglé par le rapport aux autres actants dont l'ensemble figure le ou les groupes sociaux en conflit. Ainsi apparaît une notion que nous retrouverons, celle d'*espace dramatique :* les actants se distribuent en deux zones, deux espaces conflictuels ou en tout cas opposés[36]. Ainsi la collision entre les deux désirs, décalés, celui d'Orgon et celui de Tartuffe, apparaît rapport antagoniste de deux espaces, comme l'est celle entre Alceste et Philinte.

3.8.3. Le redoublement ou la structure en miroir. Dans certains cas, la présence de deux sujets n'est pas opposition de deux actants antagonistes, mais redou-

---

34. Ici encore, la lecture psychanalysante qu'André Green, *Un œil en trop,* fait d'*Othello* peut éclairer l'analyse actantielle et être éclairée par elle. Ainsi on peut lire une sorte de circulation du désir (homosexuel) et de la haine :

S = Othello ↓ O = Cassio ← Op = Iago (Op → Othello)

S = Iago ↓ O = Cassio ← Op = Othello (Iago → Op)

Structures qui pourraient aussi être redoublées par la présence de Desdémone comme objet féminin désiré et dévalorisé.

35. Voir notre étude sur les structures du mélodrame « Les bons et le méchant », *Revue des sciences humaines,* été 1976.

36. Voir *infra* la notion d'espace dramatique, dans le chapitre « L'espace théâtral ».

blement du même actant. Ainsi dans *Le Roi Lear,* l'actant Gloster est le redoublement et l'ombre de l'actant Lear avec la même double fonction successive de sujet et d'objet. Dans *Lorenzaccio,* la Marquise Cibo est l'ombre en miroir du sujet Lorenzo. Chose plus étonnante encore, c'est l'actant-opposant Laërtes qui dans *Hamlet* prend la place structurale exacte du sujet Hamlet, avec comme lui un père à venger contre un meurtrier.

De là toute une série de possibilités dramatiques :

a) Le contrepoint comme dans *Lorenzaccio* où Lorenzo et la Marquise poursuivant la même action ne se rencontrent jamais, où le seul rapport entre les deux réseaux est dans l'identité de l'objet (et sa relation au sujet).

S = la marquise
↓
O = Alexandre ← Op = le cardinal
la liberté — la société
Alexandre

S = Lorenzo
↓
O = Alexandre ← Op = la société
la liberté — Alexandre

Le parallélisme est tout à fait éclairant.

b) La présence de deux schémas décalés comme dans *Hamlet :*

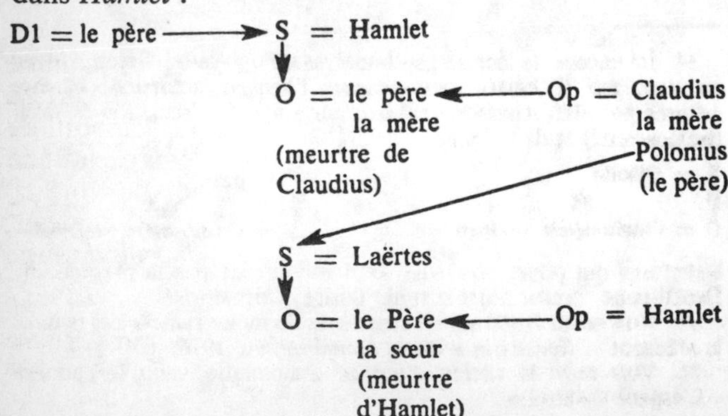

La réversibilité dans l'action prépare ainsi la défaite et la mort conjointe de Laërtes et d'Hamlet, tous deux combattants d'une cause perdue : la structure appelle ici l'assomption d'un élément nouveau, le jeune roi vainqueur Fortimbras, celui qui n'est pas pris dans la problématique de la mort du père ou plus exactement celui qui n'est pas désarmé par elle.

3.8.4. Modèles multiples et détermination du ou des sujets principaux. Une méthode simple de détermination du modèle actantiel *principal* est de construire une série de modèles à partir des principaux personnages pris comme sujets. Ainsi à propos du *Misanthrope* il est possible de construire au moins deux modèles actantiels, l'un qui prend comme point de départ le sujet Alceste, l'autre, le sujet Célimène :

D1 = Eros → S = Alceste → D2 = Soi
↓
O = Célimène (transparence /de l'Autre /des rapports sociaux) ← Op = Célimène tous les autres

D1 = Eros → S = Célimène → D2 = Soi
↓
A = Eros tous les autres → O = soi (par les autres) Alceste ← Op = Alceste tous les autres

Quelques remarques :

a) La similitude du destinateur, dans un cas comme dans l'autre, c'est Eros, accompagné d'un certain rapport au groupe qui pourrait être un rapport de domination, mais la structure sociopolitique exclut une autre domination « individuelle » que celle du Roi ;

b) La similitude et l'opposition dans l'objet du désir, objet en contradiction avec le rapport de groupe désiré[37] ;

37. Il ne serait pas difficile d'étudier Alceste d'une part, Célimène de l'autre, comme sujets clivés, partagés entre leur désir et leur volonté d'intégration au groupe.

c) La similitude curieuse entre le schéma actantiel qui prend pour sujet Célimène et celui qui, dans *Dom Juan,* prend Don Juan pour sujet, ce qui donnerait au *Misanthrope* son *sens* dans la succession des pièces de Molière : histoire et structure montreraient là leur conjonction possible. Après *Dom Juan* et *Tartuffe,* on a cette fois la pièce du désir et de la volonté de puissance *de la femme,* volonté qui ne peut se réaliser que dans et par un groupe social proche du pouvoir, dans et par un rapport (social) entre le désir et ses masques. Ainsi les schémas actantiels indiquent le double rapport du sujet et de l'objet (inversible), du sujet et du groupe dans son travail d'adjuvant et d'opposant. On voit comment la représentation pourrait (actuellement par exemple) privilégier Célimène-sujet. On voit aussi comment le rapport des modèles actantiels indique *le lieu du conflit dramatique,* ici perçu dans sa complexité : conflit double d'une part entre les sujets, de l'autre entre chaque sujet et les autres opposants ; ce conflit double exprime l'échec des deux sujets non seulement dans leur affrontement réciproque mais dans leur conflit fondamental avec le monde[38].

Echec entraînant des conséquences différentes : Alceste accepte la défaite et le retrait, Célimène ne les accepte pas ; comme Dom Juan, elle attend la foudre céleste ou l'âge.

Une analyse rapide comme celle-ci portant sur un texte bien connu nous fait toucher du doigt le rapport entre la construction du modèle comme processus

---

38. On voit bien qu'il n'y a pas de place autonome de Philinte par rapport au reste du groupe ; s'il est non l'allié, mais l'opposant d'Alceste, on voit comment le modèle actantiel met au jour un conflit masqué par les déterminations psychologiques apparentes (l'« amitié ») du discours. Il va sans dire qu'une analyse précise de ce même discours montrerait le caractère conflictuel et oppositionnel du discours de Philinte (voir *infra,* p. 146). Dans la même perspective, on remarque les échanges entre opposants : ainsi se constitue un *paradigme opposant,* auquel se joint Arsinoë, en appparence adjuvante d'Alceste, en fait opposante du double sujet Alceste-Célimène, comme le dénote immédiatement le discours d'Alceste.

opératoire sans autre valeur qu'heuristique et celle qui prétend déterminer des *structures inhérentes à l'objet.* Il est nécessaire de se défier à la fois de l'une et de l'autre de ces deux vues, l'une impliquant un relativisme, un empirisme de la connaissance, l'autre projetant en « vérités objectives » les résultats de méthodes d'investigation : l'une et l'autre relèvent du positivisme scientifique. Dans la mesure où le théâtre est une pratique signifiante, l'analyse (complexe) du ou des modèles actantiels n'est que la détermination de certaines des conditions théoriques de cette pratique signifiante.

La présence des *deux sujets,* présence caractéristique du texte de théâtre, qu'elle soit le résultat d'une investigation textuelle ou d'une construction de l'objet « littéraire », met au jour l'ambiguïté fondamentale du texte de théâtre, cette ambiguïté que F. Rastier montre si bien à propos de *Dom Juan*[39], sans peut-être la rattacher assez clairement au statut *théâtral* du texte. F. Rastier lit cette ambiguïté au niveau du récit; mais l'exemple (bien loin d'être exceptionnel) du *Misanthrope* autorise à l'installer au niveau actantiel. Une analyse séquence par séquence[40] analogue dans son principe de découpage à celle que fait Rastier sur *Dom Juan* montrerait comment le sujet Alceste et le sujet Célimène alternent dans la succession du récit dramatique. Le spectateur lit et/ou construit deux récits (ou si l'on veut deux fables) en concurrence, l'une qui est l'histoire d'Alceste, l'autre qui est l'histoire de Célimène : « On aura, dit F. Rastier, deux descriptions de la structure profonde du récit qui rendront compte des deux lectures possibles[41]. » Allons plus loin : la présence de *deux modèles actantiels* autour de deux axes sujet-objet peut avoir pour conséquence au niveau, non pas seulement de la lecture, mais de la pratique, c'est-à-dire de la représentation, non pas un

39. F. Rastier : « *Dom Juan* ou l'ambiguïté », in *Essais de sémiotique discursive.*
40. Voir *infra* le problème du découpage en séquences.
41. Rastier : *ibid.,* p. 92.

choix, mais une oscillation, qui pose au spectateur précisément *le problème dramatique du texte*[42]. Au-delà de la lecture univoque, telle que la décrit Siegfried Schmitt[43], il peut y avoir une lecture double, *dialogique*[44], qui impose au spectateur de théâtre cette course, ce va-et-vient constitutif du travail théâtral[45]. Là encore c'est la production de la représentation qui assure ou détruit l'ambivalence textuelle, cette ambivalence n'étant jamais équivoque, indifférenciation du sens mais conflit.

3.8.5. Modèles multiples : un exemple, Phèdre. S'il est un texte où se lit la place triomphale, sidérante du héros (de l'héroïne), c'est bien *Phèdre.* Le modèle actantiel qui la prend pour sujet est clair, complet, bien formé :

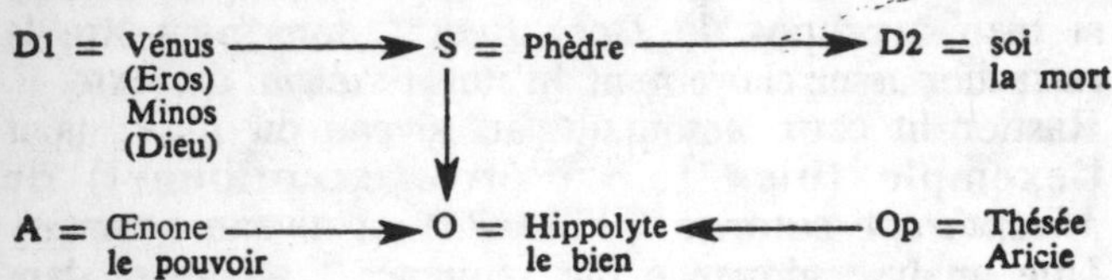

Mais deux autres schémas sont aussi textuellement possibles, prenant pour sujet Hippolyte et Aricie .

Schémas très intéressants dans la mesure où :

a) Ils correspondent au double schéma inversible sujet-objet, avec cette précision que les deux schémas sont réellement jumeaux, que le rôle de sujet est

42. D. et D. Kaisergruber, *op. cit.*, p. 24 : « C'est le heurt non de deux personnages, mais de deux fonctionnements sémiotiques qui constitue le texte. »

43. Schmitt, in *Sémiotique,* p. 148.

44. *Dialogique :* on appelle dialogisme, depuis les textes critiques de Bakhtine (*Poétique de Dostoïevski,* Seuil, 1970 ; *Rabelais,* Gallimard, 1970), la présence simultanée de deux voix à l'intérieur du même texte littéraire, mettant en lumière le fonctionnement d'une contradiction (idéologique entre autres).

45. Travail à la fois, nous le rappelons, du scripteur, du praticien (metteur en scène, comédien) et du spectateur.

réellement assumé par Aricie (voir acte II, 1 et V, 2), qu'il y a une sorte d'égalité virtuelle entre les amants ;

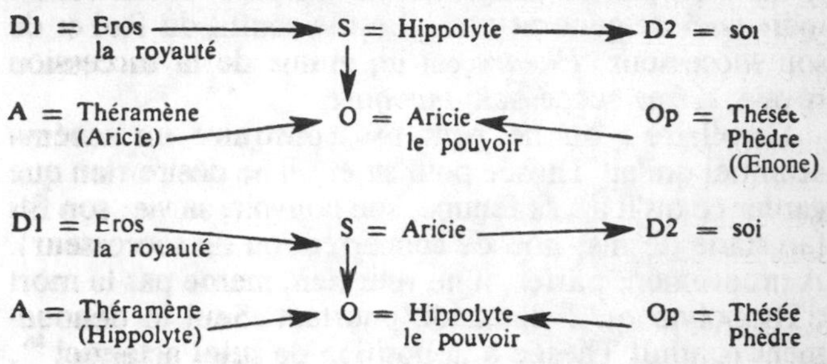

b) C'est le schéma du *désir d'Hippolyte* qui ouvre le texte, très clairement et précisément développé dans le discours d'Hippolyte et de Théramène (I, 1) ; on a affaire à l'un de ces cas, relativement rares, où le niveau discursif élucide assez nettement la structure actantielle ;

c) Dans les trois schémas, Hippolyte est une fois sujet, deux fois objet, tandis que Phèdre, une fois sujet, comme il se doit, est deux fois opposante ;

d) Un fait capital : dans les trois schémas, Thésée est en position d'*opposant,* et chaque fois, couplé avec une femme ; l'amour d'Hippolyte et d'Aricie a pour opposant, comme il est de règle, le couple parental ; en revanche, fait fondamental, c'est le désir de Phèdre pour Hippolyte qui, renversant l'ordre des générations, installe Aricie dans la même case que Thésée : ce qui se forme ainsi c'est le couple athénien, « indigène », qui survit seul au dénouement, les « étrangers » ayant été éliminés.

La place d'opposant de Thésée indique clairement que le désir de tous les protagonistes est de l'éliminer : pour Phèdre et pour Hippolyte, il est l'obstacle à leurs désirs amoureux ; pour Aricie, il est de plus l'obstacle (politique, tyrannique) à sa liberté et à son pouvoir royal. Allons un peu plus loin : la présente du Roi dans la case opposant donne à la pièce un sens politique, camouflé par le discours, comme si le bruit des passions occultait le conflit politique. Le conflit entre le père et le fils n'est pas un simple conflit œdipien, ou un conflit individuel de générations : il est le conflit du Roi et de son successeur. *Phèdre* est un drame de la succession royale, d'une succession *manquée.*

Corollaire : on ne peut pas construire un schéma actantiel qui ait Thésée pour sujet : il ne désire rien que garder ce qu'il a : sa femme, son pouvoir, sa vie, son fils (au stade de fils, non de concurrent ou de successeur). A proprement parler, il ne veut rien, même pas la mort d'Hippolyte qu'il demande pourtant. Seul le dénouement conduit Thésée à la position de sujet actantiel[46] ;

e) Si l'on remarque que Thésée est l'opposant à la fois au désir d'Hippolyte et au désir de Phèdre, on voit dans quelle mesure c'est l'opposition de/à Thésée qui fixe les rapports entre Hippolyte et Phèdre, tous deux « censurés » par le même pouvoir. D'une certaine façon, Aricie et Phèdre font partie pour Hippolyte du même paradigme, celui de l'objet (femme) interdit par le père. L'analyse actantielle rejoindrait ici sans effort la psychanalyse[46 bis] ;

f) La présence d'Eros à la place destinateur D1 et du sujet à la place destinataire D2, dans le schéma, est le signe du désir passionnel individuel. Mais dans tous les schémas, le *pouvoir* se retrouve à une place actantielle, dans une sorte de concurrence avec l'objet amour (il faut voir dans la scène d'amour entre Hippolyte et Aricie — II, 2 — l'importance de l'objet politique, le pouvoir), il est objet secondaire et adjuvant pour Phèdre qui le veut comme monnaie (objet) d'échange

---

46. La mise en scène d'Antoine Vitez était équivoque sur ce point : certes la faiblesse du Roi y était montrée, mais son omniprésence scénique rendait peu clairs son aveuglement, son absence, son ignorance, son incapacité à se constituer en sujet.

46 bis. Au reste, dès la première scène Théramène fait remarquer à Hippolyte que c'est l'interdiction paternelle qui a constitué Aricie en objet de désir pour le fils.

avec l'objet d'amour Hippolyte[47]. Pour Hippolyte, le pouvoir comme l'amour est le lieu de la révolte contre le père ; pour Aricie, il est le lieu de la revanche contre une tyrannie oppressive. La présence du politique en symbiose et en concurrence avec le passionnel, l'absence de la Cité (l'Etat, la société, la monarchie) à la place destinateur, tout cela signe non seulement l'explosion des désirs et des ambitions individuelles, mais le passage d'une tragédie de la Cité (fût-elle monarchique) à une tragédie « bourgeoise » du vouloir individuel. Le modèle actantiel aide à déterminer la place historique de l'œuvre : l'évolution de la monarchie absolue contraint Racine à camoufler les problèmes politiques (repérables justement à l'aide du modèle actantiel) sous le discours des passions : le politique est le non-dit du texte, dans le temps même où l'individualisme le réduit à la portion congrue.

On voit comment au niveau des macrostructures, l'histoire (et l'idéologie) s'investit dans le texte. On voit aussi (autre formulation du même propos) comment l'analyse sémiologique pose à la représentation la question qu'elle ne peut éluder : quels conflits privilégier ? Comment les montrer ? Quel rôle par exemple donner à Thésée, à sa présence scénique ? Comment établir le rapport entre le système sémiologique du discours, et un modèle actantiel dont les implications sont toutes différentes : comment articuler l'un et l'autre ?

Le problème posé à la représentation est celui du choix d'un modèle actantiel privilégié, ou du maintien en concurrence de plusieurs modèles actantiels — celui enfin de rendre claires aux yeux du spectateur ces macrostructures, leur fonctionnement, leur sens.

3.8.6. Le glissement des modèles. Travail d'autant plus délicat que, dans la plupart des cas, le modèle ne reste

---

47. Phèdre veut acheter Hippolyte à l'aide du pouvoir royal : « Œnone, fais briller la couronne à ses yeux. »

pas stable ou fixe tout au long de l'œuvre ; souvent il y a glissement d'un modèle à l'autre, ou même substitution au cours de l'action.

Prenons pour exemple *Le Cid.*

Si nous laissons de côté un schéma secondaire :

S = le Comte
↓
O = la place de Gouverneur ← Op = Don Diègue

nous avons un modèle principal :

D1 = Don Diègue (valeurs féodales) Eros[48] → S = Rodrigue → D2 = Don Diègue
↓
O = honneur (= mort du Comte) Chimène ← Op = le Comte

Modèle à deux objets différents, en contradiction occasionnelle (voir les *stances* de Rodrigue) ; après le duel et la mort du Comte, le modèle cesse d'être contradictoire, pour devenir d'une certaine façon « impossible » ; et nous avons un modèle non contradictoire, de type épique (quête), se maintenant au cours d'épisodes (séquences) successifs : procès, bataille contre les Maures, confrontation avec Chimène, bataille contre Don Sanche, nouvelles batailles promises ; modèle de récit épique.

Le modèle dramatique, conflictuel qui lui succède a pour sujet Chimène, avec un objet double : le Père mort et Rodrigue.

Le glissement d'un modèle à l'autre n'est pas du tout le signe d'un conflit entre les modèles, mais marque au

48. Nous négligeons ici la présence du Roi et de la monarchie comme *destinateur,* par souci de simplification provisoire.

contraire la convergence réelle de l'action des deux sujets (appartenant au même ensemble paradigmatique). La construction actantielle indique ici l'unité des deux actants.

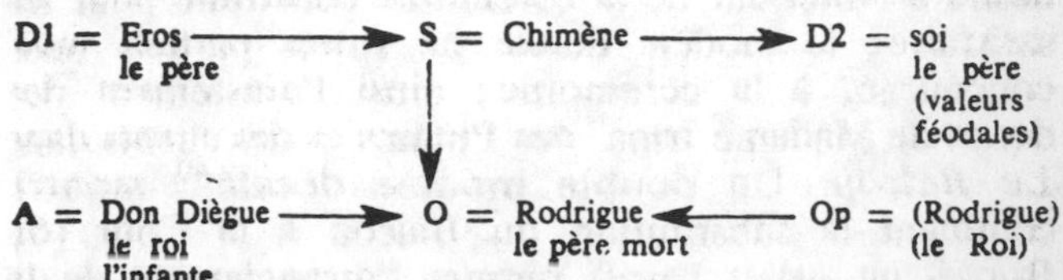

3.8.7. L'affaiblissement du sujet dans le théâtre contemporain. On ne manquera pas de remarquer que la plupart des exemples que nous choisissons sont empruntés au théâtre classique. La recherche d'un modèle actantiel paraît plus aléatoire chez un Beckett, un Ionesco — pour ne pas parler des tentatives de théâtre sans texte. Que dire d'un modèle actantiel dans *La Cantatrice chauve*? Ou même, plus lisible, dans *Amédée ou comment s'en débarrasser?* D'une certaine façon, ce ne sont pas les actants qui disparaissent, mais surtout le désir du sujet. Dans le dernier cité, on peut imaginer que le sujet (réifié) c'est le cadavre qui grandit, et dont le désir se manifeste de cette façon envahissante, expulsant progressivement ses opposants, tandis que dans *La Cantatrice chauve* une série de micro-sujets développe une série kaléidoscopique de micro-désirs, créant par accumulation une situation conflictuelle-répétitive, autodestructrice. L'affaiblissement du sujet prend une forme plus « rationnelle » chez Adamov : tout le travail de la dramaturgie des premières pièces consiste à montrer les efforts infructueux du héros central pour se constituer en sujet : le subjectivisme du *Professeur Taranne* ou du *Sens de la marche* est une sorte de contre-épreuve du modèle actantiel classique.

L'écriture dramatique de Genet redouble ou triple le modèle actantiel par le jeu de miroirs de la théâtralisation : ainsi dans *Les Bonnes,* le sujet Claire est en même temps, par le travail de son propre « théâtre » imaginaire, l'Objet-Madame. Le fonctionnement de « rôles » emboîtés met en question le fonctionnement actantiel classique, le désir des sujets possibles étant désirs à l'intérieur de la cérémonie construite pour les satisfaire ; le modèle éclate en sujets partiels mais concourant à la cérémonie ; ainsi l'ajustement des désirs de Madame Irma, des Putains et des clients dans *Le Balcon*. Un double modèle décalé[49] montre comment la substitution du Balcon à la Cour (du Bordel au palais royal) permet l'étranglement de la révolution ; mais pour cela il faut cet incessant glissement métonymique qui fait passer du Bordel à la Révolution, puis à nouveau au Bordel, des Importants à leurs images dans *Le Balcon*. Mais alors, qui est où ? Le déplacement met en question le fonctionnement spatial du modèle actantiel. Nous touchons à ce point essentiel, c'est que le ou les modèles actantiels, dans leur concurrence ou leur conflit, ne peuvent se comprendre que si l'on fait intervenir la notion de spatialité.

C'est ce que nous avons essayé de montrer à propos de Hugo ; c'est ce que montre aussi F. Rastier dans son analyse de *Dom Juan*, qui conclut (*op. cit.*, p. 133) : « La structure élémentaire, binaire, de la signification articule chaque système sémiologique en deux espaces

---

49. Le modèle actantiel décalé du *Balcon* de Genet :

D1 = Révolution → **S = Chantal Roger** → **D2 = soi, la mort**

A = les révolutionnaires → **S = Chantal Roger** ← **Op = les Gens au Pouvoir**

Op = les Gens au Pouvoir → **S = Le Balcon** → **D2 = soi**

A = le Ministre de la Police → **S = Le Balcon** ← **Op = Chantal**

disjoints. » Le fonctionnement actantiel suppose la disjonction spatiale.

3.9. *De quelques conclusions*

L'analyse actantielle, telle que nous venons de la présenter, est incontestablement sommaire. Mais il est possible de voir comment l'analyse textuelle peut la raffiner :

a) Nos procédures actuelles de détermination du modèle actantiel sont largement artisanales et intuitives. Rien d'autre parfois que l'intuition ne justifie la présence de tel « personnage » dans telle ou telle case actantielle. Jusqu'à présent un critère essentiel : l'action, les possibilités d'action telles qu'elles apparaissent dans la suite des épisodes de la « fable », résumable ; ainsi l'adjuvant est celui qui aide dans l'action. Les critères tirés de l'analyse du discours (des verbes de volition ou d'action, par exemple) sont parfois utiles, mais singulièrement sujets à caution, le discours du personnage étant, nous l'avons vu, souvent en contradiction avec son rôle actantiel.

En fait, il est utile d'essayer chaque personnage comme sujet possible d'un modèle actantiel, quitte à renoncer tout de suite aux combinaisons impossibles ou stériles. Enfin, on peut déterminer la rotation des personnages d'une case à l'autre et les permutations.

b) Par voie de conséquence, tout progrès dans la précision de l'analyse actantielle est conditionné par son examen non pas dans la totalité du texte, mais diachroniquement dans la suite des séquences ; seule l'étude de l'évolution des modèles de séquence à séquence permettra par exemple de voir les transformations du modèle ou de comprendre comment évoluent les combinaisons et les conflits de modèles. Mais ce travail est soumis à l'analyse du texte par séquences : or la détermination des unités séquentielles est la démarche la plus difficile qui soit[50], d'autant que, si nous

50. Voir *infra*, le chapitre « Le théâtre et le temps » (« Temps et séquences »).

recherchons le modèle actantiel dans des unités trop petites, le résultat risque d'être incertain. Mais si nous prenons comme base provisoire les unités traditionnelles, textuellement visibles (actes, tableaux, scènes), il est possible de déterminer une suite de modèles actantiels dont la réduction par superposition laisse apparaître un ou plusieurs modèles principaux.

c) F. Rastier a mis au point une méthode complexe, mais très raffinée de détermination des structures profondes par analyse des fonctions des acteurs et réduction des fonctions redondantes, méthode qui, elle aussi, suppose préalablement la détermination des unités séquentielles, mais qui a le désavantage de négliger la concurrence des modèles actantiels[51].

d) Or, non seulement la signification idéologique, mais plus précisément les conflits apparaissent dès l'analyse actantielle : elle permet de déterminer dans le texte théâtral le lieu de l'idéologie et les questions posées, sinon les réponses.

e) Corollaire : c'est au niveau actantiel, et par la concurrence et le conflit des modèles, que s'aperçoit déjà le « dialogisme » du texte de théâtre, ce fait capital que le sujet de l'énonciation (scripteur) étant biffé ou masqué, la conscience centralisatrice qui de tous les discours ne ferait qu'un seul, est mise en sommeil. Bien plus, l'action dramatique devient un procès où le sujet syntaxique n'est jamais seul ; il ne saurait convoquer à lui (ni comme scripteur, ni comme sujet de l'action) tout le système scriptural qui deviendrait son monde : personne au théâtre n'a son monde, et l'univers théâtral n'est l'univers de personne. Le réseau scriptural du sujet entre en compétition ou en conflit avec un autre réseau, un autre « système planétaire » : s'il est au centre, il y a d'autres centres. L'analyse actantielle démontre le polycentrisme du théâtre. Donc, au départ, il n'y a pas dans le texte de théâtre une voix privilégiée qui serait celle de l'idéologie dominante : le théâtre est par nature décentré, conflictuel, à la limite

---

51. F. Rastier : *op. cit.*

contestataire. Non que l'idéologie dominante ne finisse dans bien des cas par y trouver son compte : encore faut-il au théâtre officiel de singulières procédures de restriction et d'aplatissement, de strict codage pour faire taire la polyphonie théâtrale et sauver la prépondérance de la voix idéologique dominante. Ne nous étonnons pas de voir la censure se déchaîner contre le théâtre ; les censeurs n'ont pas tort : le théâtre est réellement dangereux.

4. ACTEURS, RÔLES

4.1. Acteur

L'acteur est une « unité lexicalisée » du récit littéraire ou mythique. « Les actants, dit Greimas, relevant d'une syntaxe narrative et les acteurs étant reconnaissables dans les discours particuliers où ils se trouvent manifestés[52]. » Autrement dit les *acteurs,* en général doués d'un nom, sont les unités particulières que le discours dramatique spécific avec simplicité : un acteur (du récit) = un acteur (un comédien). Non bien entendu que la notion d'acteur soit réservée au domaine théâtral. Dans cette perspective, l'acteur serait la particularisation d'un actant ; il serait l'unité (anthropomorphe) qui manifesterait dans le récit la notion (ou la force) que recouvre le terme d'actant. Ainsi l'actant-destinateur est lexicalisé sous les espèces de l'*acteur-roi,* dans *Le Cid* par exemple, ou à la fin de *Cinna.* Ainsi dans *Phèdre,* l'actant-adjuvant est lexicalisé sous les espèces de l'*acteur-nourrice* portant le nom d'Œnone.

Mais Greimas, qui a d'abord cru, comme nous venons de le voir, que l'acteur était une particularisation de l'actant a dû reconnaître que « si un actant (A1)

---

52. Greimas, in *Sémiotique narrative et textuelle.*

pouvait être manifesté dans le discours par plusieurs acteurs (a1, a2, a3), l'inverse était également possible, un seul acteur (a1) pouvant être le syncrétisme de plusieurs actants (A1, A2, A3)[53] ».

L'actant est élément d'une structure syntaxique qui peut être commune à plusieurs textes, l'acteur est en principe l'acteur d'un récit ou d'un texte déterminé. Le même acteur peut passer d'une case actantielle à l'autre ou en occuper plusieurs : ainsi dans tout récit amoureux, le sujet et le destinataire sont le même acteur. Réciproquement, il est impossible de construire un schéma actantiel (surtout celui d'un texte de théâtre) sans indiquer plusieurs acteurs dans la même case actantielle.

Mais c'est un trait que l'*acteur* a en commun avec le *personnage.* Comment distinguer l'un et l'autre[54] ? L'un et l'autre sont des éléments de la structure de surface, non de la structure profonde, et comme tels, ils correspondent à un *lexème.* A l'acteur en tant que lexème correspondent un certain nombre de sèmes[55] qui le caractérisent. Mais non pas l'individualité : pas plus que l'actant, l'acteur n'est à proprement parler un personnage. Certes la distinction n'est pas simple : d'une certaine façon la notion d'acteur recouvre celle, chez V. Propp, de *personnage exécutant* (nom + attribut). Greimas définit dès l'abord le concept d'acteur « en se fiant uniquement à *sa* conception naïve ; comme celle d'un personnage qui reste d'une certaine manière permanent tout au long du discours narratif ». Mais une telle conception est encore inadéquate : nous pouvons considérer que plusieurs personnages peuvent être le même acteur ; supposons par exemple les multiples prétendants à la main d'une princesse dans un conte : ils sont, non le même *actant* (un seul la conquerra),

53. *Ibid.*, p. 161.
54. Voir V. Propp : « Il arrive qu'une seule sphère d'action se divise entre plusieurs personnages ou qu'un seul personnage occupe plusieurs sphères d'action » (pp. 98-99).
55. Sème = unité minimale de signification.

mais le même *acteur* : l'acteur *prétendant de la princesse.* Dans *Le Misanthrope,* les petits marquis sont non seulement le même actant, mais le même acteur. Impossible de confondre *acteur* et *personnage.*

L'acteur est donc un élément animé caractérisé par un fonctionnement identique, au besoin sous divers noms et dans différentes situations. Ainsi dans *Les Fourberies de Scapin,* Scapin, quel que soit son rôle actantiel (destinateur, sujet ou adjuvant, selon le modèle construit et selon les séquences), est l'*acteur fabricant de fourberies,* celui dont l'action répétitive est de duper les autres : de là le récit répétitif des « fourberies » dont il s'est rendu coupable vis-à-vis de Léandre. Il peut être très semblable à tel autre personnage qui aura le même rôle actoriel que lui, de trompeur, de décepteur.

L'acteur se caractérise :

1° par un *procès* (un processus) qui lui appartient : Sn + SV, où il joue le rôle de syntagme nominal par rapport au syntagme verbal fixe (Scapin *dupe* X) ;

2° par un certain nombre de traits différentiels à fonctionnement binaire ; analogue au phonème selon Jakobson, l'*acteur* est un « paquet d'éléments différentiels », voisins de ce que Lévi-Strauss appelle des *mythèmes :* « Dans un conte (nous ajouterions volontiers dans un texte de théâtre) un roi n'est pas seulement un roi, une bergère, mais ces mots et les signifiés qu'ils recouvrent deviennent les moyens sensibles de construire un système intelligible, formé des oppositions *mâle/femelle* (sous le rapport de la nature) et *haut/bas* (sous le rapport de la culture) et toutes les permutations possibles entre les six termes[56]. » Nous ne tenons le rapprochement entre mythèmes et sèmes que comme une comparaison, non une identification. Cependant Lévi-Strauss ajoute, et ceci nous rapproche de notre champ de recherche : « (ces mythèmes) résultent d'un jeu d'oppositions binaires ou ternaires (ce qui

56. Lévi-Strauss : *Anthropologie structurale,* II, p. 170.

les rend comparables au phénomène) mais avec des éléments déjà chargés de signification sur le plan du langage et qui sont exprimables par des mots du vocabulaire[57] ».

Un acteur se définit donc par un certain nombre de traits caractéristiques : si deux personnages possèdent à la fois *les mêmes caractéristiques* et *font la même action,* ils sont le même *acteur.* Par exemple, un acteur est celui qui joue un rôle fixe dans une cérémonie religieuse : celui qui joue le même rôle sera le même acteur s'il a les mêmes traits caractéristiques (la prêtrise, par exemple). La différence d'un trait caractéristique marque l'opposition d'un acteur à un autre, d'un acteur-femme par exemple à un acteur-homme. Ainsi les acteurs font partie d'un certain nombre de paradigmes : le paradigme féminin *vs* masculin ou le paradigme roi *vs* non-roi. « Unité » du récit, l'acteur est au croisement d'un certain nombre de paradigmes et d'un ou plusieurs syntagmes narratifs (son *procès*).

Ainsi les personnages cornéliens représentent un certain nombre d'acteurs caractérisés par des traits distinctifs. Prenons l'exemple de *Cinna :* les trois personnages Cinna, Emilie, Maxime sont trois *acteurs-conspirateurs,* avec le même procès (la même action) qui est la conspiration, et les mêmes *traits distinctifs,* jeunes, liés étroitement à Auguste, hostiles à sa tyrannie. Bien entendu, ils ne sont pas identiques par tous les *traits distinctifs :* ainsi Emilie est *femme,* Cinna est *aimé,* trait qui le distingue de Maxime. On comprend alors que l'*acteur* est un *élément abstrait* qui permet de voir les rapports entre personnages, l'identité de « fonction actorielle ». Dans les pièces de la vieillesse de Corneille, l'essentiel de la fonction actorielle tourne autour du trait distinctif *roi/non-roi.* On voit comment l'analyse de cette fonction sert essentiellement à la détermination des personnages et de leurs rapports[58]. Chez Racine l'opposition cesse de se faire entre roi et

57. *Ibid.*
58. Voir *infra,* « Le personnage », p. 109.

non-roi, elle se creuse entre *puissant* et *non puissant.* Le pouvoir cesse de s'affirmer comme « royal », c'est-à-dire légitime et de droit divin, il apparaît une simple situation de force. On a donc un jeu d'*acteurs* extrêmement simple :

aimant-non aimant	a
aimé-non aimé	b
puissant-non puissant	c
homme-femme	d
non exilé-exilé	e

Prenons par exemple *Bérénice* et son trio de personnages :

Antiochus	=	a	−b	−c	d	−e
Titus	=	a	b	c	d	e
Bérénice	=	a	b	−c	−d	−e

Notons que le trait roi/non-roi est un trait non pertinent puisque tous sont chefs d'Etat, *rois.* Ce qui oppose Titus et Bérénice unis au demeurant par *l'amour*[59], c'est la *situation de puissance* et c'est l'*exil,* tandis que tout (sauf l'amour, hélas !) devrait réunir Bérénice et Antiochus ; l'élément structurel décisif, celui qui détermine l'acteur racinien, c'est la situation *exil + non-puissance* caractéristique d'*acteurs* comme Junie, Andromaque, Bérénice, Britannicus, Atalide, Phèdre ; avec un clivage supplémentaire entre Junie, Andromaque, Monime, Atalide, Bajazet, qui *n'aiment pas* le puissant et Bérénice ou Esther, qui l'*aiment.* On voit aussi comment l'identité de traits distinctifs ne suffit pas à faire l'identité des acteurs, il y faut aussi l'identité du procès ; ici par exemple, le procès : aimer le non-puissant *vs* aimer le puissant. On voit :

a) qu'il n'est pas du tout facile de distinguer ce qui

---

59. Cette remarque élémentaire permet peut-être de dépasser les querelles psychologisantes autour de l'amour ou de la satiété éventuelle de Titus.

est telle ou telle *qualité* propre à l'acteur (par exemple aimant/non aimant) du *procès* qui est le sien, l'un et l'autre étant à proprement parler des *prédicats*. La notion d'*acteur* est encore confuse ;

b) comment cette notion sert à éclairer le fonctionnement du personnage et plus précisément les rapports des personnages entre eux ;

c) comment ce qui caractérise le « matériel » animé d'un auteur c'est le stock des *acteurs ;* ce qu'on appelle communément personnages-types, les femmes de Corneille, ou les enfants chez Maeterlinck, ce sont des acteurs, c'est-à-dire des personnages doués d'un certain nombre de traits distinctifs communs. L'univers de tel auteur dramatique s'éclaire à l'aide de cette notion.

4.2. Rôles

Dans cette perspective l'*acteur* risque de se confondre avec le *rôle*.

Qu'est-ce qu'un rôle ? J. Greimas et F. Rastier l'emploient fréquemment au sens de fonction (le rôle actantiel, ou le rôle actoriel, le rôle d'*agresseur* par exemple). Nous l'utiliserons au sens où l'emploie aussi Greimas *(Du sens)*, c'est-à-dire au sens d'acteur codé limité par une fonction déterminée. Comme l'acteur, le rôle est l'une des médiations qui permettent de passer du « code » actantiel abstrait aux déterminations concrètes du texte (personnages, objets).

Ainsi dans la *commedia dell'arte* tous les acteurs sont des rôles, déterminés par une fonction imposée par le code ; Arlequin a un comportement fonctionnel prévisible, inchangeable. Ainsi au cirque l'Auguste est un rôle codé. Dans une cérémonie religieuse les *rôles* sont tenus (ou peuvent l'être) par des *acteurs divers*[60]. Ce sens se rapproche du sens traditionnel de rôle (codé) au théâtre et même de celui d'emploi : le Matamore n'est pas un acteur mais un rôle, quoiqu'il soit aussi déter-

60. Un évêque, un cardinal, un simple desservant de village peuvent *dire la messe* ou *administrer les sacrements*.

miné par des traits différentiels encore plus précis. Il ne peut y avoir à proprement parler de rôle que dans un récit étroitement codé (cérémonie religieuse ou forme de théâtre très contrainte). Ainsi les personnages du mélodrame (classique, celui de Pixérécourt) sont-ils, non des acteurs à proprement parler, mais des rôles, celui du Père Noble, de la Pure Jeune Fille, du Traître, du Jeune Héros ou du Niais.

Dans des formes théâtrales (ou non) moins étroitement codées, un personnage peut jouer un rôle pour lequel il n'est pas fait ; le jeune premier peut dans le roman sentimental jouer un *rôle de père* pour l'héroïne orpheline : on voit comment peut se faire le glissement acteur-rôle. Dans le drame romantique on a fréquemment ce glissement de l'acteur au rôle ; par exemple Ruy Blas, acteur non seulement déterminé par un certain nombre de traits distinctifs, mais *acteur d'un procès déterminé* (amoureux de la Reine), joue le *rôle objectif du traître* (masqué, fausse identité, fabrique des pièges). On voit comment se fait un processus : passage de l'*acteur au rôle codé,* puis retour du *rôle codé* à l'*acteur* — comment au niveau de la représentation tout un travail peut être fait pour tirer les personnages de leur code d'origine, et pour les recoder autrement, comment tel rôle (mélodramatique par exemple) peut être subverti, au niveau textuel ou scénique. Par exemple, l'adoption hyperbolique du code du mélodrame dans la représentation du *Précepteur,* de Lenz, par Sobel[61] fait éclater les rôles mélodramatiques attribués aux personnages. Ostrovski, au contraire, décode les personnages du mélodrame pour les réencoder autrement : le rôle redevient un personnage (voir dans *L'Abîme,* par exemple). Tout un travail de contestation idéologique peut se faire par la construction de signes de la représentation qui montrent l'opposition et creusent le fossé entre l'acteur et le rôle ou au contraire installent la dérision par la fusion de l'acteur

61. Théâtre de Gennevilliers, printemps 1975.

dans le rôle : on peut par exemple construire les jeunes-premiers de Racine (acteurs) en les codant dans la représentation selon les normes du jeune-premier de drame populaire sentimental.

Ce travail que fait l'analyse distinguant soigneusement l'acteur et le rôle (en fonction du code) est accompli au niveau de la représentation par le metteur en scène et le comédien qui distinguent eux aussi l'acteur (et son procès) du rôle codé, et décodent le personnage pour le réencoder autrement, ou au contraire fondent l'acteur et son procès dans un code (théâtral et socioculturel). De même que toute analyse sémiologique du texte finit par mettre en lumière le code qui sous-tend le processus de l'écriture et informe les éléments animés du récit en donnant à ce code son historicité [62] et ses caractères idéologiques, de même il n'est pas de représentation qui ne fasse ce travail sur le rapport de l'acteur et du rôle (au sens sémiologique de ces mots) pour mettre en lumière ou pour gommer l'historicité et les déterminations idéologiques du double code du texte et de la représentation. Ainsi un texte écrit pour un code de représentation à l'italienne peut être décodé, réencodé pour un code de représentation différent : acteurs et rôles peuvent être réécrits en conséquence et le rapport des uns et des autres devra être reconstruit. On voit combien est décevante — toute nécessaire qu'elle soit — une analyse purement textuelle du théâtre qui pourra toujours être biffée, retournée par cette pratique signifiante qui est celle de la représentation.

Note. En ce qui concerne le point particulier des rôles théâtraux, certaines de leurs déterminations ne proviennent pas seulement du dialogue, ni même des didascalies, mais ressortissent à un code non écrit (mais traditionnel), à une gestuelle par exemple tout à fait codée : ainsi le rôle du Matamore est déterminé

---

62. Voir notre travail sur le « Mélodrame », *Revue des sciences humaines*, juin 1976.

scéniquement (costume, gestuelle) bien plus que textuellement. Dans ce cas le rapport texte-représentation s'inverse ; c'est le texte qui est sous la dépendance de la représentation et apparaît second par rapport à elle ; non seulement les déterminations scéniques du rôle complètent les déterminations textuelles, mais elles les conditionnent et, si l'on peut dire, les prédéterminent. Pour une raison bien simple et toute matérielle qui tient aux conditions mêmes de l'écriture théâtrale : écrire pour le théâtre, ce n'est pas écrire pour la pratique économique de la librairie, c'est écrire pour une pratique socio-économique qui est celle de la scène, et qui suppose un lieu scénique, des comédiens, un public, de l'argent frais au départ, des structures matérielles dont les exigences se reversent sur l'écriture. On écrit rarement au théâtre ce qui, dans les conditions matérielles (et celles de la « réception » en font partie), ne pourrait pas être représenté ou entendu. Et si on n'écrit pas pour la représentation, les distorsions textuelles sont très visibles : le code de la représentation (historiquement déterminé) est ouvertement violé et subverti (*Lorenzaccio* ou *Mangeront-ils ?* qui fait partie du *Théâtre en liberté* de Hugo).

Nous touchons du doigt les limites d'une analyse sémiologique qui ne s'appuierait que sur l'analyse du récit textuel. Si la distinction texte-représentation est un présupposé méthodologique nécessaire, on voit comment ultérieurement une sémiologie du théâtre pourra montrer l'articulation de l'un et de l'autre, en renversant dialectiquement l'ordre théorique texte-représentation.

En tout cas, il est nécessaire — et sur ce point les études historiques s'imposent — de faire l'inventaire des traits distinctifs qui constituent les rôles codés au théâtre, de leur évolution et du rapport construit entre le *procès* de l'acteur et le fonctionnement du rôle : ainsi il faudrait analyser le rapport entre l'acteur Scapin (fabricant en fourberies) et le rôle codé du valet (particulièrement du valet fourbe) des comédies latine et italienne. De même qu'il est intéressant de voir comment l'acteur Scapin passe d'une case actantielle à une autre : de la case-adjuvant à la case-destinateur et même à la case-sujet. Un exemple entre tant d'autres : le Fou dans *Le Roi Lear,* dont la place actantielle est tout à fait incertaine (est-il l'adjuvant ou le redoublement du sujet-objet Lear ?), est un *acteur* dont la fonction est, entre autres, de parler dérisoirement de la royauté et de la paternité de Lear, dans le même temps où il s'inscrit dans le *rôle codé* du Fou du Roi (costume, comportement, gestuelle, parole grossière, populaire et sexualisée).

4.3. Procédures

La détermination des acteurs et des *rôles* dans le texte et la représentation théâtrale est relativement facile si l'on s'en tient à une étude intuitive et artisanale. Il est aisé de repérer l'*action* principale de tel ou tel « personnage » (ou les actions successives) ; ainsi Hermione *aime* Pyrrhus, puis Hermione *fait tuer* Pyrrhus, deux procès successifs très visibles ; de même les traits caractéristiques qui en font un acteur précis (femme, jeune, situation de puissance). En ce qui concerne le *rôle,* il est important de le considérer par rapport au code théâtral contemporain (ou antérieur) : c'est là qu'intervient la notion d'*histoire du théâtre* et de *genre* (*commedia dell'arte,* comédie, tragédie, mélodrame, drame, etc.). Ce type d'investigation, les comédiens et les metteurs en scène le font spontanément ; il y a une recherche « sauvage » de l'acteur et du rôle.

Quelques remarques cependant :

a) L'acteur est aussi peu isolé et isolable que l'actant ; de même qu'il y a un système actantiel, il y a un ensemble actoriel dont les traits distinctifs forment un système oppositionnel (nous l'avons vu dans l'exemple simple de *Bérénice*). L'important dans la détermination de l'ensemble actoriel est qu'il oriente la lisibilité de la représentation, par un jeu de déterminations et d'oppositions simples et en petit nombre.

b) Une recherche plus fine réclamerait une étude séquence par séquence (voir *infra* l'analyse des séquences), avec 1° repérage des actions de l'acteur dans leur succession ; 2° du point de vue lexical, relevé des verbes dont l'acteur est le sujet de l'énonciation ; 3° relevé dans l'ordre des traits sémiques figurant dans les didascalies et dans le dialogue (même le dialogue où l'acteur ne figure pas). Une analyse plus précise rejoindrait l'étude non plus de l'acteur, mais du personnage. En définitive, l'analyse du fonctionnement actoriel fait partie intégrante de celle des personnages : l'acteur est une coupe éclairante et simplifiante dans l'ensemble complexe qu'est le personnage de théâtre.

Chapitre III

LE PERSONNAGE

Le personnage de théâtre est en crise. Ce n'est pas nouveau. Mais il n'est pas difficile de voir que pour lui la situation s'aggrave. Divisé, éclaté, éparpillé en plusieurs interprètes, mis en question dans son discours, redoublé, dispersé, il n'est pas de sévices que l'écriture théâtrale ou la mise en scène contemporaine ne lui fasse subir.

1. CRITIQUE DE LA NOTION DE PERSONNAGE

1.1.

Même quand il s'agit du personnage classique, dont nul ne conteste l'« existence » au moins virtuelle, l'analyse qu'on en fait contribue à l'atomiser. Qu'on voie en lui *l'actant, l'acteur, le rôle,* on fait de lui, dans la perspective sémiologique contemporaine, le lieu de *fonctions,* et non plus la copie-substance d'un être. Le « personnage » est-il au théâtre une notion dont on peut se passer totalement, comme le veut F. Rastier[1] qui fait dans son texte sur *Dom Juan* l'éclatant procès du personnage, jouant même à le nier absolument ?

Non seulement le « personnage » se situe à la place de toutes les incertitudes textuelles et méthodologiques, mais il est le lieu même de la bataille. F. Rastier a raison de montrer (par un jeu spirituel de citations) comment la critique traditionnelle, surtout dans ses aspects scolaires et universitaires[2], se cramponne à la notion de personnage comme à une arme idéologique irremplaçable dans sa guerre de retardement contre la critique dite « nouvelle ». Au-delà des problèmes de méthodes, ce qui est en jeu c'est le Moi dans son autonomie de « substance », d'« âme », notions bien fatiguées après 80 ans de travail et de renouvellement de la psychologie. Ce qui ne peut plus guère être dit des êtres humains pris dans le tissu de leur existence concrète, peut-être sera-t-il encore possible de le dire des personnages littéraires ? Aussi ne s'étonnera-t-on pas du lieu commun infiniment comique qui en fait des « êtres plus vrais que certains êtres vivants, plus réels que le réel ». Comme si l'on pouvait transporter sur le plan fantasmatique de la création littéraire la notion idéaliste de la *personne,* quand elle se trouve par ailleurs démantelée...

Aussi tout un discours traditionnel s'accroche-t-il au personnage de roman, de théâtre — substance, âme, sujet transcendantal kantien, *caractère* universel, Homme éternel, hypostase indéfiniment renouvelée de la conscience bourgeoise, fleur suprême de la culture, inévitable fleuron de l'idéologie dominante. « Eternel », mais récent : remontant, au mieux, à la seconde moitié du XVIIe siècle.

Notons que le refus angoissé de lâcher la notion de *personnage* tient aussi au fait qu'« on » veut préserver

---

1. *Op. cit.*
2. *Ibid.,* pp. 183-190.

l'idée d'un *sens* préexistant au discours dramatique. Opération doublement « bénéficiaire » : on sauve l'intentionnalité de la création littéraire (au détriment de la production du sens par le spectateur) ; et d'autre part on préserve la « littérature dramatique » de la contagion de la représentation : l'autonomie, la préexistence du « personnage » à toute représentation où il figurerait sont garantes de l'autonomie de la « chose littéraire » par rapport à ce qui en est la dégradation matérielle et concrète, la production théâtrale proprement dite, la représentation. La préexistence du personnage est l'un des moyens d'assurer la préexistence du sens. Le travail de l'analyse sera alors celui d'une découverte du sens, lié à l'essence massive du personnage, d'une herméneutique de la « conscience » — non celui d'une construction du sens (déconstruction-reconstruction). Le travail des sémanticiens contemporains est contre ces survivances merveilleusement efficaces.

1.2.

Allons plus loin. Peut-être pouvons-nous dire qu'à la lettre il n'y a pas de personnage textuel. Le personnage textuel tel qu'il apparaît à la lecture n'est jamais tout seul, il se présente entouré de l'ensemble des discours tenus sur lui. Discours infiniment variés selon l'histoire de tel ou tel texte. Ainsi, il n'y a pas de connaissance du personnage de Phèdre (à la limite pas de lecture possible) indépendamment d'un discours sur Racine (et *Phèdre*), discours qui date approximativement du XVIIIe siècle (de Voltaire et du *Siècle de Louis XIV*, si l'on veut, discours accru et fortifié tout au long du XIXe siècle et de la première moitié du XXe siècle, avec quelques variantes) : Phèdre, image de la passion, Phèdre, âme déchirée, chrétienne à qui la grâce a manqué, Phèdre conscience dans le mal, « personne » fascinante, etc. Nous ne lisons plus *Phèdre* comme un texte, mais comme un ensemble texte + métatexte[3] ; c'est justement cet ensemble texte + métatexte qui

3. Nous appelons *métatexte* le texte-commentaire d'un texte littéraire dont il se veut le prolongement et l'éclaircissement.

sous-tend la sacro-sainte notion classique du personnage, avec toutes les analyses portant sur tel ou tel de ces personnages, particulièrement représentatifs. Il semble donc que la tâche la plus urgente de l'analyse soit celle de déconstruire cet ensemble (texte-métatexte). Non qu'on puisse espérer avoir ainsi du texte (et du personnage textuel) une vue pure, an-historique. Certes, c'est impossible, mais l'élimination du métatexte permet en tout cas de découvrir les couches textuelles qu'il occultait. Il n'y a bien sûr pas de lecture ni de mise en scène innocente ; encore faut-il ne pas se crisper sur une lecture qui ne paraît évidente que parce qu'elle est prise dans un discours appris, traditionnel.

Comme le montre F. Rastier, la déconstruction du personnage « classique » était déjà l'œuvre de Propp, mettant l'accent sur *l'action* au détriment de *l'agent :* « Dans l'étude du conte, la question de savoir *ce que* font les personnages est la seule importante ; *qui* fait quelque chose et *comment* il le fait sont des questions qui ne se posent qu'accessoirement. » Mais cela ne suffit pas : certes, il est capital de savoir que Thésée *fait tuer* son fils, mais peut-on séparer ici le meurtre et la relation père-fils ? dans la plupart des cas, *l'action* ne se sépare pas de la relation fondamentale entre les protagonistes : un meurtre entre rivaux n'est pas nécessairement un infanticide.

Rastier remarque avec raison qu'il est difficile de distinguer entre la *qualité* et l'*action* du personnage : comment faire le départ entre, par exemple, le trait distinctif *aimant* (X est aimant) et le *procès :* X aime Y ? « L'opposition entre *action* et *qualités* n'a aucune base scientifique en linguistique » fait-il remarquer (*op. cit.*, p. 215), et il ajoute (ce que sait tout théâtrologue) que « les inventaires des “ qualités ” et des “ actions ” d'un acteur varient, corrélativement au cours du récit. Outre que cela ruine l'identité à soi du personnage[4], il

4. Il faut remarquer que cette ruine de l'identité à soi ne peut se concevoir sans un rapport dialectique avec une certaine permanence du personnage : ne peut changer que ce qui dure

suit que (...) l'opposition entre qualifications et fonctions cesse, de fait, d'être opératoire ».

1.3.

Toute cette réflexion critique, parfaitement pertinente et qui suffit à ruiner le métadiscours classique sur le personnage, n'est cependant pas totalement adéquate dans le domaine du théâtre pour les raisons suivantes :

1) Il y a quelque chose qui demeure au-delà des variations de toutes qualifications et fonctions, au-delà ou en deçà du passage d'un rôle actantiel à un autre : c'est le comédien, l'existence et l'unicité physique du comédien. On verra plus loin l'importance de la chose ;

2) Si F. Rastier renvoie à « l'illusion référentielle » la définition « ontologique » des personnages (et il n'a pas tort), le théâtre est par définition dans une certaine illusion référentielle puisque le signe théâtral a le double statut d'ensemble sémiotique et de *référent construit* du texte théâtral[5]. Il n'est pas possible, dans le domaine du théâtre, d'échapper totalement à une *mimésis* qui vient déjà du fait que la réalité corporelle de l'acteur (comédien) est le mime du personnage-texte. Ce caractère physique du théâtre assure une (relative) permanence au personnage-texte, avec tous les glissements, mutations, échanges paradigmatiques possibles ;

3) Dans la mesure où le texte théâtral est essentiellement non linéaire mais *tabulaire,* le personnage est un élément décisif de la verticalité du texte ; il est ce qui permet d'unifier la dispersion des signes simultanés. Le personnage figure alors dans l'espace textuel ce point de croisement ou plus exactement de rabattement du paradigme sur le syntagme ; *il est un lieu proprement poétique.* Dans le domaine de la représentation il apparaît ce point d'ancrage où s'unifie la diversité des signes.

Nous considérons donc que la notion de personnage

---

5 Voir *supra,* I, 2.8., p. 34.

(textuel-scénique) dans son rapport au texte et à la représentation est une notion dont une sémiologie du théâtre ne peut pas actuellement faire l'économie, même s'il faut le tenir non pas du tout pour une *substance* (personne, âme, caractère, individu unique) mais pour un *lieu,* lieu géométrique de structures diverses, avec une fonction dialectique de *médiation.* Loin de voir sous le personnage une vérité permettant de construire un discours ou un métadiscours organisé, il faut sans doute le tenir pour le point de rencontre de fonctionnements relativement indépendants.

1.4. Le personnage survit

a) Le personnage (de théâtre) ne se confond donc pas avec le discours psychologisant ou même psychanalysant que l'on peut construire sur lui. Ce type de discours, si brillant qu'il soit, n'apparaît jamais très éclairant aux praticiens du théâtre. Et pour cause. Il risque d'avoir une fonction de masque, de dissimulation du véritable fonctionnement du personnage. Il l'isole de l'ensemble du texte et de ces autres ensembles sémiotiques que sont les autres personnages. Enfin, il risque toujours de faire apparaître le personnage comme une « chose », ou au mieux un être à découvrir par une pratique langagière de dévoilement : il risque donc de le figer, de le « transir » : devenu objet et non plus lieu indéfiniment renouvelable d'une production de sens. C'est aussi ce qui rend souvent discutable la pratique usuelle au théâtre surtout au début de ce siècle (Stanislavsky), et encore fréquente dans le travail du comédien, qui consiste à reconstruire pour le personnage des sentiments, une biographie extra-textuels, des motivations apparentes ou cachées. Ce qui rend aussi tout à fait sujette à caution la pratique d'identification affective du comédien à cette construction fantasmatique qu'est le personnage ainsi compris. *Le personnage de théâtre ne se confond avec aucun discours que l'on puisse construire sur lui.*

b) Il ne faudrait pas imaginer que la mise en cause actuelle du personnage de théâtre sorte tout armée d'une théorie scientifique nouvelle. N'imaginons pas non plus que le personnage-illusion remplaçant avantageusement un personnage réel n'ait jamais fonctionné effectivement au théâtre. Il a fait les beaux jours du théâtre bourgeois et de la représentation des classiques jusqu'à une date récente. En fait, la pratique scientifique qui permet la mise à distance du personnage ne saurait se comprendre sans le *mouvement historique* qui la rend possible. On ne pourrait tenir le personnage pour un objet non d'intuition ou de communication affective, mais d'analyse, si on ne l'avait pas déjà désacralisé, si on ne l'avait pas déjà compris comme le produit du mythe bourgeois de la personne absolue. Le personnage de théâtre est une notion historique et sa déconstruction est elle aussi historique : « Que faire maintenant, dit Brecht, puisque dans la vie réelle l'individu disparaît de plus en plus en tant que tel, en tant qu'individu indivisible, inéchangeable ? » Le travail d'une sémiologie du personnage est de le montrer justement comme divisible, échangeable : à la fois articulé en éléments et lui-même élément d'un ou plusieurs ensembles paradigmatiques. On voit donc que le personnage qui reste une unité sémiologique possible n'est jamais qu'une unité provisoire : aussi peu insécable que l'atome, il est comme lui composé d'unités plus petites, et comme lui, il entre en composition avec d'autres éléments.

c) Le personnage ne se confond pas avec les autres unités ou systèmes dans lesquels il peut figurer : ainsi le personnage ne se confond pas avec *l'actant* quoiqu'il ait le plus souvent un rôle actantiel : l'actant est un élément d'une structure syntaxique, le personnage est un agrégat complexe groupé sous l'unité d'un nom.

d) Le personnage ne se confond pas avec *l'acteur :* plusieurs personnages peuvent être un seul acteur (l'acteur-messager par exemple) : « Pouvons-nous compter pour deux personnages, dit F. Rastier, les deux anges qui apparaissent à Marie de Magdala (Jean 20, 12) ? Mais, puisque rien du point de vue fonctionnel ne permet de distinguer entre ces deux anges, l'analyse du récit ne notera qu'un seul acteur tout comme dans Matthieu elle note *l'Ange du Seigneur.* » Cet exemple très clair nous permet de comprendre paradoxalement contre F. Rastier comment et pourquoi on ne peut pas effacer totalement la notion de personnage ; nous avouons ignorer pourquoi Jean écrit : « deux anges », mais il est évident que la signification du récit évangélique n'est pas la même s'il y a un ou deux anges ; la réduplication de l'ange est signifiante, c'est un présupposé que nous pouvons admettre, même si en l'occurrence la signification précise nous échappe. A plus forte raison dans le domaine du théâtre, la division d'un « acteur » en plusieurs personnages (la multiplication des fâcheux par exemple dans *Les Fâcheux* de Molière), qu'elle soit le fait du texte théâtral ou de la représentation, est un procédé d'écriture signifiant. D'une certaine façon on peut tenir le personnage pour une abstraction, pour une limite, pour le croisement de séries ou de fonctions indépendantes — ou bien on peut le tenir pour l'agrégat d'éléments non autonomes —, on ne peut pas le *nier :* dire qu'une notion a est le rapport, l'addition ou le produit de deux éléments b et c ne signifie pas que a n'existe pas ($a = b + c$ ou $a = b \times c$ ou $a = b/c$). Que le personnage ne soit pas une substance, mais une *production,* qu'il soit à un croisement de fonctions ou plus précisément qu'il soit l'intersection de plusieurs ensembles (au sens mathématique du terme) ne signifie pas qu'il n'y a pas à en tenir compte, ne serait-ce que d'un point de vue simplement linguistique : il est un *sujet de l'énonciation.* Il est le sujet d'un discours que l'on marque de son *nom* et que le comédien qui revêtira ce nom devra prononcer. Si le personnage n'est ni un être ni une substance, il est un *objet d'analyse.* Quels sont donc les éléments repérables qui seront nos fils conducteurs dans l'analyse du personnage ? Le premier, incontestable, nous venons de le voir, c'est que le personnage est le sujet d'un discours, le second c'est que, faisant partie de plusieurs structures que l'on peut dire syntaxiques, il peut être considéré comme l'équivalent d'un mot, d'un *lexème.* Il fonctionne en tant que tel dans les structures syntaxiques : système actantiel (structure profonde), système actoriel (structure de surface). En tant que lexème, il fonctionne dans l'ensemble du discours textuel et peut donc s'inscrire dans une figure de rhétorique (métonymie ou métaphore). Enfin, à l'aide des déterminations textuelles qui sont les miennes on peut construire un ensemble sémiotique qu'à la représentation le comédien pourra faire apparaître avec toutes sortes de transformations, étant bien entendu : *a)* qu'il ne pourra pas restituer *toutes* ces déterminations ; *b)* qu'il sera obligé pour des raisons historiques de trouver souvent des équivalents ; *c)* qu'inversement, la personne physique et psychique du comédien apportera au personnage des déterminations imprévues.

2. LE PERSONNAGE ET SES TROIS FILS CONDUCTEURS

Trois directions de recherche s'offrent donc à qui veut étudier un personnage de théâtre, à un certain nombre de conditions : a) ces trois directions doivent être étudiées concurremment ; b) l'importance de chacune est variable selon le moment de l'histoire du théâtre ; c) aucun personnage ne doit être étudié isolément sinon d'une manière provisoire.

2.1.

Le tableau intitulé *grille du personnage* montre comment :

a) Toute analyse sémiologique d'un personnage de théâtre est une opération d'une extrême complexité. Il est très difficile de saisir l'un des fils et de l'analyser jusqu'au bout sans en rencontrer un autre : des bretelles vont sans cesse de l'un à l'autre ;

b) Toute analyse d'un personnage retrouve par opposition ou par rapprochement toutes les analyses des autres personnages, à tous les niveaux. Analyser tel fonctionnement d'un personnage isolé est toujours une opération provisoire. Chaque trait d'un personnage est toujours marqué en opposition à un autre : si un personnage est marqué du trait *roi,* c'est toujours en opposition à un personnage *non-roi* ou *autre roi;* le roi n'est roi qu'en opposition ou en redoublement à un autre ;

c) Ce qui est absent de ce tableau en tant que tel c'est l'aspect référentiel : en effet, la sémiologie du personnage met précisément à distance le référent, qui dans le discours ou le métadiscours sur le personnage est toujours le premier élément présent ;

d) Cet élément référentiel est nécessairement présent dans la construction scénique du personnage : le personnage figuré par le comédien ressemble nécessairement à quelqu'un ou à quelque chose. Thésée mis sur la scène en 1977 ressemblera nécessairement à quelqu'un ou à quelque chose, à Louis XIV, à une figure minoenne, à une statue de Phidias, à un roi de jeu de cartes ou au successeur de Franco. Le metteur en scène construit, à l'aide de l'ensemble sémique textuel du « personnage figurant entre les pages d'un livre », une figure concrète. Autrement dit, l'analyse sémiologique du personnage n'épuise pas le tout du personnage : il est toujours une figure complexe *construite.* Notons qu'il est impossible, dans l'activité pratique de la mise en scène, de tenir compte de tous les éléments : il risque même d'y avoir conflit entre les éléments textuels et les signes scéniques. Le personnage peut donc être tenu pour l'intersection (au sens mathématique) de deux ensembles sémiotiques (textuel et scénique) ; hors de l'intersection les signes devront être assimilés à des « bruits » : non seulement les signes textuels que, pour telle ou telle raison, le comédien ne peut pas prendre en compte, mais les signes involontaires produits par le comédien et qui devront être gommés[6]. L'ensemble *p,* intersection de deux ensembles, sera donc construit par sélection.

6. De là, dans la représentation, tout un jeu possible entre l'élimination et la récupération des signes-bruits.

GRILLE DU PERSONNAGE

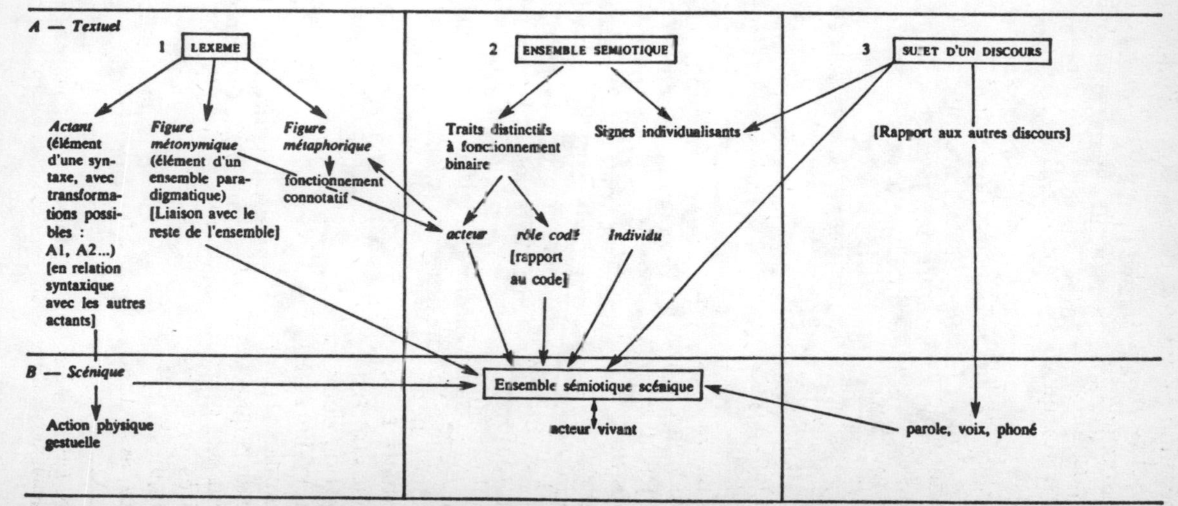

2.1.1. Si le personnage peut être assimilé à un lexème, il est pris dans une structure syntaxique et en tant que tel, il apparaît avec sa fonction « grammaticale » : Hamlet sujet de l'action *vengeance du père,* Rodrigue objet de l'*amour* de Chimène ; le personnage peut donc ou bien occuper la même case actantielle qu'un autre (ainsi, dans *Hamlet,* Laërtes occupe aussi la case sujet de l'action *vengeance du père,* conjointement avec Hamlet), ou bien il occupe deux cases différentes dans deux modèles actantiels différents (ainsi Rodrigue qui est aussi sujet de l'action *vengeance du père*). On voit comment la détermination de ces diverses fonctions syntaxiques permet de préciser le profil actantiel du personnage. Découverte qui n'est pas sans importance dans la mesure où par exemple le fonctionnement actantiel du personnage est en contradiction avec l'importance de son discours ou avec sa place centrale dans l'action. Ainsi Phèdre dont la place de sujet de l'action est incertaine et conflictuelle alors que c'est évidemment elle qui tient dans la pièce le *discours* essentiel. Ainsi les personnages des premières pièces d'Adamov, héros indiscutables et perpétuellement en scène (Henri dans *Le sens de la marche,* Taranne dans *Le professeur Taranne*) mais qui ne pourront jamais parvenir à se constituer en sujet de l'action.

2.1.2. Les fonctions du personnage comme *acteur* et comme *rôle codé* sont connues et analysées depuis longtemps. Ce qui importe ici n'est pas tant de repérer dans le personnage de Scapin le *décepteur* (fonction *acteur*) ou le valet originaire de la comédie latine (*rôle codé*) que de montrer comment ces éléments se combinent avec une fonction syntaxique ou des traits sémiologiques qui ne s'accordent pas nécessairement avec ce rôle actoriel ou codé. On voit l'importance de cette analyse possible si l'on compare par exemple le rôle de *décepteur* d'un personnage comme Scapin et d'un personnage comme le Dubois des *Fausses Confidences.*

2.1.3. En tant que *lexème* le personnage peut être pris dans un discours qui est le discours textuel total et où il figure comme élément rhétorique. Ainsi le personnage peut-il être la métonymie (ou la synecdoque[7]) d'un ensemble paradigmatique ou d'un ou plusieurs autres personnages ; ainsi un garde dans une tragédie apparaît-il comme la métonymie de la puissance du roi ; un conseiller, un ministre peut apparaître comme la métonymie de l'autorité ; la nourrice Œnone est la métonymie du désir de Phèdre. Une série d'échanges métonymiques peut se faire autour ou à l'aide du personnage. Ainsi le fou dans *Le Roi Lear* apparaît-il comme la métonymie du Roi dans sa « folie » : « Qu'est-ce qu'un fou, mon fou ? » dit Lear — « Un roi, un roi ! » répond le fou.

Au-delà même du fonctionnement métonymique, le personnage peut être la métaphore de plusieurs ordres de réalités. Si nous reprenons l'exemple de Phèdre, elle apparaît comme la métaphore d'une conjonction du désir et de sa répression : *Minos* vs *Pasiphaé.* Ainsi dans le même personnage peuvent se rencontrer un fonctionnement métaphorique et un fonctionnement métonymique : Phèdre est la métonymie de la Crète, de Minos, de Pasiphaé, elle renvoie métonymiquement à la totalité du paradigme crétois ; ce sont les mêmes éléments par rapport auxquels s'ordonnent les deux axes de la rhétorique du personnage (métonymie, métaphore).

Allons plus loin. Le personnage peut apparaître comme cette figure particulière du discours, figure fondatrice de la théâtralité, figure essentielle et essentiellement « dialogique » qui est l'*oxymore* (coexistence dans le même lieu du discours de catégories contradictoires : vie-mort, lumière-nuit, loi-crime). Le personnage peut être une sorte d'oxymore vivant, le lieu de la tension dramatique par excellence, du fait même qu'il est l'union par métaphore de deux ordres de réalités

---

7. *Synecdoque :* la partie pour le tout.

opposées : oxymore Minos/Pasiphaé, désir/répression, individu/société, Crète/Grèce. De même dans *Le Roi Lear,* Cordelia apparaît à la fois comme fille (métaphore de la vie, de la fécondité, de l'avenir) et comme muette (métaphore de la mort selon Freud) : oxymore vie/mort, figure du désir impossible de Lear : renaître, être aimé mais aux lieu et place de la figure exquise apparaît la ricanante et ses trente-deux dents. Tel est le personnage-oxymore.

2.1.4. C'est à ce niveau rhétorique que dans l'analyse du personnage fait son apparition le rapport au référent; on peut considérer le personnage comme la métonymie et/ou la métaphore d'un référent et plus précisément d'un référent historico-social : Phèdre, métonymie textuelle de la Crète, peut être tenue aussi pour la métonymie de la cour du Roi-Soleil; de là une possibilité de rapprochement *à l'aide du personnage* entre le référent socioculturel du XVIIe siècle et un référent contemporain. Mais il est clair que nous sortons ici du niveau textuel pour toucher au domaine de la représentation : nous saisissons le caractère construit du personnage : le référent socioculturel du XVIIe siècle par rapport auquel s'ordonne le personnage n'est pas un *donné,* il est une construction du metteur en scène et du spectateur. Donc le fonctionnement du personnage comme métonymie de ce référent est lui aussi construit à partir d'éléments textuels et extratextuels dont on peut faire l'inventaire. Cette construction dépend non seulement de l'inventaire textuel (rapprochement possible chez Racine entre le texte et un contexte sociopolitique) mais aussi de l'histoire telle que la sait ou la construit le metteur en scène ou le comédien, et de l'histoire passée et présente telle que la connaît ou la vit le spectateur. C'est le fonctionnement rhétorique et plus proprement métonymique du personnage qui assure sa fonction de *médiation* entre des contextes historiques étrangers l'un à l'autre.

2.1.5. Peut-être est-il utile de faire appel à la notion de *connotations*[8] : en tant que lexème, le personnage, s'il dénote une figure historique ou imaginaire, un ensemble de sèmes, « connote » aussi toute une série de significations annexes. Ainsi un personnage antique ou héroïque peut connoter tous les éléments de sa légende qui ne sont pas textuellement utilisés. La souplesse du système des connotations permet de montrer comment toute une série de constructions idéologiques chez le lecteur ou le spectateur peuvent s'investir dans le personnage soit à l'aide d'éléments extra-textuels, historiques ou légendaires, soit à l'aide d'éléments mis en œuvre dans la représentation. Une série de champs sémantiques peut fonctionner en relation avec le personnage mais sans la moindre référence textuelle : ainsi le personnage de Nina dans *La Mouette* peut connoter par exemple le « charme slave » ; toute une zone floue de signification peut être prise en compte par le personnage à la condition qu'elle s'établisse tout au long de la lecture ou de la représentation avec des redondances. Au niveau textuel, il est plus difficile de faire la distinction entre ce qui est le niveau dénoté (action et discours) et ce qui est le niveau connoté : ainsi par exemple, le sémantisme de la mort et plus précisément du royaume des morts se retrouve dans le texte de Racine à propos de Phèdre et de Thésée ; on peut tenir pour « connotatif » le rapport de Thésée avec ce royaume de l'au-delà. Tout un fonctionnement connotatif de la mort sous-tend le texte de la chanson de Gubetta dans *Lucrèce Borgia*[9]. Toute une série d'éléments qui ne sont normalement ni entendus, ni perçus par le spectateur peuvent se remettre à fonctionner à l'aide de la mise en scène au niveau même du personnage. Ainsi l'ensemble du réseau connotatif tissé autour d'un personnage peut s'intégrer dans un système construit de significations ; les connotations du person-

---

8. Voir *supra*, I, 2.6., p. 31.
9. Voir notre analyse de ce texte in *Littérature*, n° spécial *La Scène*, « D'un commandeur à l'autre ».

nage peuvent aider à construire, pour et par la représentation, un fonctionnement de sens nouveau du texte théâtral.

2.1.6. Fonctionnement poétique du personnage. En tant que lexème, le personnage, par ses liens avec plusieurs champs sémantiques, par son appartenance à plusieurs paradigmes, est un élément décisif de la poétique théâtrale : c'est par lui que se fait dans une très large mesure le rabattement du paradigme sur le syntagme. La permanence relative[10] du personnage permet en effet la projection, tout au long du syntagme narratif, des unités paradigmatiques auxquelles il est relié : ainsi le personnage Lorenzo dans *Lorenzaccio* permet le rabattement sur l'ensemble du syntagme, du paradigme-mort du tyran ou du paradigme-prostitution. Sans doute est-ce essentiellement autour du personnage que peut se faire l'articulation d'une poétique du texte et d'une poétique de la représentation. Une fois de plus le personnage est garant non seulement de la polysémie textuelle mais de la verticalité de son fonctionnement.

2.2.

Le second axe de fonctionnement du personnage est celui qui en fait un paquet de déterminations sémiotiques (différentielles). Deux types de déterminations :

a) D'abord celles qui en font non un actant, mais un *acteur*[11], avec un certain nombre de caractéristiques qu'il partage partiellement ou totalement avec d'autres

---

10. Si nous employons ici ce mot de *relatif,* c'est pour rendre compte de ce fait : la loi générale, celle de la permanence du personnage (assurée textuellement, par exemple par le *nom*) peut être l'objet d'inversions et de distorsions ; le personnage peut être dissimulé, son nom peut être changé. Qu'est-ce à dire, sinon qu'il s'établit autour du personnage une dialectique permanence-changement, chargée de mettre en question tel ou tel des *traits distinctifs* du personnage ? Là sera la *question posée* par lui.

11. Voir *supra,* II, 4.1., p. 97.

personnages du même texte ou d'autres textes. Ainsi dans *Homme pour homme,* de Brecht, les soldats anglais ont un certain nombre de traits communs (en relation oppositionnelle avec ceux du personnage central) qui en font un acteur unique, mais parmi eux Fairschild a des déterminations supplémentaires qui en font un acteur privilégié dont la nature et les fonctions sont différentes de celles de la masse des autres soldats anglais ;

b) ensuite un autre type de déterminations qui en font non un actant, mais un acteur individualisé. L'écriture brechtienne par exemple ajoute aux déterminations actorielles les déterminations individuelles ; au premier rang, le nom. La mise en question « moderne » du personnage passe par la mise en question du nom. Dans *La Bonne Âme de Se-Tchouan,* fable exemplaire du clivage du personnage, l'héroïne (sujet de l'action) porte le double nom de Chen Té et de Choui-Ta, le double « inventé ». Dans une autre perspective, ce n'est pas par hasard si Ionesco, explorant dans La *Cantatrice chauve* les limites de la détermination individuelle du personnage, fait jouer au couple le jeu de l'identité non reconnue ou fait dire à Mme Smith le couplet des *Bobby Watson,* tous différents d'âge et de sexe, malgré l'identité du *nom* (jointe à une illusoire parenté). Autres éléments individualisants : les déterminations physiques, parfois difficiles à éluder, qu'elles proviennent d'un *code* affirmant par exemple la *beauté* de l'héroïne, Célimène ou Nina, ou qu'elles soient liées à la particularisation historique d'un personnage (Napoléon, Louis XIV ou Néron). On sait que toutes les formes de théâtre n'ont pas le même souci des déterminations individuelles du personnage : que le personnage soit revêtu d'un masque (par nature désindividualisant), qu'il se réduise à un rôle codé (commedia dell'arte, clowns, etc.), ou qu'il soit simplement défini par un réseau de déterminations socioculturelles abstraites qui font du personnage une figure de jeu de cartes (le Roi, la Reine, le Héros, le Valet) où ne subsistent plus que les grandes oppositions du sexe, de la force, du rôle de puissance[12].

Toute détermination individuelle du personnage peut jouer un double rôle : *a*) elle peut faire du personnage un *individu* avec une *âme,* hypostase de la Personne idéale, en relation avec une problématique idéaliste du Sujet transcendantal ; *b*) elle peut aussi faire de l'individu *un élément très déterminé d'un procès historique;* autrement dit le rôle de l'individu est non seulement de renvoyer à un référent historique par le moyen de l'*effet de réel* de son individualité concrète (marquée par exemple par un nom connu), mais de montrer l'insertion de l'individu dans un contexte sociohistorique déterminé. D'une certaine façon, le drame bourgeois et la tragédie historique ont l'un et l'autre besoin de la caractérisation individuelle des personnages : Lorenzaccio ou Gœtz dans *Le Diable et le Bon Dieu* de Sartre, comme les personnages d'Anouilh ou de *La Parisienne* de Becque. Individualisation-désindividualisation du personnage, tout un jeu du rapport texte-représentation s'inscrit ici, principalement dans les formes modernes de la représentation. Une sorte d'inversion brutale des caractères textuels et des signes de la représentation peut apparaître : travestis, emplois de comédiens dont le physique contredit la représentation imaginaire. La faille entre les images textuelles et les signes de la représentation peut, à propos des traits individuels du personnage, perturber ou brouiller le sens convenu, promouvoir un sens nouveau. Ainsi la Phèdre presque enfantine que montrait Vitez, ou la Phèdre tondue que Michel Hermon installait dans le ravage de sa féminité.

---

12. Notons d'ailleurs que les déterminations véritablement individuelles sont toujours difficiles au théâtre où un individu-comédien devra les assumer ou les imiter qu'il en soit ou non proche physiquement ; il est clair que les tendances actuelles à la désindividualisation du personnage libère le comédien de cet esclavage : il n'est plus tenu d'imiter un être particulier dont il devrait copier les traits individuels ; le comédien n'aura plus besoin d'être ce mime « en caoutchouc » requis par un théâtre bourgeois de l'individu.

2.3. Le personnage comme sujet d'un discours

Enfin, et c'est ce qu'on étudie le plus souvent à l'école et à l'université, et même dans la pratique théâtrale classique, le personnage parle, et, parlant, il dit de soi un certain nombre de choses que l'on peut comparer à ce que d'autres disent de lui. Ainsi peut-on faire l'inventaire des déterminations (essentiellement psychologiques) du personnage en analysant le contenu (psychologique) de son discours qui définit ses rapports (psychologiques) avec ses interlocuteurs ou d'autres personnages. Démarche connue : ainsi on peut prendre pour argent comptant ce que dit par exemple Hermione de sa jalousie et des étapes de son amour pour Pyrrhus ; on peut aussi en éprouver la valeur de vérité, en comparant ce qu'on a ainsi trouvé au contenu du discours des autres personnages. Telle est la démarche classique de l'analyse du discours d'un personnage. Il est possible aussi — démarche plus « moderne » — de tenir le discours d'un personnage comme devant et pouvant faire l'objet d'une herméneutique qui mettrait en lumière le contenu inconscient de la *psyché* du personnage[13].

2.3.1. Autrement dit, l'analyse du discours est faite classiquement pour éclairer autre chose que ce discours proprement dit et reverser des connaissances sur l'objet fictif qu'est la *psyché* du personnage. Objet *fictif,* au sens précis du terme, dans la mesure où les sentiments et les émotions que le personnage est censé éprouver ne sont en fait éprouvés par personne : ni par le personnage (être de papier), ni par le comédien (qui en

13. Inutile de préciser que les difficultés rencontrées par l'analyse psychologique de l'individu-personnage ne sont pas levées par la psychanalyse : ne saurait avoir d'inconscient ce qui n'a pas de *psyché* individuelle. Il ne faut pas confondre avec le problème de l'inconscient du *sujet.* Ce qui peut se déduire analytiquement, non sans poser des problèmes, c'est une certaine connaissance de la *psyché* de l'auteur (cf. les travaux de Mauron sur Racine ou Baudelaire) ; il n'est même pas sûr que ce soit pour le théâtre une connaissance très éclairante.

éprouve d'autres), ni par le spectateur, qui n'est pas directement concerné, et dont l'émotion, liée d'ailleurs à la réflexion, est radicalement différente de ce qui est mimé [14].

Pour comprendre le rapport entre le personnage et son discours, sans doute faut-il renverser la vapeur, non seulement ne pas voir dans le discours du personnage le stock d'informations qui permettra de décrypter le caractère ou la *psyché* du personnage, mais inversement voir comment c'est l'ensemble des traits distinctifs du personnage, ses rapports aux autres personnages, en bref sa *situation de parole,* qui permet d'éclairer un discours au demeurant indéterminé. Il n'y a pas de signifiance de la parole hors des conditions de l'énonciation. Le « sens » pur se réduit à l'équivoque ou au néant : « Je ne t'ai point aimé, cruel, qu'ai-je donc fait ? » paroles toutes ambiguës (*aimé, cruel, fait*) et que le temps même du verbe n'éclaire pas. Le dictionnaire ne sert pas à grand-chose. Seule la situation de parole précise le sens du discours, et l'élément premier de cette situation de parole, c'est le personnage, en tant qu'ensemble sémiotique pris dans un rapport concret avec d'autres ensembles sémiotiques.

Note. Est-ce à dire que le discours du personnage ne renvoie jamais à quelque chose qui serait de l'ordre de la « psychologie » ? Il serait absurde de l'affirmer. Le discours du personnage renvoie à un référent psychologique, certes, mais ce référent n'est pas de l'ordre de la *psyché* individuelle ; de là la nécessité d'outils un peu plus fins et plus adaptés que ceux de la psychologie classique. Si l'on peut se livrer à une herméneutique psychologique du discours du personnage, ce qu'elle découvre n'est jamais un être singulier, mais une situation. Prenons l'exemple le plus paradoxal : dans

---

14. Si difficile que ce soit à admettre, lorsqu'est jouée par exemple la scène des *Troyennes* où Andromaque pleure sur Astyanax, personne ne souffre, ni la comédienne, ni le personnage (et pour cause !), ni bien entendu le spectateur : les émotions de la comédienne et du spectateur ne ressemblent pas à la douleur d'une mère.

l'*Amphitryon* de Molière, Jupiter, ayant sous l'apparence du mari possédé à loisir Alcmène dont il avait envie, tout au long d'une nuit infiniment longue, tient au matin à son amante Alcmène un ébouriffant discours : il lui réclame de se déclarer satisfaite de l'amant, non du mari ; Alcmène refuse le distinguo ; quant au spectateur, il saisit confusément que le dieu n'est pas satisfait (il y aurait de quoi, pourtant : rien ne lui a été refusé et son omniscience divine l'assure d'une postérité brillante en la personne d'Hercule). Insatisfaction étrange, trop explicable : *qui* a possédé Alcmène ? Pas Jupiter en tout cas ; le dieu n'a rien eu ; mais ce qui est en question, ce n'est pas l'inintéressant « individu » divin, mais une certaine situation de maître et les retombées psychologiques qu'elle entraîne. Quand la favorite dit au Roi le oui le plus soumis ou le plus enthousiaste, qui est aimé ? le Roi, l'homme ou personne ? La tyrannie stérilise progressivement tout autour d'elle et, dépouillant maîtres et serviteurs de leur moi, elle dépouille aussi les relations interpersonnelles de toute existence. Telle est la vérité référentielle du discours de Jupiter : le roi, le maître se meut dans un monde qui a perdu toute réalité affective, il est réellement devenu un « dieu ». Quant à un être, un moi, un psychisme du personnage de Jupiter, ce n'est pas même un fantôme, moins qu'une bulle de savon, l'illusion toute pure. La psychologie au théâtre est toujours à chercher ailleurs que dans le personnage.

2.3.2. Le personnage, sujet de l'énonciation ou la double énonciation. Le personnage est *ce qui énonce un discours* (en général effectivement prononcé, avec sa réalité phonique, parfois mimé, produisant un équivalent gestuel de paroles), discours qui est une étendue de parole réglée, et qui peut donc être étudié, nous le verrons, a) d'un point de vue linguistique, en tant qu'étendue de parole, b) d'un point de vue sémiologique, comme système de signes, en relation avec d'autres systèmes de signes. Le discours d'un personnage est donc un texte, partie déterminée d'un ensemble plus vaste qui est le texte littéraire d'ensemble de la pièce (dialogue et didascalies). Mais il est aussi, et surtout, un message avec un émetteur-personnage, et un récepteur (interlocuteur et public), en relation avec les autres fonctions de tout message, en particulier un contexte et un code. Le message, nous l'avons vu, ne prend son sens que dans ses rapports avec ce que le récepteur sait de l'émetteur et des conditions d'émission. De là l'ambiguïté dans la lecture de tout texte de théâtre : il est un texte littéraire, et il est un message de nature autre. Corollaire : tout discours au théâtre a deux sujets de l'énonciation, le personnage et le je-écrivant (comme il a deux récepteurs, l'Autre et le public). Cette loi du double sujet de l'énonciation est un élément capital du texte de théâtre : c'est là que se situe la faille inévitable qui sépare le personnage de son discours et l'empêche d'être constitué en sujet véritable de sa parole. Chaque fois qu'un personnage parle, il ne parle pas seul et l'auteur parle en même temps par sa bouche ; *de là un dialogisme constitutif du texte de théâtre.*

3. PROCÉDURES D'ANALYSE DES PERSONNAGES

Du tableau de la p. 119 et des commentaires qui le suivent, on peut déduire un certain nombre de procédures d'analyse du personnage. S'il est, nous avons essayé de le montrer, difficile au théâtre de se passer de la notion de personnage, et si la conception que l'on s'en fait domine les procédures qu'on peut lui appliquer, réciproquement, la nature même de ces procédures et de leur rapport retentit sur la théorie du personnage. L'importance relative de ces diverses procédures dans l'analyse dépend du type de texte théâtral et de représentation envisagé. Rappelons ici ces deux précautions essentielles : a) ces procédures ne peuvent guère être adoptées isolément, si ce n'est de manière provisoire ; b) chacune suppose l'analyse du rapport du personnage étudié avec tous les autres éléments textuels, en particulier avec les autres personnages. La successivité nécessaire à toute opération d'*analyse* ne doit pas faire oublier la synchronie dans tout fait théâtral et son caractère d'ensemble organisé.

3.1.

La détermination du ou plutôt des modèles actantiels permet d'établir la *fonction syntaxique* du personnage. Un certain nombre de méthodes peuvent être utilisées, avec des résultats pratiques très voisins : a) tout d'abord l'intuition et l'approximation. Une analyse assez sommaire du discours dont le personnage est le sujet de l'énonciation et du discours dont il est le sujet de l'énoncé (discours tenu sur lui par d'autres) permet par superposition des verbes de déterminer avec une précision suffisante l'objet du *désir* ou du *vouloir* du personnage[15]. Une analyse sommaire des étapes de l'action dramatique (ou de la *fable*) permet de déterminer l'action principale et d'écrire la *phrase* de base, formulation du (de l'un des) modèle actantiel. Ainsi, il n'est pas difficile d'écrire : *Phèdre veut Hippolyte* (opposants Aricie, Thésée[16]), et à partir de cette proposition de base, de construire le modèle actantiel, en mettant en place tous les personnages (et quelques autres, hors scène ou même non lexicalisés, Minos, Pasiphaé, Pirithoüs, Neptune, le Monstre). La démarche suivante marque l'essai de chaque personnage en tant que sujet d'un modèle actantiel, afin de déterminer les modèles dont l'existence simultanée indique le lieu du conflit, afin d'éliminer aussi les modèles non satisfaisants. Après quoi, il reste à examiner comment tel personnage trouve sa place simultanément ou successivement dans les différentes cases du modèle[17].

---

15. Voir *supra*, p. 72.
16. Voir *supra*, p. 88.
17. Voir *supra*, la détermination du *modèle actantiel*, p. 88.

Le but pratique de cette détermination de la place actantielle du personnage n'est pas sans importance : mettre l'accent sur les fonctions massives du personnage en relation avec les autres et avec l'action et permettre au comédien (et d'abord au metteur en scène) d'échapper à l'atomisation de son travail, scène par scène, réplique par réplique : là les fonctions syntaxiques sont un point d'appui permanent.

3.2. Personnage et paradigmes

Une procédure féconde, indispensable est celle de la détermination des paradigmes, ou plus exactement des ensembles paradigmatiques auxquels appartient le personnage (en relation et/ou en opposition avec d'autres personnages ou d'autres éléments du texte théâtral). L'*inventaire* de ces ensembles permet une analyse du personnage à deux niveaux différents :

a) Il permet de rendre compte du fonctionnement référentiel du personnage et conjointement de son fonctionnement poétique (comme soutenant un rapport métonymique et/ou symbolique avec un certain nombre de réseaux de sens).

Ainsi par exemple l'Andromaque de Racine dans la pièce qui porte son nom ; elle appartient aux paradigmes

Troie (*vs* les Grecs),

prisonnier (*vs* tous les autres qui sont libres),

guerre (victime de la) *vs* tous les vainqueurs, surtout Pyrrhus,

femme (veuve, mère) en conjonction-opposition avec Hermione,

Antiquité/XVIIe siècle,

poètes (héroïne pour) : Homère, Euripide, Virgile, Racine.

Autant d'ensembles paradigmatiques qui justifient le fonctionnement *à la fois* référentiel et poétique comme *victime pathétique* (mère, épouse en deuil, prisonnière) dans une situation de *solitude,* d'*exil* (personne déplacée), dans son double rapport à *l'Antiquité* et au *XVIIe siècle.* Ce sont des évidences, certes, mais qu'il est utile de formuler de façon aussi exhaustive que possible.

b) Du même coup cet inventaire permet de dresser une carte, au moins partielle, des *traits distinctifs* du personnage, non seulement pour lui-même, mais, nous venons de le voir, dans ses rapports de conjonction et d'opposition avec les autres personnages. Il aide donc à la constitution du personnage comme *ensemble sémiotique*.

Ce type d'inventaire ne sert pas seulement à juxtaposer des vérités d'évidence (auxquelles la juxtaposition donne parfois un sens nouveau), il contribue à la découverte de sens inaperçus, il permet sinon de combler les « trous textuels », en tout cas de poser les questions qui permettent de les combler. Prenons deux exemples très simples.

Ainsi Nina, *La Mouette* de Tchekhov, que l'on serait tenté de mettre à part, a le même *trait distinctif* qu'Arkadina ou Treplev : elle est, comme eux, fille de *propriétaires terriens*, elle a le même rapport que le reste de sa caste à l'amour et à l'art, rapport essentiellement superficiel; mais elle n'a pas *l'argent* pour éviter que ce rapport devienne destructeur. Un autre exemple : un repérage des traits distinctifs fait de Philinte le jumeau structurel d'Alceste. Or il est le seul personnage dont le texte *ne dise pas* qu'il est amoureux de Célimène; si on comblait ainsi le trou textuel, en supposant des relations ambivalentes de rivalité cachée entre les amis, on éclairerait bien des bizarreries du texte, en particulier *l'agressivité* permanente du discours de Philinte envers Alceste, dès la première scène, toujours à propos de Célimène ou devant elle. Hypothèse excitante, question posée au *Misanthrope* par l'inventaire des traits distinctifs du personnage de Philinte. Nous ne prétendons pas apporter ici des analyses nouvelles ou contraignantes, mais montrer comment un inventaire méthodique peut rejoindre, ou — qui sait ? — éclairer le travail d'intuition et de lecture du metteur en scène et du comédien.

3.3. Analyse du discours du personnage

Toute analyse concrète du discours théâtral ne peut faire l'économie de ce fait fondateur, celui de la double énonciation au théâtre : le personnage parle en son nom de personnage, mais il parle parce que l'auteur le fait parler, lui enjoint de parler, de dire tels mots. Aussi ne parlons-nous pas de la *parole* du personnage (usage individuel dans une situation de communication réelle), mais de son *discours* comme processus construit : même lorsque, dans telle ou telle forme de théâtre naturaliste, le discours du personnage *simule* la parole, il n'en est pas moins fondamentalement éloigné par le fait de la double énonciation. Le discours d'un personnage est toujours double. Ce qui explique pourquoi, dans une étude sémiologique du personnage, son discours, en tant que tel, est toujours l'objet de la *dernière analyse :* c'est tout ce qui a déjà été repéré du personnage et de sa situation de parole qui permet de faire le tri entre ce qui est de l'écriture de l'auteur et ce qui est de la parole du personnage[18].

Nous aimerions rappeler ici que la dévalorisation moderne de la parole au théâtre, à la suite d'Artaud, est une attitude singulièrement paradoxale quand on songe à tout le travail de la pensée contemporaine pour montrer la dépendance par rapport au langage de la plupart des grandes activités humaines. Peut-être vaudrait-il la peine de rappeler que le théâtre est précisément le lieu où peut être vu, analysé, compris le rapport de la parole au geste et à l'acte.

3.3.1. Analyse du discours du personnage comme étendue de paroles. a) L'étendue quantitative (nombre de lignes) et qualitative (nombre et nature des répliques) a toujours été, pour des raisons diverses et souvent économiques, le souci des comédiens qui évaluent le poids spécifique de leur rôle en dimensions absolues et relatives. Nous compterons donc avec eux le nombre de

---

18. Voir *infra*, chapitre « Le discours au théâtre ».

lignes, le nombre de répliques de chaque personnage, le rapport entre les deux. Nous remarquerons que le personnage héros-éponyme des tragédies de Racine est celui qui, en règle générale, est le moins bavard de tous (avec quelques éclatantes exceptions). Nous noterons que le rôle de la muette Cordélia dans *Le Roi Lear* est *plus long* que celui de ses sœurs, même dans la scène où elle refuse éloquemment de parler, ce qui rend son silence problématique.

b) Il est bien entendu nécessaire de repérer la *place* du personnage dans l'économie générale de la pièce (présence et discours), analyses classiques, sur lesquelles nous ne nous étendrons pas, mais il est utile de faire le *tableau* des rapports de parole du personnage avec tous les autres.

c) Le résultat de ces divers repérages est la mise au point du ou des types de discours du personnage (monologues, dialogues, scènes multiples), longueur moyenne des répliques, type d'interventions : il serait intéressant, par exemple, d'étudier la *variété* des modes de parole de Dom Juan dans le *Dom Juan* de Molière (répliques brèves, interrogations pressantes ou flux de paroles, selon les interlocuteurs).

3.3.2. Le discours du personnage comme message. C'est à l'intérieur de l'analyse du *discours au théâtre* qu'il nous sera possible de préciser ce que représente pour le discours théâtral la notion de personnage, et réciproquement comment le personnage est déterminé par son discours. Il y a une unité de discours qui est le discours tenu par le personnage sur scène, c'est-à-dire concrètement par tel comédien, et dont le personnage est sujet de l'énonciation.

Ce qu'on découvre c'est :

a) un message où l'on peut repérer le travail des six fonctions de la communication[19] ;

b) dans certains cas, un idiolecte du personnage, au sens précis de ce mot, c'est-à-dire des particularités

19. Voir *supra*, p. 39.

linguistiques : langue d'une classe (paysans de Molière ou de Marivaux, niais du mélodrame, argot du théâtre dit « populaire »), langue d'une province (patois) ;

c) dans la plupart des cas, ce qu'on repère, nous le verrons, c'est un *discours avec ses déterminations propres,* un « style », correspondant ou non aux autres fils déterminant le personnage et ses fonctions ;

d) dans tous les cas, le message n'est pas isolé, mais en rapport avec l'ensemble du texte, et avec ses interlocuteurs (dialogue)[20].

4. THÉATRALISATION DU PERSONNAGE

Il faut revenir sur cette évidence que le personnage n'a d'existence concrète qu'au travers d'une représentation concrète ; le personnage textuel n'est qu'un virtuel. Bien plus, l'examen sommaire de la grille de la p. 119 laisse apparaître ce fait d'une *réversion de la représentation sur le texte.* Comme si le personnage-texte était lu autrement, modifié par les signes qu'apporte la présence charnelle du comédien. Bien plus, phénomène bien connu au XIXe siècle — et qui a tendance à être moins visible aujourd'hui au théâtre, sinon au cinéma —, l'ensemble des rôles joués par un comédien marque le rôle nouveau par une superposition créatrice : ainsi Hugo faisait-il jouer de préférence ses rôles de jeunes premiers par Frédérick Lemaître, illustre sous la défroque « grotesque » de Robert Macaire, parce qu'il fallait que le héros « romantique » apparaisse avec une aura grotesque.

Mais la théâtralisation du personnage, qui est le fruit des éléments concrets de la représentation, est déjà marquée textuellement dans un très grand nombre de cas. Textuellement, le personnage peut être théâtralisé :

---

20. Voir le chapitre « Le discours théâtral », p. 256 et suiv.

a) par sa parole théâtralisante : c'est-à-dire par son adresse directe au récepteur public : « Je suis... Sosie ou Arlequin ». L'indication parlée du double récepteur théâtralise le personnage ;

b) par le masque théâtral qu'il revêt (et nous ne parlons pas ici du masque concret de la représentation antique ou de la commedia dell'arte ou du théâtre japonais) ; ce masque est ici le *nom :*

— personnage déjà codé, nom de jeune premier ou de valet dans la comédie classique, Dorante ou Basque, nom de personnage de la comédie italienne, codé de façon plus rigide encore ;

— personnage déjà connu par la légende ou par l'histoire et théâtralisé par cette seule référence, Thésée ou David, ou Napoléon ;

— personnage qui s'annonce comme déjà théâtralement codé (les figures obligées du mélodrame) ;

— personnage masqué par une identité d'emprunt, quand le spectateur est dans le secret de ce masque ;

— personnage dont l'identité demeure problématique (Don Sanche d'Aragon, Hernani).

Sans parler même du fonctionnement particulier de ce qu'on est convenu d'appeler le théâtre dans le théâtre, bon nombre de personnages sont l'objet d'une théâtralisation fondatrice : tout le théâtre de Jean Genet repose sur cette *transformation des personnages en rôles ;* c'est probablement ce mode d'écriture qui en fait l'objet littéraire moderne le plus « théâtral » qui soit. Les grands « héros » de théâtre sont théâtralisés soit de leur propre fait, si l'on ose dire, soit du fait des autres protagonistes : Hamlet, Lorenzo théâtralisés pour leur meurtre ; Tartuffe, Dom Juan théâtralisés contradictoirement par eux-mêmes ou par les autres ; Ruy Blas, théâtralisé par Don Salluste. Il n'est pas jusqu'à la Dame aux camélias, personnage « référentiel » entre tous, qui ne soit théâtralisée par le mythe de la courtisane. Aucune étude d'un personnage de théâtre ne saurait se priver de l'étude des procédés linguistiques et dramatiques par lesquels il est théâtralisé.

Si ce tour d'horizon a pu convaincre de la complexité

de la notion de personnage de théâtre, ce n'est pas tant pour montrer l'utilité d'analyses relativement difficiles, que pour indiquer au contraire les possibilités immenses offertes à la créativité des praticiens du théâtre, le caractère non contraignant, la souplesse du texte théâtral et de l'objet-personnage, leur plasticité presque infinie : chacune des procédures envisagées ne peut aboutir qu'à des propositions de sens ; la construction du sens est l'œuvre toujours mobile de la représentation. L'indétermination du personnage, la faille fondatrice de la double énonciation, de *la double* parole permettent au personnage de remplir son rôle de *médiateur;* médiateur entre texte et représentation, entre écrivain et spectateur, entre sens préalable et sens ultime, il porte en lui-même la contradiction fondamentale, l'*insoluble question posée,* sans laquelle il n'y aurait pas de théâtre : la parole du personnage — parole derrière laquelle il n'y a aucune « personne », aucun sujet — contraint, par ce vide même, par l'aspiration qu'il crée, le spectateur à y investir sa propre parole.

CHAPITRE IV

LE THÉÂTRE ET L'ESPACE

Si la première caractéristique du texte de théâtre est l'utilisation de personnages qui sont figurés par des êtres humains, la seconde, indissolublement liée à la première, est l'existence d'un espace où ces êtres vivants sont présents. L'activité des humains se déploie dans un certain lieu et tisse entre eux (et entre eux et les spectateurs) un rapport tridimensionnel.

1) Sur ce point la pratique théâtrale est particulière et décisive, elle ne se confond pas avec la récitation ou le récit. Et c'est sur ce point aussi que le texte et la représentation divergent le plus et que la spécificité du texte de théâtre et de la pratique théâtrale est la plus visible. D'une certaine façon, on peut lire romanesquement les aventures d'un personnage de théâtre, reconstruire par le rêve les aventures du héros de théâtre-roman, Lorenzo de Médicis, mais le texte de théâtre a besoin pour exister d'un lieu, d'une spatialité où se déploient les rapports physiques entre les personnages.

2) Dans la mesure même où le théâtre représente des activités humaines, l'espace théâtral sera le lieu de

ces activités, lieu qui, de toute nécessité, aura un rapport (de mime ou distance) avec l'espace référentiel des actants humains. Autrement dit, l'espace du théâtre est l'*image* (voire l'image en creux, négative) et la contre-épreuve d'un espace réel.

3) Le texte de théâtre est le seul texte littéraire qui ne puisse absolument pas se lire dans la suite diachronique d'une lecture, et qui ne se livre que dans une épaisseur de signes *synchroniques,* c'est-à-dire étagés dans l'espace, spatialisés. Quel que soit le travail de spatialisation que produise tout texte littéraire, quelle que soit la lecture « spatialisante » que fasse le lecteur d'un roman (l'écriture romanesque localisant par la description l'activité des personnages), il n'en reste pas moins que l'espace du livre est, même matériellement, un espace plat. Le travail poétique qui établit un poème selon une lecture non linéaire, mais tabulaire, ne peut pas échapper aux deux dimensions : même le texte poétique occupant la page avec ses blancs et ses taches est encore plat dans la mesure où lui manque la profondeur.

4) En ce sens, le texte de théâtre est encore plus plat qu'un autre (au niveau textuel, s'entend) : la spatialité n'y est pas décrite (les descriptions de lieux y sont toujours faibles, et, sauf notables exceptions, localisées en des points très particuliers du texte). Elles sont d'ailleurs fonctionnelles, rarement poétiques, orientées non vers une construction imaginaire mais vers la pratique de la représentation, c'est-à-dire de la *mise en espace.* D'autre part, la poétique de la page, de l'espacement pour le regard lui est étrangère ; une poétique spatiale du texte, si elle peut y être vue, n'a de caractère qu'accidentel (voir, par exemple, Racine).

5) C'est au niveau de l'espace, justement parce qu'il est pour une part énorme un *non-dit du texte,* une zone particulièrement trouée — ce qui est proprement le *manque* du texte de théâtre —, que se fait l'articulation texte-représentation.

1. LE LIEU SCÉNIQUE

1.1. Texte et lieu scénique

L'espace est une *donnée de lecture immédiate du texte théâtral* dans la mesure où l'espace concret est le (double) référent de tout texte théâtral. S'il est peu présent au niveau textuel, le texte ne peut pas se lire sans lieu. Précisons ce point :

1) L'espace théâtral est d'abord un lieu scénique à construire, et sans lequel le texte ne peut pas trouver sa place, son mode d'existence concret.

2) L'essentiel de la spatialité, les éléments qui permettent la construction du lieu scénique sont tirés des *didascalies* qui fournissent, comme nous savons :

a) des indications des lieux[1], plus ou moins précises et détaillées selon les textes théâtraux ;

b) les noms des personnages (qui font partie des didascalies, ne l'oublions pas) et du même coup un certain mode d'investissement de l'espace (nombre, nature, fonction des personnages) ;

c) des indications de gestes ou de mouvements (parfois rares, sinon nulles) mais permettant, si elles existent, d'imaginer le mode d'occupation de l'espace (exemple : « marchant à grands pas », ou « se faisant tout petit », ou « immobile »).

3) La spatialisation peut provenir du dialogue : la plupart des indications scéniques dans Shakespeare sont simplement tirées du dialogue par déduction.

1.2.

Ces indications servent au metteur en scène (et à l'imagination du lecteur de théâtre) pour construire un lieu où se fera l'action. Mais le statut de ce lieu est tout

---

1. Dans le théâtre shakespearien ou dans le théâtre classique, on trouve très peu d'indications scéniques. Le lieu est parfois à peine indiqué (sur le modèle : « La scène est à X »).

à fait différent de celui d'un lieu imaginaire romanesque : le lecteur de *La Chartreuse de Parme* a beau jeu d'imaginer la Citadelle d'où s'évade Fabrice, à l'aide de livres, d'illustrations, de souvenirs de voyage ou de films ; le lecteur de *Lorenzaccio* ne renvoie pas le lieu florentin à la ville où il s'est peut-être promené, mais à ce double lieu qui est d'abord une scène de théâtre (avec une Florence construite[2]) et son référent, la Florence historique du XVIe siècle. Autrement dit, le lieu textuel implique une spatialité concrète, celle du double référent, caractéristique, nous l'avons vu, de toute pratique théâtrale. C'est dire que l'espace théâtral est le lieu même de la *mimésis* dans la mesure où, construit avec des éléments du texte, il devra s'affirmer en même temps figure de quelque chose dans le monde. Figure de quoi ? C'est ce que nous rechercherons. On voit comment l'espace scénique est le lieu même de la théâtralité concrète, entendue comme cette activité qui construit la représentation. Quant au *lieu scénique,* il est comme le miroir à la fois des indications textuelles et d'une image codée.

1.3.

Ce lieu scénique est un lieu particulier, avec des caractéristiques qui lui sont propres :

a) Tout d'abord il est limité, circonscrit, il est une portion délimitée de l'espace.

b) Il est *double :* la dichotomie scène-salle, peu sensible au niveau textuel (sauf dans certains textes modernes où ce rapport est indiqué), est capitale pour le rapport texte-représentation : le lieu théâtral est ce qui confronte acteurs et spectateurs dans un rapport qui dépend étroitement de la forme de la salle et de la forme de la société[3] (cirque, théâtre à l'italienne,

---

2. Si schématique que soit cette construction et même si elle consiste en rideaux noirs.

3. Voir le fameux texte de Beaumarchais où Figaro présente la salle d'audience de son procès à la fois comme un théâtre et comme le mime de la hiérarchie sociale.

théâtre en rond, etc.) avec ou non circulation d'un lieu dans l'autre, intrusion de l'un dans l'autre[4].

c) Le lieu scénique est codé d'une façon précise par les habitudes scéniques d'une époque et d'un lieu, même si le spectateur moderne s'en rend moins bien compte, habitué à la diversité des lieux scéniques et à l'éclatement des codes. Ainsi la scène classique étroite et peu profonde ne permet guère les mouvements de foule, d'autant qu'elle est réduite par la présence des spectateurs aristocratiques. En revanche, la vaste *platform* élisabéthaine permet des scènes de foule et de combats ; d'autant que la succession des aires de jeux (*plat-form, chamber, recess*) fait alterner les scènes ouvertes et peuplées et des scènes d'intérieur à peu de personnages. C'est l'un des cas où la représentation reverse sur le texte ses contraintes propres. Témoin le rôle joué dans la dramaturgie romantique par le lieu scénique et ses multiples possibilités : verticalité, ouverture, horizon et toile de fond, multiplication du mobilier, changements faciles, possibilités de transformation du décor en « peinture », naissance du décorateur (tel le fameux Ciceri), autant d'éléments qui retentissent sur *le texte en tant que créateur d'espace.*

d) Le lieu scénique est toujours mime de quelque chose. Le spectateur a pris l'habitude de penser que le lieu scénique reproduit un lieu réel. Or cette idée de l'espace scénique comme mime d'un espace concret « réel », avec ses limites propres, sa surface, sa profondeur, ses objets qui l'occupent, comme si un fragment du monde était tout à coup transporté sur scène dans son intégralité, cette idée donc est relativement récente dans le théâtre et limitée à l'Occident et plus précisément à l'Occident bourgeois[5]. En revanche, ce qui est

---

4. Voir par exemple, dans le *1789* d'Ariane Mnouchkine, le double mouvement des comédiens dans l'espace-public, du public dans l'espace des comédiens : les comédiens viennent dans les travées raconter aux spectateurs la prise de la Bastille, et les spectateurs sont debout au milieu des grandes marionnettes.

5. Voir *infra*, p. 175.

toujours reproduit au théâtre ce sont les structures spatiales qui définissent non tant un monde concret que l'image que se font les hommes des rapports spatiaux dans la société où ils vivent et des conflits qui sous-tendent ces rapports. Ainsi la scène représente toujours une symbolisation des espaces socioculturels : l'espace divisé en « mansions » du théâtre à mystères est une symbolisation des clivages spatiaux hiérarchisés, mais « horizontaux » non de la société féodale, mais de l'image que s'en font les hommes. D'une certaine façon, l'espace théâtral est la place de l'histoire.

e) Indépendamment de toute *mimésis* d'un espace concret, reproduisant, transposé ou non, symboliquement ou selon le « réalisme », tel aspect de l'univers vécu, l'espace scénique est *aire de jeu* (ou lieu de la cérémonie), lieu où il se passe quelque chose qui n'a pas besoin d'avoir sa référence ailleurs, mais qui investit l'espace par les rapports corporels des comédiens, par le déploiement des activités physiques, séduction, danse, combat.

Quel que soit le mode de représentation, ces deux derniers caractères sont présents simultanément dans toute représentation, le lieu scénique étant toujours à la fois *aire de jeu* et *lieu où figurent transposées les conditions concrètes de la vie des hommes.*

2. POUR UNE SÉMIOLOGIE DE L'ESPACE THÉATRAL

2.1. Espace et sciences humaines

Le vocabulaire de l'espace investit tout le métalangage des sciences ; la mathématisation des sciences humaines se fait à l'aide de termes et de procédures tous spatialisés : graphiques (axes de coordonnées), mathématiques des ensembles (espaces topologiques) se retrouvent dans le métalangage de l'histoire, comme de l'anthropologie, de la sociologie, de l'économie.

Cette spatialisation du langage des sciences humaines permet à la fois d'enrichir l'analyse du fait théâtral dans son rapport avec l'ensemble des activités humaines, en particulier l'anthropologie et l'histoire, et d'étendre le champ même de l'activité théâtrale, en tant que naturellement spatiale. Toutes les métaphores qui soulignent le caractère spatial des activités humaines peuvent trouver une application féconde dans le domaine du théâtre. Grossièrement, on peut dire que spatialiser le monde, c'est non seulement le rendre compréhensible, mais le rendre théâtralisable.

Plus particulièrement, les rapports sont étroits avec deux sciences, la linguistique dans la mesure où le texte de théâtre est comme un autre objet linguistique, et la psychanalyse, dans la mesure où le théâtre est non seulement objet artistique (littéraire), donc justiciable d'une lecture interprétative, mais activité psychique (imaginaire) très particulière.

2.1.1. Espace et linguistique. L'une des oppositions de base de la linguistique est celle des deux axes, syntagmatique et paradigmatique : l'axe syntagmatique indique la succession linéaire du discours (axe horizontal), et à chaque point du discours se greffe un axe paradigmatique, indiquant les substitutions possibles[6] (axe vertical). Il se trouve justement que cette opposition est particulièrement pertinente dans le domaine

6. Ainsi par exemple le syntagme très simple « l'oiseau chante » peut recevoir toutes les substitutions paradigmatiques du mot oiseau, non seulement les diverses variétés d'oiseaux chanteurs, mais en fait tout ce qui peut chanter. L'ensemble de ces termes substitutifs forme un paradigme. G. Genette montre l'importance du rapport syntagme/paradigme dans la spatialité du langage : « En distinguant rigoureusement la parole de la langue et en donnant à celle-ci le premier rôle dans le jeu du langage défini comme un système de relations purement différentielles où chaque élément se qualifie par la place qu'il occupe dans un tableau d'ensemble et par les rapports verticaux et horizontaux qu'il entretient avec les éléments parents et voisins, il est indéniable que Saussure et ses continuateurs ont mis en relief un mode d'être du langage qu'il faut bien dire spatial (*Figures* II, p. 45)

théâtral, caractérisé par la richesse et la complexité du fonctionnement de l'axe paradigmatique. Nous ne rappelons que pour mémoire l'ensemble du travail de la linguistique moderne qui consiste à spatialiser l'ensemble des relations grammaticales (voir les graphes arborescents de Chomsky). De même, la métaphore métalinguistique de la grammaire chomskyenne : *structure profonde, structure de surface,* est une métaphore spatiale indiquant une « dimension verticale ».

2.1.2. Espace et psychanalyse. La première tâche de Freud a été de substituer à l'idée classique de l'âme, substance inétendue, qui est la vieille idée cartésienne, le concept d'une *psyché* qui fonctionnerait comme un « appareil », donc selon les catégories de l'étendue; une célèbre note de Freud dit : « la *psyché* est étendue. Ne le sait pas ». Freud et après lui Lacan ont donné de l'appareil psychique toute une série de formalisations spatiales. En particulier, la première topique du moi divise le moi en zones (conscient, inconscient, préconscient) [ce que Pontalis (*Clefs pour la psychanalyse*), appelle d'une métaphore pittoresque « les aspects géographiques du conflit »]. Certes, le même Pontalis nous avertit de ne pas envisager ces localisations sur un mode trop « réaliste ». Nous en sommes encore aux métaphores spatiales métalinguistiques. La seconde topique du moi fait appel moins aux localisations qu'aux instances, le Moi, le Ça, le Surmoi étant plutôt des sortes de personnages anthropomorphes; mais il ne faut pas oublier que la localisation reste proche, chacune de ses instances ayant son champ d'action, son *espace* propre. Une sorte d'étagement, de stratification marque le rapport des instances. Quant aux métaphores lacaniennes, celle du ruban de Moebius, celle du bouquet renversé, leur caractère topologique est extraordinairement marqué. On verra comment ces structures spatiales peuvent éclairer l'activité théâtrale (texte et représentation).

2.1.3. Espace et littérature. Depuis quelques années l'idée que la littérature n'est pas seulement liée au temps, à la durée, mais qu'elle soutient avec l'espace des liens très étroits, envahit la réflexion critique. Ainsi Blanchot consacre à l'*Espace littéraire* un important essai, et G. Genette résume en quelques pages décisives (*Figures* II, pp. 43-48), intitulées *La Littérature et l'Espace*, les différents types de relation du fait littéraire et de l'espace. « Non seulement, dit-il, parce que la littérature entre autres « sujets » parle aussi de l'espace, décrit des lieux, des demeures, des « paysages », mais surtout parce qu'il y a « quelque chose comme une spatialité littéraire active et non passive, signifiante et non signifiée propre à la littérature, spécifique à la littérature, une spatialité représentative et non représentée ». De quoi serait faite cette spatialité ? D'abord de celle du langage lui-même, mais aussi de toutes

> « les ressources visuelles de la graphie et de la mise en page[7], et surtout de toutes les ressources du sens et de sa multiplicité polysémique, l'espace sémantique qui se creuse entre le signifié apparent et le signifié réel abolissant du même coup la linéarité du discours. C'est précisément cet espace et rien d'autre que l'on appelle d'un mot dont l'ambiguïté même est heureuse, une *figure* : la figure c'est à la fois la forme que prend l'espace et celle que se donne le langage, et c'est le symbole même de la spatialité du langage littéraire dans son rapport au sens » (*op. cit.*, p. 47).

Les deux figures fondamentales du langage littéraire et plus précisément *poétique,* la métaphore et la métonymie, renvoient l'une et l'autre à un travail dans l'espace : la métaphore étant condensation (de deux référents ou de deux images), la métonymie étant déplacement. Or nous notons que ce sont les deux démarches fondamentales du travail du rêve, tel que

---

7. Ainsi, il y a une valeur spatiale de la page poétique avec ses blancs et ses espacements, sans parler des tentatives mallarméennes plus précises, et de celles d'Apollinaire (*Calligrammes*).

Freud l'énonce, et tel que Lacan le théorise dans un rapport exprès à la linguistique. Nous verrons comment le travail de l'espace dans le domaine du théâtre est aussi le travail de ces deux figures fondamentales, l'espace dramatique (textuel-scénique) apparaissant la métonymie d'un certain nombre de réalités non théâtrales et la métaphore d'autres éléments textuels et non textuels appartenant ou non à la sphère du théâtre.

2.2. *Le signe spatial au théâtre*

Si nous analysons le signe spatial non comme signe textuel, mais comme *signe de la représentation,* nous sommes conduits à un certain nombre de remarques :

2.2.1. Le signe scénique (l'espace scénique comme ensemble de signes spatialisés) est de nature non arbitraire, mais iconique, c'est-à-dire qu'il soutient un rapport de similitude avec ce qu'il est chargé de représenter. Pour Peirce, les icônes sont « ces signes qui peuvent représenter leur objet à travers une *similarité* ou en vertu des caractères mêmes de l'objet » (cité par Umberto Eco[8]). Pour Morris, « est iconique le signe qui *possède quelques propriétés de l'objet représenté* ou mieux *qui a les propriétés de ses denotata*[9] ». Définition qui ne va pas sans quelque difficulté comme l'avoue le même Morris quand il précise : « Un signe iconique est le signe semblable par certains aspects à ce qu'il dénote. Par conséquent l'iconité est une question de degré » (*ibid.*). Certes, on se rend bien compte qu'entre le portrait d'un être et cet être il existe des différences fondamentales quant à la matière même dont ils sont constitués, mais il existe aussi un certain nombre de ressemblances difficiles à situer et à préciser. Umberto Eco, qui fait avec beaucoup de pertinence le procès de la notion d'*iconicité,* précise qu'on ne peut lui donner son sens a) qu'au travers du

8. *La Structure absente,* p. 174.
9. *Ibid.* Voir Morris : *Signs, Language and Behavior,* New York, 1946.

processus de la perception, b) qu'à l'aide de la notion de *code,* et il conclut que : « 1° les signes iconiques ne possèdent pas les propriétés de l'objet représenté, 2° ils reproduisent quelques conditions de la perception commune, sur la base des codes perceptifs normaux » (*ibid.*, p. 176). Il ajoute avec plus de précision encore : « Les signes iconiques reproduisent certaines conditions de la perception de l'objet mais après les avoir sélectionnées selon des codes de reconnaissance et les avoir notées selon des conventions graphiques » (*ibid.*, p. 178).

2.2.2. Nous remarquons que ces définitions ne s'appliquent pas sans quelque adaptation aux signes de l'espace scénique : tout d'abord, il n'est plus question de « conventions graphiques », mais d'autres types de conventions codées ; ensuite, contrairement à la peinture et au cinéma, le signe scénique n'a pas besoin de « support matériel » comme la toile, ou la pellicule, mais le support matériel est si l'on peut dire l'objet lui-même, l'espace lui-même. L'objet théâtral est un *objet dans le monde,* en principe identique (ou fonctionnellement semblable) à l'objet du « réel » non théâtral dont il est l'icône[10] ; et il est un objet situé dans un *espace concret,* qui est celui de la scène. S'il est vrai que tout signe iconique est *non arbitraire, mais motivé,* le signe scénique est doublement motivé, si l'on peut dire, dans la mesure où il est *à la fois* la mimésis de quelque chose (l'icône d'un élément spatialisé) et un élément dans une réalité autonome concrète. De là, dans le travail de la mise en scène, un jeu subtil entre l'un et l'autre aspects, avec, selon les modes de mise en scène et les types de représentation, insistance sur l'aspect de fabrication d'un ensemble autonome (non iconique), de signes, ou

---

10. Quand U. Eco critiquant la notion d'iconicité affirme, non sans ironie, que le « vrai signe iconique complet de la reine Elisabeth n'est pas le portrait d'Annigoni mais la reine elle-même (ou un éventuel double de science-fiction) », il donne une sorte de définition de l'iconicité du signe spatial au théâtre.

sur la « reproduction ressemblante » d'éléments du monde : du naturalisme à l'abstraction se déploie tout le champ de la représentation, avec cette réserve décisive que l'iconicité ne peut pas être absente, ni même vraiment réduite, faute de quoi le fonctionnement proprement théâtral serait bloqué, le théâtre étant la représentation d'un mode d'activité que (si aberrant qu'il apparaisse) le spectateur *reconnaît,* ou dont il reconnaît les éléments. Ainsi, l'espace scénique est-il *à la fois* l'*icône* de tel ou tel espace social ou socio-culturel et un ensemble de signes esthétiquement construit comme une peinture abstraite.

2.2.3. Le signe scénique, nous l'avons vu (voir chapitre I, 2, 5), fonctionne de manière extrêmement complexe ; il a, comme tout signe, un signifiant S' et un signifié s' ; il intègre (comme ensemble de signes phoniques) le texte T et son signifié s ; il se retrouve avec un double référent : *a*) le référent R, référent *du texte* (ainsi dans *Phèdre,* l'univers référentiel sera Athènes, la Crète etc.) ; *b*) le référent R' (le monde, la scène, l'univers référentiel construit dans l'aire de jeu). Si nous partons du texte, nous dirons que le texte s'est construit sur la scène son propre référent, et l'espace scénique apparaît l'*espace référentiel du texte.* Le signe scénique a le double statut paradoxal de signifiant et de référent [11].

2.2.4. Si nous partons de la représentation P, nous dirons que le signe scénique S'/S' a pour référent R (le référent du texte) et R" (son propre référent). Autrement dit l'univers scénique spatialisé R' est le médiateur entre le référent R (l'histoire) du texte et celui r de la représentation : se trouve ainsi confirmée la fonction historique (*idéologique*) du théâtre : quand Racine

11. Notons que l'équivoque qui plane en linguistique sur le sens du mot référent se retrouve nécessairement (et même aggravé) à propos du signe spatial au théâtre. Voir le séminaire de Jean Peytard (Besançon) : « Il y a dans le domaine de l'espace nécessairement projection des choses sur les mots : le référent dévore le signifié. »

écrit *Phèdre*, le texte renvoie à un référent historique antique (mais aussi dans une certaine mesure contemporain) ; la représentation du temps de Racine, elle, renvoie indiscutablement à un référent historique louis-quatorzien ; la représentation médiatise deux référents historiques, auxquels, dans un autre temps, le nôtre par exemple, s'ajoute un troisième, celui de la représentation d'aujourd'hui ; l'espace scénique représenté convoque à lui plusieurs champs référentiels entre lesquels il établit toute une série de médiations complexes.

De là une curieuse inversion de la triade du signe : tout se passe comme si le double référent (textuel et représentatif) renvoyait à un système signifiant S', qui est celui de la scène, et portait son signifié s' (R + R" → S' → s'). L'univers scénique spatialisé *est construit pour être signe.*

2.2.5. Corollaire : le théâtre construit un espace, non seulement structuré, mais où les structures deviennent signifiantes, un univers spatialisé où le hasard devient intelligible.

J. Derrida définit le théâtre comme « une anarchie qui s'organise [12] », et si l'on accepte cette définition l'on constatera que c'est le travail de l'espace qui prend en compte une part non négligeable de cette organisation. Si le théâtre, comme nous venons de le voir, construit son propre référent spatial, cette activité de construction fait passer l'espace (référentiel), d'un ensemble de signes désordonnés sur lequel nous n'avons pas de prise immédiate intellectuelle, à un système de signes organisés, intelligibles. La théâtralité fait de l'in-signifiance du monde [13] un ensemble signifiant. Signifiance *réversible* si l'on peut dire — et c'est probablement la tâche majeure du théâtre — dans la mesure où les réseaux de signification qui se sont inscrits dans l'espace scénique et ont été lus et ordonnés par le spectateur se reversent

12. Derrida : *L'Ecriture et la Différence.*
13. Ce n'est pas qu'il n'y ait un « sémantisme du monde naturel », mais justement, c'est la tâche du théâtre de l'exhiber.

sur la lecture du monde extérieur et permettent de le comprendre. La valeur didactique du théâtre tient à la constitution, nous le verrons plus loin, d'un espace ordonné où peuvent s'expérimenter les lois masquées d'un univers dont l'expérience commune ne voit que le désordre. L'articulation du didactisme brechtien et d'une certaine forme de sémiologie de la structure, si clairement perceptible chez lui, se fait sans doute sur ce point.

La tâche du sémiologue (et du « dramaturge ») dans le domaine du théâtre est de trouver à l'intérieur du texte les éléments spatialisés ou spatialisables qui vont pouvoir assurer la médiation texte-représentation. Affirmer le rapport structures textuelles-structures spatio-temporelles de la représentation, c'est un postulat qui ne peut guère être justifié théoriquement, mais dont il faut partir, quitte à construire (ou à analyser) des représentations « non euclidiennes », c'est-à-dire qui subvertissent totalement, qui renversent les structures textuelles. Mais pour les subvertir, encore faut-il en partir.

Nous avons donc à trouver à l'intérieur du texte de théâtre les éléments spatialisés-spatialisables : champs sémio-lexicaux, paradigmes à fonctionnement binaire, structures syntaxiques (modèles actantiels), rhétoriques textuelles [14].

---

14. Il nous faudrait également étudier ces éléments non seulement dans leurs combinaisons statiques, mais dans leurs transformations (en liaison avec la fable), pour montrer comment l'espace scénique devient créateur, porteur, transformateur de ses propres significations. Inversement, une part capitale de la sémiotique théâtrale consisterait à observer à l'intérieur d'une mise en scène comment se fait le travail de *mise en espace.* Il resterait à étudier le *code de spatialisation,* et à faire une *histoire* de l'espace scénique et de la scénographie dans leur rapport au texte.

3. L'ESPACE THÉÂTRAL ET SES MODES D'APPROCHE

L'espace théâtral est une réalité complexe construite d'une façon autonome, et mime (icône) à la fois de réalités non théâtrales et d'un texte théâtral (littéraire) ; enfin l'espace théâtral est pour un public objet de perception. D'où trois modes d'approche possibles :

a) un *point de départ textuel* auquel nous nous attacherons de préférence, puisque notre objet d'étude est précisément le texte théâtral ; nous verrons donc d'abord comment l'espace théâtral se construit *à partir* ou *à l'aide* du texte théâtral ;

b) un *point de départ scénique :* nous tâcherons de voir comment l'espace théâtral se construit à partir d'un certain nombre de codes de représentation, et à l'aide d'un lieu scénique dont les déterminations concrètes préexistent au fait théâtral ;

c) un *point de départ « public »*, prenant pour origine la perception que le spectateur peut avoir de l'espace scénique, et le fonctionnement psychique de ses rapports avec cette « zone particulière » du monde, qui est l'espace scénique.

3.1. Espace et texte

A partir du moment où l'on accepte l'idée fondamentale que l'espace théâtral est toujours en rapport de représentation avec quelque chose, qu'il est l'icône de quelque chose, il faut se demander *de quoi* il est l'icône. Il peut avoir un rapport iconique : *a*) avec l'univers historique dans lequel il s'insère, et dont il est la représentation plus ou moins médiatisée ; *b*) avec les réalités psychiques : en ce sens, l'espace scénique peut représenter les différentes instances du moi (voir dans ce même chapitre, 2, 1, 2) ; *c*) avec le texte littéraire. Dans tous les cas, l'espace scénique soutient un rapport avec son texte-support, mais dans les deux premiers cas, le texte apparaît l'élément qui permet la *médiation* entre l'espace scénique et l'univers socioculturel dont ce dernier apparaît l'*image;* ainsi de la tragédie grecque : si l'on peut analyser le rapport direct que soutient le théâtre grec dans sa matérialité scénique avec la cité grecque, le texte est aussi là pour *dire ce rapport :* le fonctionnement textuel, par exemple, du chœur établit un lien entre la place scénique du chœur et son rapport idéologique avec la démocratie athénienne. De même ce sont des analyses textuelles (d'ailleurs fort difficiles) qui permettent de voir comment tel ou tel clivage de l'espace peut correspondre à tel clivage du moi dans un texte de Claudel ou de Maeterlinck. Le texte est ici la *médiation,* mais il peut aussi être le point de départ représentant alors l'élément-clef dont l'espace scénique est à proprement parler l'*icône* (voir *infra,* 3, 4).

3.2. *Texte, espace et société*

C'est une banalité que de montrer comment les rapports spatiaux entre les personnages, par exemple la position en retrait des confidents du théâtre classique, correspond à une « hiérarchisation » matérielle, comme le « vestibule » classique, cet espace à la fois clos et ouvert, socialement protégé et indifférencié, correspond au fonctionnement sociopolitique de la cour; comment le salon bourgeois avec sa fermeture, son isolement par rapport à la nature, le code strict de ses entrées et de ses sorties est le mime des relations sociales dans le cadre de la haute bourgeoisie. Ce ne sont pas seulement les possibilités mimétiques du lieu scénique qui sont ici employées, mais les caractères sémiologiques de l'espace scénique : clos ou ouvert, etc. Autrement dit, l'espace du drame bourgeois ou du théâtre naturaliste n'est pas seulement l'*imitation* d'un lieu sociologique concret et correspondant à la classe dominante, mais la transposition topologique (à proprement parler iconique) des grandes caractéristiques de l'espace social tel qu'il est vécu par telle ou telle couche de la société. Ainsi, par exemple, le lieu-campagne du IIIe acte de *La Dame aux camélias,* d'Alexandre Dumas fils, manifeste une coupure étrange par rapport à la *nature* : c'est un salon véranda où le jardin n'est vu qu'à travers des vitres ; il représente le rapport perverti à la nature tel que peut le vivre la courtisane du XIXe siècle. Tout un travail rattache les grandes catégories de l'espace scénique aux catégories selon lesquelles le spectateur perçoit l'espace social. Inutile de dire que les choses se compliquent du fait que le metteur en scène se voit contraint de spatialiser non tant l'*espace social du temps ou de l'histoire dans lesquels le texte a été écrit, que son propre espace social et celui de ses spectateurs.* Le texte là encore fonctionne comme élément *médiat.*

3.3. Espace et psychisme

L'espace scénique peut aussi apparaître comme un vaste champ psychique où s'affrontent des forces qui sont les forces psychiques du moi. La scène est alors assimilable à un champ clos où s'affrontent les éléments du moi divisé, clivé. La seconde topique du moi peut être considérée comme une sorte de modèle permettant de lire l'espace scénique comme le lieu de conflits internes dont les « instances » (le *moi,* le *surmoi,* le *ça*) recouvriraient les personnages principaux. La scène figurerait alors l' « autre scène » freudienne, et il est vain de se dire que l'on ne peut pas lire ainsi des textes antérieurs à Freud, dans la mesure où ces « instances », si elles sont inventées par Freud, le sont comme outils opératoires permettant de lire les conflits de la *psyché ;* ce qui importe n'est pas que Racine ait écrit *avant* Freud, mais que nous, nous le lisions *après Freud.* Il n'en reste pas moins que ce mode de lecture de l'espace scénique est particulièrement intéressant appliqué à des auteurs qui sont plus ou moins les contemporains de Freud, Maeterlinck ou Claudel. C'est Claudel qui affirme, à propos de *L'Echange,* que les quatre personnages sont quatre parts de son propre moi [15]. Quant à

---

15. Cf. Hugo : « Mon moi se décompose en Olympio : la lyre, Herman : l'amour, Maglia : le rire, Hierro : le combat. »

Maeterlinck, il est probable que si une lecture psychanalytique de son espace textuel s'impose, elle est sans doute plus féconde si elle met le spectateur dans la position du psychanalyste : ce qui se découvrirait aux yeux du spectateur, plus qu'une image reconstruite de la *psyché,* c'est une série de fantasmes apparentés entre eux (analogues à une série de rêves) que le spectateur-lecteur aurait à décrypter. Là encore on peut dire que le texte, s'il ne fonctionne pas comme *origine* de la représentation spatiale (dont l'*origine* serait à chercher dans un certain caractère spatial de la psyché, dans une topique du moi, ou dans un fantasme déjà spatialisé), fonctionne comme une *médiation :* ainsi c'est dans la récurrence de certaines images spatiales, dans la permanence d'éléments des didascalies ou du dialogue, que l'on peut trouver les éléments de spatialisation d'une éventuelle représentation. En ce cas aussi une lecture triangulaire s'impose, qui va des structures psychiques aux structures textuelles et inversement des unes et des autres aux matériaux de l'espace scénique [16].

3.4. L'espace scénique comme icône du texte

D'une façon générale, nous rappellerons ici quel est le statut du texte à l'intérieur de la représentation : tout d'abord le texte (dialogue) figure dans la représentation comme système de signes linguistiques dont la matière est phonique : le texte du dialogue est entendu comme parole (à double destinataire) et conjointement comme poème (objet poétique). Mais la représentation est aussi l'image visuelle plastique et dynamique des réseaux textuels, et c'est un aspect des choses qui, pour être moins visible qu'un autre, n'en est pas moins capital. Nous laisserons de côté le problème (déjà

---

16. Il nous paraît qu'il n'y a nulle contradiction entre l'analyse freudienne d'*Œdipe roi* et une analyse anthropologique du mythe, contrairement à ce qu'avancent Vernant et Vidal-Naquet ; c'est la notion d'*espace* qui permet, au contraire, de comprendre comment des significations différentes et au besoin contradictoires peuvent coexister, du fait même qu'elles ont *le même champ* pour se déployer.

traité) de la « traduction » visuelle des indications scéniques figurant non seulement dans les didascalies, mais dans le dialogue. Il est évident que le texte suggère (quand il n'impose pas) un certain lieu scénique avec ses déterminations concrètes et ses coordonnées, mais on sait aussi à quel point il est aisé à la mise en scène de ne pas respecter ces indications, de les subvertir ou de s'en passer tout à fait[17]. Plus contraignant, quoique beaucoup moins apparent, est le rapport de la représentation avec les structures textuelles.

3.4.1. Spatialité et totalité textuelle. Outre la spatialité inscrite dans les didascalies et le dialogue (spatialité expressément dénotée), la spatialité peut être inscrite dans le *code des objets,* par exemple, d'une manière imprévue. Or le metteur en scène qui voudrait mettre des objets précisément indiqués par Racine pour « meubler » l'espace tragique serait bien empêché, parce qu'il n'y a vraiment pas beaucoup d'objets (même de pièces de vêtements) ; quand on a rappelé : « Que ces vains ornements, que ces voiles me pèsent ! » ou les *murs* et les *voûtes* que l'on trouve aussi évoqués dans le texte de *Phèdre*, on est au bout de ses investigations. Si l'on fait un relevé lexical simplement des termes qui ont pour référent un objet concret du monde, on s'aperçoit qu'il y en a extrêmement peu. Ainsi par exemple dans le premier acte d'*Andromaque,* la quasi-totalité du lexique de l'objet porte sur les parties du corps : la *bouche,* le *cœur,* les *mains,* les *yeux,* les *larmes.* Ainsi s'installe dans le champ sémio-lexical de l'objet chez Racine une *problématique du corps,* problématique du corps éclaté, de l'être physique dispersé, et cette problématique peut servir si l'on peut dire de « matrice »[18] de spatialité à une représentation de

17. Ainsi Hugo qui multipliait les indications scéniques d'une précision délirante pour *Ruy Blas* affirmait dans le même temps que, pour jouer la pièce, il suffisait d'une table et de quelques chaises.

18. Ce mot commode est employé ici dans son sens non mathématique mais simplement métaphorique.

Racine. Ainsi c'est l'ensemble du texte dramatique qui peut servir de point de départ à la mise en espace d'une œuvre. Nous verrons plus loin quelles procédures peuvent être employées.

3.4.2. Espace et paradigme textuel. L'espace théâtral au niveau du texte peut être défini par un certain nombre de déterminations lexicales. Comment faire concrètement pour tenter de déterminer le ou les champs sémio-lexicaux de l'espace dans un texte ? La première démarche est de relever tout ce que l'on peut assimiler à une détermination locale, aussi bien les noms de lieux (noms communs et noms géographiques), que les éléments lexicaux d'une partie de l'espace ; c'est l'ensemble du lexique de l'espace qui devra être relevé soigneusement : aussi bien l'*Espagne,* que *Paris,* ou *les remparts, la chambre, le palais, la rue, les campagnes, l'ouest, le toit, le bas, les enfers, le ciel.* L'essentiel est que ce premier relevé se fasse sans aucun choix : a) sans aucune distinction de champs sémantiques ou d'emploi ; b) sans aucune distinction entre les didascalies et le dialogue (quoique cette distinction doive être rétablie plus tard), comme s'il fallait prendre en compte l'ensemble de la nappe textuelle ; c) sans aucune distinction de ce qui est ou peut être élément scénique et de ce qui est le hors-scène : par exemple dans *Andromaque* ce qui concerne Troie et l'univers troyen doit être pris en compte tout autant que le champ propre à ce qui est du lieu scénique, à savoir l'Epire : si nous faisions en l'occurrence la distinction scène-hors scène, nous nous interdirions de donner une réalité spatiale au conflit (spatial, géographique) Troie-la Grèce, et à l'opposition d'un univers troyen et d'un univers grec.

La seconde liste n'est plus purement lexicale, elle est si l'on peut dire sémanto-syntaxique ; c'est le relevé de toutes les déterminations locales, de ce que l'ancienne grammaire appelait les « compléments de lieu » ; tout, absolument tout devant être pris en compte, aussi bien les compléments de lieu où le nom appartient au sémantisme de l'espace que les autres (bien entendu les pronoms et les adverbes de lieu y ont leur place, avec ce qu'ils remplacent) : aussi bien *dans le palais,* que *sur son lit,* mais aussi *dans son cœur,* la localisation affective ne pouvant pas être exclue ; les « embrayeurs » *y, en, dessous* sont également notés, avec leurs substituts.

A ces listes s'en ajoute une troisième, l'espace théâtral n'étant pas une forme vide (ni, comme chez Kant, une forme a priori de la sensibilité), c'est celle des *objets,* au sens le plus large du mot *objet,* c'est-à-dire tout ce qui pourrait être à la rigueur figurable ; on comprend comment les parties du corps du personnage peuvent être comptées comme des objets[19].

Ces trois listes peuvent être considérées comme des matériaux bruts permettant la construction d'un ou de plusieurs paradigmes de l'espace dans le texte considéré. Ainsi dans *Lorenzaccio,* le paradigme florentin, ou dans la *Phèdre* de Racine le paradigme *bord-rivage.*

3.4.3. Espace et structures syntaxiques. a) Dans la mesure où le modèle actantiel est l' « extrapolation d'une structure syntaxique » (Greimas), cette *structure syntaxique* peut être comprise comme une sorte de réseau de forces, de jeu d'échecs ; et il est possible de spatialiser ces structures comme l'échiquier spatialise les rapports de forces. On peut donc montrer scéniquement l'évolution des pions actantiels ; surtout dans la mesure où ce qui est concurrent ou concourant dans un texte dramatique ce n'est pas le fonctionnement d'un seul modèle actantiel mais une multiplicité de modèles actantiels, dont la polyvalence et la simultanéité de l'espace permettent d'assurer la présence actuelle. Le conflit dramatique pourrait donc être spatialisé non seulement sur le modèle d'un seul jeu d'échecs, mais sur celui de parties simultanées. Par exemple la polyvalence de l'espace élisabéthain donne à Shakespeare la possibilité de mener de front la multiplicité des fils de

---

19. Voir *infra* l'annexe de ce chapitre : « L'objet théâtral ».

l'intrigue, la multiplicité des parties simultanées, représentant la multiplicité des modèles actantiels (ainsi dans *Le Roi Lear* les fils actantiels Regane-Goneril, Cordelia, Edmond, Edgar). De même on pourrait figurer l'espace de *Phèdre* comme le réinvestissement de l'espace par l'opposant hors scène Thésée.

b) Toute la syntaxe narrative peut être comprise comme l'investissement ou le désinvestissement d'un certain espace par le ou les personnages principaux[20]. Ainsi *Tartuffe* peut être compris comme l'investissement de l'espace-Orgon (maison, famille) par le héros Tartuffe et son désinvestissement final. Toute l'histoire d'*Hamlet* peut se comprendre comme les efforts à la fois efficaces et destructeurs faits par le personnage-sujet pour récupérer son propre espace dans sa totalité. D'une certaine façon, la structure de presque tous les récits dramatiques peut se lire comme un conflit d'espaces, ou comme la conquête ou l'abandon d'un certain espace.

c) L'essentiel de ce qu'on pourrait appeler la poétique théâtrale tient à ce qui est la définition même du fonctionnement poétique selon Jakobson, c'est-à-dire le rabattement du paradigme sur le syntagme[21] ; la simultanéité de l'espace permet la présence d'éléments substitutifs côte à côte, tandis que le syntagme narratif étalera les éléments de l'ensemble paradigmatique regroupés en un même lieu. Ainsi les deux tenants du paradigme fraternel « César de Bazan » se retrouvent ensemble au premier acte de *Ruy Blas* quand plus tard la présence de l'un sera exclusive de celle de l'autre, jusqu'à ce que le même espace les enferme à nouveau ; non seulement il y a projection du paradigme sur le syntagme, comme si tout ce qui est vu en symbiose à l'intérieur de l'espace scénique se projetait sur l'« axe des combinaisons », mais une sorte de réversion permet de regrouper sous forme d'ensemble paradigmatique construit ce que le récit a dispersé : ainsi les dernières

20. Voir *infra* « Le contenu des espaces dramatiques ».
21. R. Jakobson, *op. cit.*, p. 220.

scènes des pièces classiques rassemblent les éléments dispersés. Dans une tout autre perspective, le paradigme spatial Florence se trouve regroupé à la dernière scène de *Lorenzaccio* autour de l'intronisation de Côme de Médicis. Le paradigme Borgia projeté tout au long de l'action sur le syntagme narratif de *Lucrèce Borgia,* en particulier dans la première scène du III, se recentre dans les dernières scènes de l'acte. De là, un jeu poétique complexe, une double projection possible que permet le caractère simultané de l'espace.

Corollaire : l'opposition paradigme-syntagme s'est pas la seule à fonctionner d'une façon particulière dans l'espace théâtral ; l'opposition *synchronie-diachronie* peut aussi y être levée poétiquement : ainsi le travail du simultané que permet la multiplicité des lieux scéniques élisabéthains permet tout un jeu de l'histoire. L'éclatement de l'espace permet de montrer la multiplicité des forces historiques en jeu. Ainsi le « suicide » de Gloster sur la falaise de Douvres coïncide-t-il avec la renaissance de Lear dans les bras de Cordelia. Ainsi la multiplicité de l'espace-Florence dans *Lorenzaccio* permet-elle de forcer les limites du temps[22]. Ainsi dans *L'Inconnue d'Arras,* de Salacrou, la polyvalence de l'espace permet-elle de convoquer simultanément tout le passé du héros Ulysse. Même dans la tragédie classique, l'évocation du hors-scène par le discours permet d'étendre la temporalité tragique : c'est toute l'histoire de Rome et de l'Orient, la mort de Vespasien et le sac de Jérusalem que convoque aux yeux du spectateur l'évocation poétique d'un discours de l'espace, dans la *Bérénice* de Racine.

3.4.4. Espace et figures. Ainsi l'espace scénique peut-il être la transposition d'une poétique textuelle. Tout le travail propre de la mise en scène consiste à trouver les équivalents spatiaux des grandes figures de rhétorique, et d'abord la métaphore et la métonymie : par exem-

22. Voir *infra* « Le théâtre et le temps ».

ple, la grande toile de tente qui cerne l'espace scénique dans la mise en scène du *Roi Lear* par Giorgio Strehler est l'image de la métaphore-théâtre qui parcourt le dialogue entre Lear et son fou : *le gran teatro del mundo* est un cirque que *déchire* soudain la douleur (déchirante) du roi portant le corps de son enfant. La poétique concrète de l'espace apparaît pour une part dans la transposition de la rhétorique textuelle, à moins (ce qui peut arriver) qu'elle n'en soit l'antiphrase. Quant au fonctionnement métonymique, il est la loi même de toute mise en scène : le parquet ciré sur lequel glissent les personnages de *Phèdre* dans la mise en scène de Vitez est l'image métonymique complexe d'un enfermement de cour et d'une poétique « versaillaise ». En particulier, tout le fonctionnement des objets[23] ne peut se comprendre que comme la figuration concrète du fonctionnement poétique du texte. Ainsi dans la *Lucrèce Borgia* de Hugo la femme-piège, la fille-poison, la princesse Negroni au nom signifiant, peut apparaître ce qu'elle est, une métonymie de Borgia : l'espace scénique peut être comme l'image des divers réseaux métonymiques et métaphoriques du texte. Quand Y. Lotman dit : « La structure de l'espace du texte devient un modèle de la structure de l'espace de l'univers », le travail théâtral peut renouveler la proposition, et faire apparaître l'espace scénique modélisé par l'espace textuel.

3.5. Espace et poétique. Conséquences. Ce qui apparaît alors clairement, c'est qu'entre toutes ces projections possibles, entre toutes ces *applications* (pour prendre un langage mathématique) de l'objet textuel dans l'espace scénique, il y a des *bretelles substitutives*. Autrement dit, l'espace scénique, du fait de la multiplicité de ses réseaux concrets, peut porter à la fois l'image de tel réseau métaphorique, de tel champ sémantique, de tel modèle actantiel : on peut à la fois montrer dans l'espace de Phèdre le jeu du corps éclaté et le fonction-

23. Voir *infra* « L'objet théâtral ».

nement actantiel[24]. De même, à partir du moment où l'espace scénique peut être à la fois la figure d'un texte, mais aussi d'un réseau sociopolitique ou socioculturel, ou d'une topique du moi, on peut considérer qu'il y a entre ces différentes modélisations des bretelles substitutives. Autrement dit, à partir du moment où l'espace scénique peut être *l'image* (au sens mathématique du terme) de ces différents ensembles, nous pouvons considérer que l'espace scénique est justement ce qui établit une relation entre ces modèles. D'où il suit que non seulement l'espace scénique concret apparaît comme une médiation entre des modèles différents, mais aussi qu'il est médiation entre différentes lectures possibles du texte : l'espace scénique (de la représentation) est ce qui permet de lire *à la fois la poétique du texte et son rapport à l'histoire.* L'espace scénique étant devenu objet poétique, c'est-à-dire lieu de combinaisons de réseaux, d'une certaine façon la lecture qui en est faite par le spectateur se reverse sur le texte littéraire. La lecture de l'espace textuel du texte dramatique passe d'une façon décisive par l'espace scénique de la représentation. (A quoi s'ajoute le fait, déjà rencontré, que l'espace scénique est aussi l'image mathématique de l'espace idéologique actuel du metteur en scène.)

Entre ces diverses analyses, il y a des bretelles substitutives, des combinaisons verticales ; l'espace théâtral apparaît ainsi comme une structure symbolique, dans la mesure où le fonctionnement des bretelles substitutives n'est pas autre chose que le fonctionnement symbolique. En ce sens, l'espace scénique est le lieu de conjonction du symbolique et de l'imaginaire, du symbolisme de tous et de l'imaginaire de chacun. Ce *travail* du spectateur au théâtre n'est nulle part plus visible qu'à propos de l'espace, investi par les fantasmes de chacun mais nécessairement reconstruit. La pré-

24. Mais s'il y a choix entre tel ou tel *modèle* de spatialisation, ce choix est caractéristique du travail du metteur en scène.

sence simultanée de réseaux divers peut faire apparaître des conflits, comme elle peut éclairer telle ou telle théorie théâtrale : regardons par exemple le problème de la distanciation brechtienne (*Verfremdung,* métaphore spatiale), qui peut-être s'éclaire au niveau spatial : la distanciation peut apparaître comme le fonctionnement simultané de deux réseaux spatiaux en rapport dialectique : l'espace scéniquement présent est simultanément présenté comme étant un *ailleurs* (rendu éloigné, étranger). Choix ou conflit dialectique entre les différents réseaux spatiaux : texte et mise en scène s'éclairent mutuellement dans cette perspective.

Reprenons l'exemple de *Phèdre :* il est possible de spatialiser *Phèdre* en fonction du conflit de plusieurs espaces comme en fonction de la problématique du corps éclaté, comme selon d'autres « matrices » de spatialisation. Le choix n'en est pas limitatif. Disons même qu'il est d'une certaine façon peut prévisible théoriquement : il dépend du rapport actuel de la mise en scène avec le référent contemporain et avec le code en vigueur. Il devient alors singulièrement intéressant de prendre conscience du choix fait dans le texte par le metteur en scène de telle ou telle matrice de spatialisation.

4. LE POINT DE DÉPART SCÉNIQUE

Nous irons plus vite en ce qui concerne les points 4 et 5 : ils concernent moins immédiatement notre propos présent, qui est l'étude de l'espace textuel dans ses rapports avec la scène.

4.1.

Le point de départ scénique est toujours sociohistorique. Nous n'insisterons pas sur des éléments aussi essentiels que la spatialisation, au départ, à l'origine même du théâtre, du rite ou de l'élément culturel. Peut-être n'est-il pas indifférent à la structure circulaire du théâtre grec qu'il ait un lien avec les rondes dionysiaques qui, on peut le supposer, créent dès le départ une circularité, un fonctionnement circulaire. Une étude que nous ne ferons pas ici est celle du code spatial de la scène et de la scénographie où l'espace scénique apparaît comme espace codé, doublement : par les structures antérieures de l'histoire du théâtre et par la détermination historique d'un certain moment temporel. Je n'en citerai qu'un exemple, qui est la cérémonie de la seconde moitié du XVIIe siècle classique en France : avec le jeu dialectique (et le conflit) entre la naissance et la consolidation d'un théâtre à l'italienne, avec l'éloignement du public qu'il suppose nécessairement, et conjointement la présence des courtisans sur les bancs.

4.2.

Comment se construit l'espace sur scène ? Il ne se crée pas seulement en relation avec le lieu scénique tel qu'il est culturellement construit ; il se « fabrique » essentiellement par la gestuelle et par la *phonè* des comédiens. De là les questions essentielles qui se posent au comédien : où va votre voix ? d'où parlez-vous ? quelles relations spatiales structurent votre corps et votre voix ?

Inutile de dire que nous ne pouvons pas considérer ces recherches comme indépendantes de celles dont le point de départ est textuel. Elles sont évidemment liées : a) la construction de l'espace par la gestuelle et par la *phonè* peut être certes déterminée ou informée par la lecture de la structure textuelle, mais il peut y avoir aussi une antériorité de la structurátion gestuelle, sur laquelle se trouveraient appliquées (ou non) des structures textuelles (syntaxiques par exemple). Un travail gestuel (de mime ou autre) peut enfin construire un espace qui se développerait parallèlement ou même irait à l'encontre de celui qui pourrait naître imaginairement du texte. Ce texte pouvant d'ailleurs être un non-texte, ou un texte éclaté ou un texte mis en question, comme la dramaturgie contemporaine nous en offre quantité d'exemples.

Ajoutons que, si au départ, ce qui est construit sur une scène peut apparaître uniquement comme gestuelle et voix, antérieures à toute textualité, il ne faut jamais exclure le retour du scriptural sur un oral premier, c'est-à-dire le travail en retour de l'écrit à partir du moment où il est constitué.

Notons ici la présence d'un élément spatial qui, pour n'être pas proprement scénique, est en rapport direct avec la scène, je veux parler de la présence du public : l'inscription de rapports physiques entre les comédiens ne se fait pas sans l'intervention du public. On n'a jamais seulement des relations binaires ou triangulaires entre les comédiens mais toujours des relations complexes où le spectateur tient sa partie. Ce qui nous conduit au dernier axe constitutif de l'espace théâtral : le public.

5. ESPACE ET PUBLIC

Il serait très intéressant (mais ce n'est pas notre objet) d'étudier le fonctionnement de l'espace théâtral en partant du public, dans la mesure où le public est à la fois physiquement et psychiquement investi dans l'espace théâtral. Cette étude ne peut se faire qu'à l'aide de travaux extrêmement précis sur la perception d'une part, sur la scénographie de l'autre. Qu'il nous suffise ici de quelques remarques.

5.1. Espace et perception

La première difficulté est de refuser une tentation, celle d'imaginer la perception de l'espace théâtral comme celle d'*un tableau.* Il n'est guère possible (sauf de notables exceptions) de faire de l'espace scénique une étude iconologique comme on ferait l'étude des structures d'un tableau ; cela ne peut être envisagé que dans le sens d'une espèce déterminée de théâtre, le théâtre à l'italienne ; et encore ne faudrait-il pas oublier que la perception est différente (et qui pis est hiérarchiquement différente) selon la place qu'on occupe dans un théâtre à l'italienne ; le fauteuil d'orchestre et le poulailler (ou *paradis*) construisent pour le même spectacle des images singulièrement distantes : chacun en a pu faire la cruelle expérience.

Quant à la complexité de la perception théâtrale dans son ensemble, une citation de Christian Metz à propos de l'image cinématographique en donnera une idée. Ch. Metz dans *Langage et Cinéma* classe les problèmes de la perception de l'image au cinéma en quatre rubriques :

« 1° perception visuelle-auditive ;
2° identification des objets ;
3° perception de l'ensemble des symboliques et des connotations ;
4° ensemble des systèmes proprement cinématographiques. »

Même en transformant ces « systèmes proprement cinématographiques » en systèmes proprement théâtraux, nous n'oublierons pas qu'au cinéma la matière de l'expression, selon la formule de Hjelmslev, est homogène (une image sur une pellicule), ce qui n'est pas le cas au théâtre ; de là une complexité infiniment plus grande.

A quoi s'ajoute le problème, quasi spécifique au théâtre, qui est celui de l'annulation des informations : le théâtre, surtout dans le domaine de la construction du lieu scénique, par conséquent de l'espace, produit un certain nombre d'informations dont nous n'avons pas à tenir compte quoique nous les percevions parfaitement bien. Un exemple classique est, à l'Opéra, celui de la grosse cantatrice dont nous ne devons plus percevoir les formes monstrueuses. Quand nous allons voir une mise en scène ratée, nous sommes submergés par les signes parasitaires, par les « bruits », comme on dit dans le domaine de la communication. Or, précisément, ce qui va fonctionner comme parasite dans un certain type d'espace scénique, c'est justement ce qui convient à un autre type d'espace : ainsi la gestuelle clownesque sur une scène à l'italienne ; inversement sur une scène circulaire, une surabondance d'objets peut apparaître comme un effet de parasitage[25].

5.2. *Public et théâtralisation*

Toute une série de recherches pourraient se faire autour de la possibilité pour le spectateur de s'investir dans la représentation, et à la limite d'agir sur elle ; il faudrait donc étudier les diverses formes théâtrales en fonction du rapport concret qui s'établit dans tel ou tel type de représentation entre l'espace scénique et le spectateur.

Un point particulier, celui du théâtre dans le théâtre, de la perception par le public d'une zone particulière de l'espace scénique, où se joue une histoire qui est théâtre par rapport à ce qui se passe sur l'ensemble du plateau. Cet effet de théâtre dans le théâtre ne peut pas, on le sait bien aujourd'hui, se limiter au théâtre baroque ; il est présent presque partout, sous des formes diverses, aussi bien dans Shakespeare que dans Brecht. Tout se passe comme si une part de l'espace du théâtre disait : « Je suis l'espace du théâtre, je ne suis pas le référent du monde », et prenait pour public une autre part de ce qui figure sur l'aire de jeu. Il serait très important d'étudier ce fonctionnement triangulaire *scène/public/théâtre dans le théâtre.*

5.3. *La dénégation*

Se trouvait ainsi, au moins partiellement, éclairé ce phénomène mystérieux de la *dénégation* au théâtre et de son renversement possible[26]. Cette question de la dénégation est essentielle pour la compréhension du

---

25. Voir *infra,* p. 177 et suiv. N'oublions pas qu'ici, comme partout au théâtre, il n'y a rien d'absolu : cet effet de parasitage peut, en certains cas, apparaître délibérément comme effet de sens : la « resémantisation » intéresse tous les signes.

26. Voir *supra,* p. 42 et suiv.

fonctionnement du théâtre et de son rôle pédagogique et/ou cathartique. C'est ce que nous avons tenté de montrer plus haut (chap. I) en insistant sur le rapport du théâtre et du rêve.

Avec une difficulté supplémentaire dans le cas du théâtre : c'est que l'espace scénique existe bel et bien, lui et tout son *contenu* d'êtres et d'objets parfaitement concrets du monde ; il existe certes, mais affecté du signe moins[27]. De même un nombre négatif existe bel et bien, mais on ne peut pas *compter* avec. En revanche, aux lieu et place où la théâtralité s'affirme comme théâtralité, où s'insère à l'intérieur de cet espace scénique affecté du signe moins quelque chose qui dit : *je suis le théâtre,* alors sur ce point la dénégation se renverse ; puisqu'il est bien vrai que *nous sommes au théâtre.* Ainsi devraient être étudiés avec précision les points capitaux où se fait ce renversement, où la théâtralité s'affirme.

Simples remarques qui ne vont pas au-delà d'un programme rêvé, mais dont les conséquences pourraient être importantes ; démontrer par exemple l'irréalisme du théâtre naturaliste, où n'existe pas d'espace propre de la théâtralité, ou bien le sens de la *Verfremdung* brechtienne comme affichage et localisation de la théâtralité[28].

6. LES PARADIGMES SPATIAUX

Dans la mesure où comme le dit Y. Lotman « les modèles historiques et nationalo-linguistiques de l'espace deviennent la base organisatrice de la construction d'une " image du monde " — d'un modèle idéologique

27. Voir O. Mannoni : *Clefs pour l'imaginaire.*
28. Ainsi les panneaux et pancartes ne devraient pas être compris comme un effet de réel historique, mais bien plus comme le lieu de la théâtralité, le point de renversement de la dénégation.

entier, propre à un type donné de culture »[29], ce modèle spatial est organisé, donc articulé. Indépendamment des recherches de Lotman, nous étions arrivés à cette conclusion en découvrant dans le théâtre de Hugo « deux espaces dramatiques (...), deux zones de signification, une zone A et une zone non-A, telles que à tout instant, non-A se trouve défini par son rapport avec A. (Il s'agit) d'espaces non symétriques et dont le fonctionnement n'est pas homologue »[30]. Avec un peu plus de précision nous dirons que l'on peut déterminer dans un texte dramatique donné deux ensembles paradigmatiques qui en principe n'ont pas d'intersection (au sens mathématique du terme). Or ces ensembles peuvent être dits espaces dans la mesure où, non seulement leurs éléments sont spatiaux ou spatialisables, mais où l'essentiel de l'action dramatique peut être déterminé à l'aide des modifications du rapport des éléments dramatiques avec ces deux ensembles : l'action est le *voyage* des éléments d'un espace à l'autre ; tout se passe par exemple dans le théâtre de Hugo comme si les personnages clefs *voyageaient* d'un espace à l'autre, déterminant ainsi le mouvement dramatique. Tout se passe donc comme si dans un certain nombre de textes dramatiques, sinon dans tous, pouvaient être définis deux « espaces dramatiques » dont le fonctionnement est binaire (en correspondance l'un avec l'autre) mais qui ne sont pas homothétiques l'un à l'autre : leurs champs sémio-lexicaux sont en opposition binaire, mais il n'y a pas de réversibilité dans leur fonctionnement réciproque (on peut par exemple faire une application de l'un dans l'autre, mais la réciproque n'est pas vraie). Y. Lotman affirme : « La frontière divise tout l'espace du texte en deux sous-espaces, qui ne se recoupent pas mutuellement. Sa propriété fondamentale est l'impénétrabilité. La façon dont le texte est divisé par sa frontière constitue une de ses caractéristiques essentielles. Cela peut être une division en « siens » et étran-

29. Y. Lotman : *La Structure du texte artistique,* p. 311.
30. A. Ubersfeld : *Le Roi et le Bouffon.*

gers, vivants et morts, pauvres et riches. L'important est ailleurs : la frontière qui divise un espace en deux parties doit être impénétrable, et la structure interne de chaque sous-espace, différente »[31]. L'analyse de Lotman nous paraît pertinente, sauf sur un point, la perméabilité de la frontière. S'il n'y a pas de passsage possible d'un espace à l'autre, il n'y a pas de récit, et surtout dans le domaine du théâtre, il n'y a pas de drame possible. En admettant que certaines formes simples de récit soient construites sur cette impénétrabilité, et en supposant aussi que, dans le conte en particulier, le héros soit considéré comme n'appartenant à aucun des deux espaces (ce qui paraît difficile), au théâtre la frontière est sans cesse franchie.

6.1. Le contenu des espaces dramatiques

6.1.1. Ces espaces (ensembles ou sous-ensembles logiques à fonctionnement binaire) sont des collections de signes où figurent, ou peuvent figurer, tous les signes textuels et scéniques : personnages, objets, éléments de décor, éléments divers de l'espace scénique. On ne peut pas opposer en ce sens ce qui est de l'espace dramatique et ce qui concerne, par exemple, le personnage. Les catégories du temps elles-mêmes font partie de l'espace dramatique entendu en ce sens large.

6.1.2. Chacun de ces signes fonctionne en opposition avec un autre signe dans un autre espace ou dans le même espace. Prenons l'exemple du *roi :* il est roi dans son espace, il est non-roi dans un autre espace[32] ; ainsi Thésée, roi d'Athènes, est en Epire un non-roi persécuté, emprisonné. Au fonctionnement binaire du signe roi (opposition roi/non-roi à l'intérieur du même

31. Lotman : *op. cit.*, p. 321.
32. « (...) Une esclave là-haut, mais une reine ici. Comte, à chacun son lot (...) ; Tout ce que le soleil éclaire est sous ta loi ; Tout ce que remplit l'ombre, ô burgrave, est à moi » (Hugo, Les Burgraves, III, 2).

espace), s'ajoute un fonctionnement binaire d'espace à espace : ainsi au roi de X, peut s'opposer le roi d'un autre espace Y, ou le fait que le roi de X est non-roi en Y, ou le fait qu'à un espace royal X' s'oppose dramatiquement un espace non royal X" (ces deux derniers obtenus par division de l'espace X en 2 sous-espaces).

6.1.3. Les espaces se distinguent et s'opposent par un certain nombre de traits distinctifs, de sèmes spatiaux, eux aussi en fonctionnement binaire, et en nombre assez limité, par exemple clos-ouvert, haut-bas, circulaire-linéaire, profondeur-surface, un-éclaté, continu-fissuré. Pour chacune de ces catégories il y a, outre l'indication d'une place géométrique, des traits sémantisés, d'ailleurs extraordinairement variables selon les cultures : ainsi la valorisation du *haut,* signe d' « élévation spirituelle » et sociale, est liée à une culture et à l'image du *ciel* comme source de la valeur et de l'autorité. Le fonctionnement de l'espace est toujours sémantisé, d'une façon plus ou moins complexe, et la mise en scène trouve les équivalents scéniques de ce sémantisme textuel : ainsi une mise en scène de *George Dandin* avait placé le héros toujours au plus bas, tandis que les personnages titrés s'étageaient sur les degrés d'une sorte d'échelle; figuration simplette mais parlante.

6.1.4. Ces traits à la fois géométriques et sémantisés se combinent entre eux pour construire face à face deux ensembles organisés, dont le fonctionnement n'est pas symétrique, l'un d'entre eux étant textuellement et scéniquement privilégié. Ainsi, chez Hugo, l'espace scénique privilégié est un espace fermé, construit, solide, hiérarchique, élitaire, toujours spatialement dénoté de façon claire (château, palais, murailles, salle, etc.), à quoi s'oppose un espace informel, ouvert, sans détermination, parfois fissuré (rues, places, maisons délabrées, etc.). S'y ajoutent toute une série d'éléments connexes, objets ou déterminations temporelles, la nuit, la lune, les flambeaux de la fête, la clef ou les armes du maître ou du roi[33]. Tous les éléments se combinent pour donner un réseau de significations stables. Ainsi au monde incertain, pluriel, ravagé « des Espagnes » dans le *Sertorius* de Corneille s'oppose la rigueur géométrique, monolithique de la Rome de Sylla. Ainsi aux châteaux forts féodaux dans Shakespeare s'opposent les landes ouvertes, obscures où se décide l'avenir de la royauté, dans *Henri IV* comme dans *Lear* ou *Macbeth.* Une grande part de l'analyse de l'espace pour le critique comme pour le dramaturge ou le metteur en scène consiste à déterminer *les espaces en opposition* avec le jeu serré de leur réseau de significations à fonctionnement binaire. Comment les déterminer ?

1° par l'établissement du ou des paradigmes spatiaux du texte (voir *supra* 3, 4) ;

2° par le relevé (surtout à l'intérieur des didascalies) des grandes catégories sémiques qui déterminent l'espace scénique ;

3° par le relevé et le classement en catégories opposées des personnages et des objets signifiants.

Le but est de voir si l'espace du texte s'organise et comment il s'organise en espaces oppositionnels par clivages à l'intérieur de la scène ou entre scène et hors scène.

6.2.

L'opposition binaire peut se faire entre deux sous-ensembles destinés à être appliqués dans l'ensemble scénique. Autrement dit, il peut y avoir plusieurs espaces dramatiques qui fonctionnent tous dans le même lieu scénique ; c'est le cas, nous venons de le voir, du drame romantique, comme déjà de Beaumarchais, par exemple, ou plus tard de Tchekhov. Ou bien alors, on peut considérer, et c'est le cas de Racine comme de l'ensemble de la dramaturgie classique, que l'ensemble textuel est destiné à être appliqué dans un

---

33. Voir notre analyse des espaces dramatiques chez Hugo, *op. cit.*, p. 407-457.

ensemble scénique alors qu'il y a à côté de lui un ensemble textuel dont le référent est nécessairement hors scène. Il y a alors dans le texte deux couches, l'une qui est destinée à être représentée scéniquement, l'autre qui ne renvoie qu'à un hors scène imaginaire. Distinction décisive, qui permet peut-être de comprendre en quel sens on peut parler d'unité de lieu dans la tragédie classique — et qui éclaire l'ensemble du fonctionnement dramatique chez Racine, comme insertion dans l'espace de la scène d'un personnage hors scène (au statut d'exilé), dont l'intrusion sème dans l'ordre de l'espace tragique le désordre et la désorganisation, indépendamment de ses « qualités » ou de ses « vertus ». On peut construire alors toute une problématique du *hors-scène textuel* (hors-lieu et hors-temps) dont le rôle métonymique s'inscrit dans l'ensemble de la rhétorique de l'espace scénique : ainsi Troie pour *Andromaque,* et la Crète pour *Phèdre,* tout autant que les événements du règne de Claude dans *Britannicus.*

6.3.

La construction de ces ensembles et/ou sous-ensembles implique des possibilités de transformation, réglées par des lois, qu'il faudra tenter de rechercher : glissement d'un élément d'un ensemble dans l'autre, éclatement par exemple d'un ensemble dans lequel s'insère un élément non conforme, un corps étranger, effondrement au contraire d'un ensemble dont on a retiré un élément, expulsion ou mort de l'élément perturbateur, regroupement en d'autres configurations des ensembles dramatiques par perte ou addition d'un élément ; toute une « géométrie » possible des espaces dramatiques peut se constituer. Un exemple : dans *Le Balcon* de Genet, la migration de Chantal de l'espace du Balcon à celui des révoltés aboutit à la décomposition de ce dernier.

7. ARCHITECTURE THÉATRALE ET ESPACE

Peut-être pourrions-nous rêver autour d'une typologie possible des espaces théâtraux, typologie que l'on pourrait tenter d'approfondir :

a) Espaces construits *à partir du spectateur,* et qui tous relèvent d'une vue géométrique de l'espace, d'une géométrisation de la scène, même si cette géométrie relève de modèles tout à fait différents ; *perspective* du théâtre à l'italienne, classique, théâtre antique, théâtre chinois, théâtre élisabéthain : ce qui importe c'est le rapport entre les diverses aires de jeu et le mouvement des personnages qui les investissent ; l'architecture scénique est déterminante pour le fonctionnement des espaces en fonction de l'œil du spectateur.

b) Espaces construits *à partir du référent :* la scène, nécessairement close sur trois côtés, est homogène (on n'y distingue pas de zones ou d'aires de jeu différentes *par nature*), et l'espace y reproduit un lieu référentiel (avec ses clivages éventuellement). En opposition avec par exemple le théâtre du Moyen Age, quasi totalement non référentiel, le théâtre bourgeois à partir de la fin du XVIIIe siècle, le théâtre naturaliste, le théâtre réaliste ou néo-réaliste, ou Tchekhov supposent cet espace purement référentiel, copiant un lieu « réel » ou supposé tel ; l'espace est vu, compris non tant par rapport à l'action, que comme une réalité scénique autonome, dont le fonctionnement essentiel est iconique, et même à la limite mimétique.

c) Plus difficile à déterminer, parce que d'usage relativement récent, et informel par nature, un troisième type d'espace se construirait *par rapport au comédien,* à l'espace qu'il tisse autour de lui, aux combinaisons des corps des comédiens entre eux ; tout le travail de Grotowski est la réécriture de textes classiques (*Le Prince Constant* par exemple) ou la construction d'ensembles textuels qui permettent la création d'un espace informel, entièrement construit par les gestes et les rapports physiques des comédiens. On peut dire que par opposition à Genet, par exemple, qui a besoin d'un espace plus « géométrique », Beckett peut se satisfaire d'un espace « indéfini », en perpétuel modelage par les acteurs. D'une certaine façon, si paradoxal que cela paraisse, l'espace brechtien est plus proche du dernier type que des autres.

Ces distinctions ne sauraient s'imaginer comme absolues ; elles supposent tout un jeu possible entre ces diverses formes, et des exemples de transition, comme *Le Mariage de Figaro,* intermédiaire entre les solutions 1 et 2. Elles supposent que la mise en scène puisse jouer d'une forme sur l'autre, actualiser par exemple un classique en le transposant dans une forme d'espace pour laquelle il n'a pas été écrit ; au XIXe on jouait *Phèdre* dans l'espace référentiel d'un palais ; aujourd'hui on préfère utiliser la solution 3 : et c'est ce que firent, quoique différemment, Hermon et Vitez montant *Phèdre.*

ANNEXE AU CHAPITRE IV L'OBJET THÉÂTRAL

1.

L'espace théâtral n'est pas vide : il est occupé par une série d'éléments concrets, dont l'importance relative est variable et qui sont :

— les corps des comédiens ;
— les éléments du décor ;
— les accessoires.

1.1.

Les uns et les autres méritent, à des titres divers, le nom d'*objets :* ainsi un personnage peut être un locuteur ; il peut aussi être un objet de la représentation, au même titre qu'un meuble : la présence muette, immobile d'un corps humain peut être signifiante au même titre qu'un autre objet ; un groupe de comédiens peut figurer un décor ; il peut n'y avoir guère de différence entre la présence d'un garde en armes et celle d'armes figurant la force ou la violence. Aussi peut-on difficilement faire coïncider ces trois catégories d'*objets* avec trois fonctionnements autonomes : un accessoire, un comédien, un élément de décor peuvent avoir des fonctions interchangeables : tout ce qui occupe l'espace peut y agir, et il y a des glissements entre les trois catégories ; mais l'usage des objets et la fréquence relative de ces trois ordres d'objets sont caractéristiques de tel ou tel type de dramaturgie. Il peut y avoir une dramaturgie de l'encombrement scénique, ou une dramaturgie de l'aire de jeu vide ; le théâtre peut chercher dans l'objet ce qui est décoratif, un environnement esthétique, ou ne l'utiliser que de la façon la plus utilitaire qui soit ; il y a des dramaturgies où seul le personnage est l'objet scénique. Enfin, il est toujours possible à une mise en scène de renverser l'usage prescrit des objets, d'entourer d'objets décoratifs une tragédie de Racine qui paraît n'en comporter aucun ou de jouer un drame historique de Hugo comme, de son propre aveu, on peut le jouer, « avec une table et quatre chaises ».

1.2.

Ce qui nous conduit à la seconde distinction que nous pouvons faire à propos de l'objet théâtral : il peut avoir un statut scriptural ou une existence scénique. Il y a *dans le texte théâtral* deux couches de lexèmes, les uns renvoyant à un *référent figurable,* les autres n'ayant pas ce caractère, avec entre les deux une frange incertaine : il est clair que l'objet *cœur* n'est pas figurable, que la présence dans *Phèdre* des « rivages de la Crète » n'est pas scéniquement prévue. Mais que dire des « bords de Trézène » où se déroule l'action ? On peut montrer ou non ces « bords ». Il y a tout un jeu possible des objets en scène ou hors scène, où peut travailler la pratique du metteur en scène et l'imagination du lecteur-spectateur.

1.3. Comment lire l'objet ?

Les procédures de lecture de l'objet ne sont pas simples : comment distinguer au niveau textuel ce qui est objet ou peut le devenir ?

a) Un premier critère, grammatical : est objet, dans un texte, le *non-animé* (le personnage ne devient scéniquement objet que s'il est transformé en non-animé, avec les traits du non-animé, la non-parole et le non-mouvement).

b) Un critère de contenu : est objet dans un texte de théâtre ce qui pourrait à la rigueur figurer scéniquement ; critère extrêmement lâche, on s'en doute.

Nous définirons donc l'*objet* théâtral dans son statut textuel comme ce qui est syntagme nominal, non-animé et dont on pourrait à la rigueur donner une figuration scénique : ainsi dans Racine, où le texte se caractérise par une très remarquable carence d'objets scéniques[1], au premier acte d'*Andromaque,* outre les parties du corps (*cœur, yeux, larmes*), nous repérons *tours, cendre, ville, campagne* (tous figurables non comme objets, mais à la rigueur comme décor), et certains emplois abstraits (métonymiques ou métaphoriques) comme *feux* ou *fers*. (Inutile de dire quelle conséquence idéologique immédiate on peut tirer d'une dramaturgie où personne ne touche rien, comme si les personnages n'avaient pas de mains.) Même l'objet-décor est éloigné, hors scène : les seuls lieux décrits étant les lieux absents ; l'objet, le monde est ce qui est résolument absent. On voit comment le simple *relevé lexical* de ce qui peut être tenu pour objet dans un texte théâtral est déjà singulièrement parlant ; on y voit en effet :

a) le type d'objet évoqué ;

b) le nombre de ces objets ;

c) leur caractère scénique ou extra-scénique.

Un certain type d'occupation de l'espace, un certain rapport des personnages entre eux et au monde s'y trouve immédiatement indiqué. Ce travail élémentaire sur l'objet est une des premières tâches du « dramaturge » au sens « brechtien » du mot[2].

---

1. Voir *supra* le chapitre « Le théâtre et l'espace ».
2. Les enseignants en tireraient matière à des exercices simples et très éclairants.

2. D'UN CLASSEMENT TEXTUEL DE L'OBJET

Il est possible de tenter une typologie de l'objet tel qu'on le rencontre dans un texte dramatique[3] :

a) figurant dans les didascalies (ou dans le dialogue, en cas de carence didascalique), l'objet peut être *utilitaire :* s'il s'agit de figurer un duel, deux épées ou deux pistolets s'imposeront[4] ; un fourneau s'il s'agit de faire la cuisine ;

b) l'objet-décor peut être *référentiel;* iconique et indiciel, il renvoie à l'histoire, à la peinture (au « pittoresque », au « réel ») ; toutes sortes de formes de théâtre utilisent ce type d'objets : ainsi la mise en scène romantique a pour but l' « exactitude » historique, c'est-à-dire la conformité de l'objet à l'idée moyenne que le spectateur peut se faire d'un décor historique ; l'objet naturaliste dénote un cadre de « vie quotidienne » ;

c) l'objet peut être *symbolique;* son fonctionnement est alors essentiellement rhétorique : il apparaît la métonymie ou la métaphore de tel ordre de réalité, psychique ou socioculturel : ainsi chez Hugo la *clef,* métaphore sexuelle et métonymie du pouvoir (le puissant est l'homme des clefs). Dans ce cas, l'objet symbolique (que soit mis en œuvre un symbole culturel ou que s'y ajoutent les rapports imaginaires institués par l'auteur) est très souvent ordonné en un système signifiant qu'il est intéressant de repérer à travers toute l'œuvre dramatique d'un écrivain : ainsi chez Maeterlinck le symbolisme de la porte, de la rivière, de l'étang, de la mer, de la tour et de la chevelure, pour ne pas parler du système signifiant de l'objet chez Hugo[5] — qui plus qu'un système est une *combinatoire.*

---

3. Voir notre analyse in *Le Roi et le Bouffon,* p. 582 sq.
4. Quitte à être effacés ou relayés par des objets tout autres.
5. Voir notre analyse, *ibid.,* p. 425 sq. et 582 sq.

3. RAPPORT TEXTE-REPRÉSENTATION ET FONCTIONNEMENT DE L'OBJET

L'objet a donc un fonctionnement complexe, extrêmement riche et dont les tendances modernes du théâtre tentent de faire jouer toutes les possibilités.

Si nous laissons de côté l'aspect proprement utilitaire de l'objet, que la mise en scène moderne a tendance à gommer plus qu'à souligner, nous voyons que le rôle de l'objet est essentiellement *double : a*) il est un *être-là,* une présence concrète; *b*) il est une *figure,* et son fonctionnement est alors rhétorique, l'un et l'autre se conjuguant le plus souvent : ainsi du corps de l'acteur et de ses différentes parties : elles sont un *être-là* qui *produit* (des gestes, des actes, des stimuli), plus qu'un système de signes qui signifie ; et ce qui est évident pour le corps du comédien peut l'être aussi pour les objets matériels : Barthes remarque que dans le *Ping-pong,* d'Adamov, la machine à sous ne « signifie » rien (et que ce serait une erreur d'en faire un symbole), elle *produit* (des sentiments, des rapports humains, des événements).

3.1. D'une rhétorique de l'objet théâtral

1° A la fois iconique et indiciel, le rôle rhétorique le plus usuel de l'objet au théâtre, c'est la métonymie d'une « réalité » référentielle dont le théâtre est l'image; ainsi dans le théâtre naturaliste ou dans l'actuel théâtre dit « du quotidien », les objets fonctionnent comme la métonymie du cadre de vie « réel » des personnages : *l'effet de réel* des objets (leur caractère iconique) est en réalité un fonctionnement rhétorique, de *renvoi à une réalité extérieure.* De même dans le théâtre *historique,* l'objet a pour fonction de renvoyer métonymiquement à une période historique : tel vêtement, telle arme fonctionne comme la métonymie ou plus exactement comme la *synecdoque* (la partie pour le tout) du xve siècle ou de la Régence ; de même que tel mobilier petit-bourgeois est la métonymie de l'ensemble du cadre de vie des personnages petits-bourgeois. La liaison du réalisme et de la métonymie a été depuis longtemps décrite par Jakobson[6]. Tout usage métonymique de l'objet au théâtre renvoie au théâtre comme récit, « roman », image de la vie. Inutile de dire combien le travail de la mise en scène peut souligner ou gommer cet aspect inscrit dans les didascalies ou le dialogue.

L'objet peut être aussi métonymie d'un personnage ou d'un sentiment ; le théâtre romantique en fait un usage considérable, de la litière de Richelieu dans *Marion de Lorme* jusqu'au bouquet de fleurs de *Ruy Blas,* concentré de sentiments ; et la mise en scène joue avec ce type de rappels métonymiques, même s'ils ne sont pas textuels. On peut aussi tenir pour métonymique le rôle *indiciel* des objets qui annoncent un événement : une fiole de poison, une hache, le drapeau rouge de la Commune à la fin de *Printemps 71* d'Adamov.

2° *Métaphores :* beaucoup d'objets ont à côté de leur rôle fonctionnel un rôle métaphorique ; en particulier toute une série d'objets sont de ceux qui figurent dans les rêves, et qui sont sans doute possible, des métaphores sexuelles ; ainsi l'épée, fût-elle nécessaire à un duel ; une cruche d'eau peut bien être nécessaire à l'action, elle peut aussi figurer le désir. La plupart des objets dont les fonctions utilitaires ou métonymiques sont évidentes subissent un *recreusement métaphorique,* une métaphorisation : ainsi l'accumulation d'objets quotidiens de telle forme de théâtre « naturaliste » apparaît aussi métaphore de l'esclavage par l'objet, du poids des objets dans la vie quotidienne, de même que l'objet historique dans le théâtre romantique par exemple devient la métaphore du passé comme passé, et pour finir du passé comme ruine : on voit dans ce

6. « La littérature dite réaliste qui est intimement liée au principe métonymique », Jakobson : *op. cit.*, p. 244.

dernier exemple comment la métaphorisation se fait par un double déplacement, une double métonymie ou une double synecdoque[7] : l'objet historique → le passé ; le passé → la ruine, la mort.

On voit comment, surtout quand la métaphore repose sur un rapport culturellement codé, on passe de la métaphore au *symbole*[8] : la plus grande part du symbolisme au théâtre repose sur l'*objet*.

3.2. De l'objet comme production

L'objet est présence concrète, non pas tant figure iconique de tel ou tel aspect de référent extra-scénique, que ce référent lui-même, non pas image d'un monde, mais monde concret : ainsi le corps du comédien et tout le travail qu'il produit : il *joue* (il bouge, il danse, il montre), et une part considérable du théâtre est dans ce montré-joué du corps, pris en compte ou non nommément par le texte de théâtre. De même il y a un jeu avec l'objet, montré, exhibé, construit ou détruit, objet d'ostentation, de jeu ou de production : l'objet est au

---

7. Voir par exemple notre analyse de la métaphore lune-mort, par double glissement métonymique, *op. cit.*, p. 587.

8. Si nous essayons de formaliser grossièrement ces figures, nous aurons :

Métonymie : $\frac{\text{Sa 1} \rightarrow \text{Sa 2}}{\text{sé 1} \rightarrow \text{sé 2}}$
(glissement)

Métaphore : $\frac{\text{Sa 1} + \text{Sa 2}}{\text{sé 1} + \text{sé 2} + \text{x}}$
(condensation, le x étant le signifié *ajouté* par le fait de la condensation)

Symbole : $\frac{\text{Sa}}{\text{sé 1} + \text{sé 2}}$
(le signifiant du symbole étant le plus souvent le *dernier signifiant* de la métaphore)

(ex. : *cygne*
oiseau + pureté

métaphore : *femme-cygne*
oiseau + pureté + x

Remarquons comment la structure triangulaire du symbole se rapproche de la structure triangulaire des éléments de la fable : ex. : *Amphitryon :*

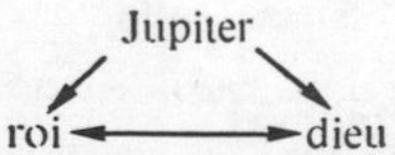

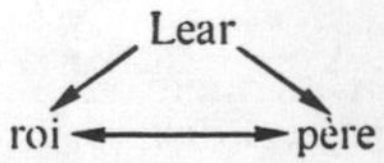

Jupiter → roi, Jupiter → dieu, roi ↔ dieu

Lear → roi, Lear → père, roi ↔ père

théâtre objet ludique. Non qu'il ne soit aussi objet de cette resémantisation qui nous paraît être un des processus-clefs de la signification au théâtre : ainsi *jouer* avec un objet, une arme, par exemple, peut être producteur de sens[9].

L'objet peut être montré dans son processus de production-destruction ; ce n'est pas par hasard si l'objet-produit n'est jamais montré pendant la période classique, où il est fonctionnel, rarement rhétorique, jamais productif ; il faut attendre une époque toute récente pour qu'il soit montré dans la production, non seulement productif, mais *produit ;* les objets jusqu'à l'époque contemporaine (à part quelques rares exemples chez Aristophane ou chez Shakespeare) sont présentés comme *naturels,* la distinction n'étant pas faite entre ceux qui sont tirés de la nature et ceux qui sont le fruit de la culture (de la production humaine). Il faut attendre les dernières années (Brecht) pour voir par exemple l'objet détourné de son usage premier, retourné à une fonction de bricolage, un objet industriel détourné de son emploi, proprement subverti[10]. Le jeu moderne avec les objets tant dans le texte dramatique que dans la mise en scène *a*) *produit* des rapports humains (ou plus exactement les rend visibles), telle la fameuse machine à sous du *Ping-pong* d'Adamov déjà évoquée, qui conditionne tous les rapports des personnages ; tel le fonctionnement du *travail à domicile* (empaquetage de graines) dans la pièce de Kroetz[11] ; *b*) produit du sens, par la loi de resémantisation : l'objet cesse d'être un *donné* pour devenir le résultat d'une opération, et le fait qu'il apparaisse *produit* le met à l'origine à son tour d'une

---

9. Au cinéma on a vu Charles Chaplin montrer Hitler jouant avec un ballon-globe terrestre qui finissait par lui éclater au nez (*Le Dictateur*).

10. Par exemple, la transformation de réfrigérateurs en coffre-forts, etc., dans *Le Calcul égoïste,* le montage de Mehmet sur des textes de Marx, Maïakovsky, etc.

11. Auteur allemand contemporain membre du K.D.P. ; *Travail à domicile,* monté par J. Lassalle au T.E.P. en 1976.

production de sens (la dialectique production-produit est ici opérante) : l'objet devient figure du travail et du rapport des personnages du travail. L'occupant de la scène cesse de recevoir passivement l'objet, de le tenir pour un « cadre », un décor, voire un outil qui lui est fourni : il agit, le fabrique et le transforme, le détruit ; la totalité de ces opérations devra faire l'objet d'une analyse précise. Ainsi par exemple l'usage des *déchets,* comme image d'un monde où le prolétaire récupère ce qui peut encore servir ; ainsi la transformation de l'usage des objets (*l'échelle* qui devient *pont*) ou l'utilisation des objets de la vie quotidienne pour un usage théâtral [12]. La mobilité du signe-objet devient donc seulement indice de la polysémie de l'objet théâtral, mais signe complexe d'une créativité des personnages, créativité dont le fonctionnement théâtral de l'objet devient l'icône : transformer des outils ménagers en costumes, c'est non seulement dire : *nous sommes au théâtre,* c'est aussi dire : le théâtre montre un certain rapport créatif des hommes aux choses, rapport intimement lié à leur situation et à leurs luttes. Ce qui pourrait être simple technique théâtrale se révèle une fois de plus signifiant.

Mais l'analyse de l'objet au théâtre ne peut plus faire l'économie de l'analyse des signes non plus seulement du texte, mais de la représentation : la dialectique texte-représentation apparaît ici clairement.

---

12. Ces deux exemples sont empruntés à la mise en scène du *Cercle de craie caucasien* de Brecht, par le metteur en scène turc Mehmet ; une passoire devient, très convenablement, un casque.

Chapitre V

LE THÉÂTRE ET LE TEMPS

1. DURÉE ET TEMPS THÉÂTRAL

La question fondamentale que pose le texte de théâtre est celle de son inscription dans le temps : de même qu'il y a deux espaces, un espace extra-scénique et un espace de la scène, avec entre les deux la zone médiatisée, celle où se fait l'inversion des signes, c'est-à-dire celle du public, de même il y a dans le « fait théâtral » deux temporalités distinctes, celle de la représentation (une heure ou deux ou plus dans certains cas ou dans certaines cultures) et celle de l'action représentée. Il est clair que le *temps théâtral* peut être compris comme le rapport entre l'une et l'autre, et que ce rapport dépend non tant de la durée respective de l'action représentée et de la représentation que du mode de représentation : s'agit-il ou non de la « reproduction » (mimétique) d'une action réelle ? s'agit-il en revanche d'une cérémonie dont la durée propre est singulièrement plus importante que celle des événements qu'elle « joue »? Une fois de plus nous nous trouvons (comme à propos du *personnage* ou de l'*espace*) confrontés à l'idée qu'il n'y a pas au théâtre de technique autonome (sinon dans le cadre strict d'une forme étroitement déterminée de représentation théâtrale) : autrement dit la solution propre à telle ou telle forme de théâtre ne saurait avoir de signification *en soi,* mais engage tout le fonctionnement de la représentation. Il ne saurait y avoir une forme de rapport temporel qui soit « bonne », convaincante ou proche de la nature, mais toute forme de rapport temporel engage l'ensemble de la signifiance théâtrale. C'est ce que nous voudrions montrer ici.

A quoi il faut ajouter cet autre préalable que le *temps* au théâtre ne se saisit aisément, ni au niveau du texte, ni au niveau de la représentation. Au niveau du texte, parce que, nous le verrons, les signifiants temporels sont tous indirects et vagues ; au niveau de la représentation, parce que des éléments aussi décisifs que le rythme, les pauses, les articulations sont d'une saisie infiniment plus difficile que les éléments spatialisables ; nous nous trouvons confrontés au problème qui est celui de toute scientificité dans le domaine des sciences humaines : il est plus aisé de saisir les dimensions de l'espace que celles du temps.

Qu'est-ce que le temps d'ailleurs dans le domaine du théâtre ? Est-ce le temps universel de l'horloge (ou celui plus précis du battement atomique) ? Est-ce l'irréversible durée historique ? Est-ce la durée physiologique ou psychologique, celle du vieillissement des tissus ou celle de l'épaisseur vécue bergsonienne ou proustienne ? Est-ce le rythme des sociétés humaines et le retour des mêmes rites et cérémonies ? L'extrême difficulté de l'analyse du temps au théâtre vient de l'enchevêtrement de ces *sens* du temps, qui fait de la temporalité une notion plus « philosophique » que sémiologique. Le temps au théâtre est *à la fois* image du temps de l'histoire, du temps psychique individuel et du retour cérémoniel : le temps dans l'*Œdipe roi* de Sophocle peut être analysé à la fois comme représentaton inscrite dans une fête datée, celle des Grandes Dionysies athéniennes, comme temps psychique d'une révélation à l'intérieur d'une destinée, comme temps de l'histoire d'un roi, de son avènement à son découronnement. La difficulté de notre analyse consiste justement à défaire l'enchevêtrement, à *isoler* les brins du réseau, mais aussi à en saisir les signifiants.

Or précisément, ce qui nous paraît décisif pour l'analyse de la temporalité théâtrale, c'est l'étude de ce qui est textuellement saisissable, à savoir les articulations du texte : nous verrons comment c'est à l'aide des articulations textuelles et de leur fonctionnement que peut se saisir le temps théâtral (texte/représentation[1]).

1.1

Reprenons la distinction des deux temporalités distinctes, celle de la représentation et celle de l'action représentée. Elle éclaire la conception classique de la représentation. Deux « thèses » ici s'affrontent : la première fait de ces deux durées deux « ensembles » qui ne sauraient se recouvrir à la rigueur, mais dont la différence tend à s'annuler : un « bon » spectacle est celui dont la durée concrète n'est pas disproportionnée avec la durée de l'action renvoyée à ses dimensions historiques en temps réel, mesurable par l'horloge et le calendrier. Telle est la doctrine classique, bien connue et tellement arbitraire aux yeux de tous, à commencer par ses défenseurs, que personne ne peut la définir autrement que par cet à-peu-près qu'est le *jour* (24 heures) comme équivalent des deux heures de la représentation. De fait, si l'unité de lieu, du fait non seulement des truquages possibles, mais de l'existence du hors scène textuel[2], est vécue comme acceptable, l'unité de temps est toujours apparue comme une contrainte, parfois légère, souvent insupportable, non pas tant du fait de sa durée trop faible (deux jours ou une semaine n'eussent rien arrangé) que du fait qu'elle

1. Boileau...
2. De toute manière l'aire de jeu est *une*.

oblige à confronter le temps de l'horloge et/ou le temps historique avec le temps psychique, vécu, de la représentation, qu'elle oblige à construire une proportionnelle entre l'un et l'autre, donc à *les tenir pour homogènes.* Du même coup s'établit un rapport discutable entre le temps théâtral et le temps de l'histoire ; on pourrait penser que mesurer l'un avec l'autre reviendrait à donner au temps théâtral l'objectivité temporelle de l'histoire. Mais c'est l'inverse qui se produit, pour des raisons qui ne sont pas étrangères, on s'en doute, au fonctionnement de la dénégation théâtrale[3] : bien loin d'historiciser le théâtre, le travail de l'unité de temps *théâtralise l'histoire.* La durée historique est arrachée à l'objectivité du monde et de ses luttes, pour être arbitrairement transportée dans le domaine de la représentation. Ainsi par exemple l'histoire chez Racine est renvoyée non seulement au hors-scène, à cet *ailleurs* de la guerre de Troie, de la guerre de Mithridate, des conquêtes d'Athalie — mais au hors-temps, à cet *ailleurs temporel,* où Agrippine a empoisonné Claude, dépossédé Britannicus, où Titus a conquis la Judée avec l'aide de Bérénice ; l'histoire est une *autre place temporelle,* et la coupe nécessaire et brutale dans le temps historique prive les rapports humains (sociohistoriques) de tout développement, de tout processus. Le théâtre classique devient, par le biais de l'unité de temps, un acte instantané, excluant la durée indéfinie des luttes, comme la récurrence et le retour des déterminations psychiques.

1.1.1. L'*unité de temps,* c'est-à-dire cette confrontation du temps réel et du temps psychique, coupe aux deux bouts la temporalité des rapports humains, qu'il s'agisse de la durée socio-historique ou de la durée vécue, individuelle, des rapports de l'homme et de son passé, du retour du passé comme refoulé. De là, dans le théâtre classique, le renvoi de toute l'épaisseur temporelle à l'extra-scène : c'est dans l'extra-scène, c'est-à-

3. Voir *supra* sur la dénégation, p. 42 et suiv.

dire dans *le discours des personnages* que se lit le rapport de l'individu et de l'histoire : ainsi dans *Suréna,* l'ambassade où le général parthe et la princesse arménienne ont uni dans un accord muet leur amour absolu et leur entente politique ; la réalité tragique fondamentale est située dans un hors scène psychique inscrit dans la parole du personnage qui est un hors temps ; de là la nécessité que ce passé soit le *passé de quelqu'un* (autrement dit qu'il y ait, comme dit Althusser, une conscience spéculaire centralisatrice), ct non pas le passé collectif du groupe. De même le passé de l'histoire est renvoyé hors scène, non plus comme l'émergence d'un conflit actuel, mais comme une référence symbolique : ainsi dans *Andromaque,* la guerre de Troie est un système de référence dont la caractéristique est de n'être *plus en question* mais *d'être là* comme pure trace psychique. On peut en dire autant de la guerre de Judée dans *Bérénice.* Le conflit historique est hors de l'histoire, c'est-à-dire hors de l'histoire en train de se faire. L'unité de temps inscrit l'histoire non comme *processus,* mais comme fatalité irréversible, inchangeable. La solution historique est nécessairement inscrite dès le départ dans le texte tragique, elle n'est jamais dépendante de l'action des hommes. Ainsi dans le *Sertorius* de Corneille, la liberté des héros est à jamais compromise par ce fait — lié directement à l'unité de temps — que le tyran Sylla est, au moment où le rideau se lève, déjà hors du pouvoir, quoique les protagonistes l'ignorent. Il est intéressant de voir dans *Iphigénie* comment une guerre *future* (mais dont les spectateurs connaissent l'existence et l'issue) est inscrite comme fatalité ; l'incertitude du conflit, base de l'action dramatique, ne saurait avoir de dimension temporelle : Achille est virtuellement *déjà mort* devant Troie. Un exemple admirable : quand la décision finale d'Eurydice engage la vie de Suréna qu'elle sauve, Suréna est mort. L'ouverture tragique sur l'acte libre est toujours inscrite dans un *déjà-fait,* déjà vécu qui la détruit. La dramaturgie classique de l'*unité de temps* exclut nécessairement le devenir.

1.1.2. Du côté du récepteur-spectateur, la représentation classique suppose l'impossibilité de faire travailler le temps psychique du fait de l'*homogénéité* entre le temps vécu par le spectateur et le temps référentiel du récit représenté. Le spectateur peut faire l'économie du travail dialectique qui consiste à faire l'aller et retour entre son propre temps de spectateur et l'épaisseur de la durée historique-psychique qu'il serait contraint d'imaginer. Il n'est pas obligé a) de combler les trous temporels du texte théâtral, b) de percevoir l'hétérogénéité radicale entre son propre temps vécu (hors action) et les processus historiques qui lui sont présentés. L'unité de temps contraint le spectateur à la « sidération » aristotélicienne (au sens brechtien du terme). L'histoire — que le spectateur n'a pas à reconstituer — apparaît du même coup spectacle étale, à jamais révolu dans son immutabilité, fait pour être vu, non pour être vécu : l'histoire est *spectacle fini.* Claude est à jamais mort empoisonné par Agrippine et ce forfait ouvre à jamais sur le forfait parallèle, enfant du précédent, le fratricide de Néron. De même — et il n'y a pas de différence de nature entre les deux ordres d'événements — la durée individuelle, le passé « psychique » des protagonistes est vu dans la même lumière d'éternité. La représentation classique est cérémonie sans épaisseur temporelle.

Il y a ainsi un réseau idéologique solide dans lequel s'inscrivent à la fois le mode de référence historique de la tragédie, l'unité de temps, l'unité spéculaire autour d'un personnage, et la « fatalité » (la permanence) qui détermine actions et sentiments. Ce n'est pas un hasard si Corneille, dont on sait les démêlés avec l'unité de temps, ne parvient pas à constituer totalement ce réseau signifiant ; et le côté fascinant de son théâtre vient de cette bataille entre deux vues du temps, celle où une créativité du héros et de l'histoire contraint le spectateur à construire le rapport entre le temps référentiel et le temps théâtral (ainsi *Le Cid* et l'épisode de la bataille des Maures), et une vue « classique » où rien ne se passe qui ne soit déjà passé, où la représentation est comme la reproduction d'un passé perpétuellement déjà là.

1.2.

Inversement toute *distance* textuellement inscrite entre le temps représenté et le temps référentiel indique un *passage :* des sentiments, des événements, de l'histoire. Toute coupure temporelle conduit le spectateur (et déjà le lecteur) à reconstituer un rapport temporel qui ne lui est pas donné à voir, mais à construire.

L'histoire a marché, le royaume s'est agrandi ou décomposé, le héros enfant au premier acte « est barbon au dernier », le vécu est l'objet d'une quête : du même coup il est imaginé comme ayant une référence autonome, hors scène ; la rupture de l'unité de temps contraint le spectateur à dialectiser l'ensemble de ce qui lui est proposé, à *réfléchir sur l'intervalle.* Ainsi chaque fois que la scène présente un saut temporel, s'installe dans la conscience du spectateur la nécessité d'inventer le processus qui le comblera. De même il est contraint à réfléchir sur la nature autonome du temps théâtral, sur cet aspect décisif de la spécificité théâtrale, dans la mesure où le temps de la représentation *apparaît non homogène à celui de l'histoire référentielle.* Meyerhold disait : « les épisodes permettent au théâtre d'en finir avec la lenteur du rythme imposé par l'unité d'action et de temps du néo-classicisme ».

Ainsi toute dramaturgie de l'étirement temporel va à l'encontre :

a) de la célébration du spectacle comme cérémonie marquée du sceau de l'unité temporelle et comme imitation d'une action qui a elle-même un caractère a-temporel, an-historique ;

b) du texte classique compris comme unité sans faille, discours ininterrompu, sans aucune rupture dans la chaîne temporelle ;

c) de la rationalité linéaire d'une histoire où il ne se passe rien de nouveau, et où le mouvement est répétition de la même histoire, ou simple déploiement des prémisses inscrites au début de la narration dramatique.

C'est sur ce point précis que se fait l'opposition entre une dramaturgie dite baroque (Shakespeare, Calderon, etc.) et une dramaturgie dite classique. Shakespeare, inscrivant l'histoire comme processus, choisit la discontinuité temporelle qui le fit refuser des derniers tenants du classicisme. On ne s'étonnera pas que la dramaturgie romantique, prise dans les problèmes d'une écriture de l'histoire, s'efforce de retourner au discontinu shakespearien, non sans quelque timidité. L'éclatement spatial oui, mais l'éclatement temporel non, parce qu'il engage des conséquences idéologiques que les romantiques ne sont pas prêts à assumer : la bourgeoisie tente de montrer la continuité historique qui la rattache à la monarchie. Le public n'est donc pas prêt à accepter une dramaturgie du discontinu temporel. D'où l'effort fait par les dramaturges romantiques pour revenir à l'histoire sans être totalement infidèles à l'unité de temps : ainsi *Chatterton,* strictement fidèle à l'unité de temps; ainsi le mélodrame qui ne respecte pas l'unité de lieu mais tient au moins dans sa première période la gageure des vingt-quatre heures.

Chaque fois que l'inscription historique se fait réellement comme dans *La Jacquerie,* de Mérimée, ou les grands drames historiques de Hugo (*Hernani, Le Roi s'amuse, Ruy Blas*), la rupture temporelle intervient. On pourrait méditer sur le sens de l'étirement temporel chez un Lenz comme contestation du déterminisme passionnel. Même chez Tchekhov, l'unité de temps est récusée dans la mesure où l'érosion temporelle fait éclater les contradictions, voler en éclats les confortables compromis[4]. Une part considérable de la nouveauté dramaturgique de Brecht tient à la fragmenta-

4. La mise en scène de *La Mouette,* montée par L. Pintilié (Théâtre de la Ville, Paris, 1974-1975), fit entendre deux fois les scènes du début et de la fin, une fois sur le mode réaliste, une autre fois sur le mode onirique, permettant au spectateur de mesurer le parcours des quatre protagonistes.

tion temporelle qui permet de mesurer le travail irréversible de l'histoire, dans *Mère Courage*, ou *Sainte Jeanne des Abattoirs*.

1.3. Dialectique du temps

Toutes ces distinctions historiques entre modes de représentation n'empêchent pas que subsiste dans tous les textes théâtraux une dialectique entre unité et discontinu, progrès continu/progrès par bonds, temporalité historique/an-historicisme. Même dans la représentation classique le non-temps suppose la présence d'un temps aboli, d'un autre temps, temps de référence, valorisé ou dévalorisé, mais porteur d'une catastrophe dont l'*ici-maintenant* de la tragédie n'est que le déploiement final : ainsi la victoire sur Troie est ce dont les conséquences se déplient tout au long du texte d'*Andromaque*[5]. *Phèdre* est l'histoire d'un processus avorté, celui de la succession royale, — avec pour corollaire un double retour du passé, la résurrection du roi Thésée, la restauration des Pallantides dans la personne d'Aricie. On ne peut donc pas dire que l'histoire ne soit pas présente chez Racine, même si elle ne l'est que sous les espèces du passé destructeur. L'unité de temps n'abolit pas totalement la référence historique, et il serait toujours possible à une mise en scène de montrer *par un artifice* le creux temporel qui unit et sépare Troie en cendres et l'Epire menacée (« L'Epire sauvera ce que Troie a sauvé »). Inversement la discontinuité historique, ce temps fracturé des grands drames de l'histoire shakespearienne n'empêche pas l'unité dramatique de se reconstituer du seul fait de

---

5. On peut étudier les références au passé tragique de la victoire-défaite dans le langage des personnages et voir comment cet *autre temps* est à l'intérieur des discours la marque d'un éternel présent de la mort violente : « Tu t'en souviens encore, tout conspirait pour lui (...). Nos vaisseaux tout chargés des dépouilles de Troie. » — « Je ne vois que des tours que la cendre a couvertes. » — « Songe, songe, Céphise à cette nuit cruelle/Qui fut pour tout un peuple une nuit éternelle. »

la représentation (de la présence par exemple des mêmes comédiens, avec le même physique, la même gestuelle). Unité dramatique déjà prise en compte textuellement par l'unité du discours et de la forme littéraire.

1.4. L'espace-temps ou la rhétorique temporelle

Toutes sortes d'exemples privilégiés montrent comment marche la rhétorique du temps. Même dans la représentation classique, espace et temps apparaissent comme la métaphore d'un de l'autre. On sait comment pour Racine, dans *Bajazet,* l'éloignement dans l'espace est l'*équivalent* de l'éloignement dans le temps. Tout ce qui est du temps peut être figuré par des éléments spatiaux. Ainsi par exemple quand l'unité de temps n'est pas trop bousculée, il y a des façons perverses de la mettre en question : dans *Lorenzaccio,* l'épisode central, la *journée* du meurtre, est relativement centré dans le temps. Mais une étude de détail de la marche du temps dans la pièce montrerait :

— l'impossibilité de faire une chronologie à la rigueur de la pièce (il n'est pas impossible de repérer même des retours en arrière), ni de se retrouver dans cette cascade de simultanéités et de ruptures temporelles ;

— surtout le fait que la rupture spatiale (chaque scène se passant dans un lieu différent) relaie la rupture temporelle quand elle est absente, indiquant non pas à proprement parler un creux temporel, mais une faille du temps où le spectateur-lecteur se perd. Ici l'espace et sa dispersion apparaissent bien comme les signifiants métaphoriques du temps et de sa dispersion.

On en voit bien les conséquences idéologiques :

a) La dispersion du *lieu de l'histoire* signifie que l'histoire se fait non plus seulement au lieu royal, mais en divers lieux : la liaison de la cité vue comme accumulation de lieux sociologiques et de l'histoire vue comme *processus* complexe, comme causalité multiple, indique la rupture du monologisme théocentrique et monarchique.

b) C'est ce que dit aussi le travail de la *simultanéité,* tel qu'on le voit non seulement dans l'exemple éclairant donné par *Lorenzaccio,* mais dans l'ensemble de la dramaturgie élisabéthaine, où le fonctionnement simultané possible de divers lieux scéniques dans l'aire de jeu indique la présence simultanée de l'action de divers groupes ou individus.

c) Plus précisément ce travail du simultané indique la présence de divers *temps décalés :* ainsi dans *Le Roi Lear,* il y a concurrence dans l'action dramatique, de *deux temps,* le temps tragique, a-temporel, de la tragédie du roi (Lear et ses compagnons, le Fou, Edgar, et même Gloster), et le temps épique de l'action, celui d'Edmund et de Cordelia, qui lèvent une armée, se préparent à la bataille, etc. ; la coexistence des deux systèmes de temps indique la coexistence de deux vues de l'histoire et à la limite de deux idéologies.

d) La récurrence des mêmes lieux indique la récurrence temporelle ou au contraire, par la différence, permet de saisir le temps comme processus : dans *En attendant Godot,* Beckett joue admirablement de l'un et de l'autre : rien n'a changé d'un jour à l'autre dans le lieu de l'attente, à l'exception de l'arbre qui tout à coup s'est couvert de feuilles, indiquant à la fois ce qui se passe et ce qui subsiste comme éternel retour ; à la fois l'irréversible et la circularité.

On voit donc par ces quelques exemples comment la rhétorique spatio-temporelle est le lieu d'un fonctionnement du temps qui est un élément déterminant de l'idéologie de l'œuvre théâtrale (texte et représentation).

On voit donc aussi la difficulté que rencontre toute sémiologie théâtrale dans la détermination des éléments temporels : *le signifiant du temps c'est l'espace* et son contenu d'objets.

2. LES SIGNIFIANTS TEMPORELS

Le signifiant concret du temps, celui que la représentation peut figurer, c'est l'ensemble des signes spatiaux, en particulier ceux qui figurent dans les didascalies.

Le problème fondamental du temps au théâtre est qu'il se situe par rapport à un *ici-maintenant* qui est l'ici-maintenant de la représentation et qui est aussi le présent du spectateur : le théâtre est ce qui par nature nie la présence du passé et du futur. L'écriture théâtrale est une *écriture au présent.* Tout ce qui sera signe du temps est donc par nature compris dans un rapport au présent : le signifiant du temps au théâtre est autant marqué par la dénégation que les autres signifiants du théâtre : nous ne sommes *pas* à la cour du Roi-Soleil, même si on nous le dit et si on nous le montre ; nous ne sommes *pas* dans une matinée de printemps, mais par une nuit d'hiver que nous retrouverons à la sortie. Le problème des signifiants du temps est qu'ils désignent un *référent* nécessairement hors scène : la difficulté du temps au théâtre est qu'on peut le désigner comme *référent,* on ne peut pas le *montrer,* il est par nature hors de la *mimésis :* le temps de l'histoire, pas plus que la durée vécue ne peuvent fonctionner comme référent construit sur scène.

De là les difficultés du signifiant du temps ; plus que partout ailleurs il importe, pour les raisons précédentes, de distinguer texte et représentation :

a) La représentation est *temps vécu* pour les spectateurs, temps dont la durée dépend étroitement des conditions socioculturelles de la représentation (de la petite heure-heure et demie des représentations modernes sans entracte [6] aux journées et successions de

---

6. Il y aurait beaucoup à dire sur l entracte comme coupure, retour à la théâtralité.

journées des mystères ou des concours tragiques antiques en passant par les très longues soirées du XIXe siècle, et les durées en accordéon des festivals). De toute manière la représentation est rupture de l'ordre du temps, un temps de la fête, quel que soit le mode et la nature de la fête, inscrite ou non dans une cérémonie. Elle arrête le temps ordinaire, elle est un *autre temps,* que cet autre temps soit un maillon prévu dans la chaîne des jours (Grandes Dionysies athéniennes ou... vendredi habillé à l'Opéra de Paris) ou qu'il soit un renversement socioculturel, un *temps carnavalesque*[7].

b) Ce qu'indique le texte de théâtre c'est un *temps rapporté,* que la représentation montrera comme *déplacement de l'ici-maintenant :* donc le temps que l'on peut repérer dans le texte de théâtre renvoie non au temps réel de la représentation (temps sur lequel le texte ne dit pas grand-chose), mais à un temps imaginaire et syncopé[8]. Ce n'est que par la médiation des signes de la représentation que le temps représenté s'inscrit comme *durée,* comme sentiment du temps pour les spectateurs. Encore faut-il qu'il y ait explicitement de la part du scripteur volonté de *dire le temps vécu* (Tchekhov, Beckett, Maeterlinck)[9].

c) Dans beaucoup de cas au contraire, le travail textuel consiste non pas à dire le temps, mais à l'abolir, comme si le théâtre justement était ce qui ne travaille pas dans le temps, la représentation devant non pas seulement un autre temps, mais un *non-temps.* Un certain nombre de dramaturges évoluent dans cette syncope du temps, leurs structures textuelles étant chargées de montrer que tout est advenu de toute éternité, et que la tâche du héros est de rattraper ce *déjà-fait :* c'est ce que nous avons appelé à propos de Racine la *précession du fatal.* Le temps devient le non-temps du mythe, et c'est probablement là, plus que l'utilisation des légendes (quoique les deux traits soient

7. Voir Bakhtine, *Rabelais.*
8. Temps ponctué par des repères chronologiques abstraits.
9. Voir *infra* les inventions ingénieuses pour dire la durée.

indissolublement liés), qu'il faut chercher l'aspect *mythique* de la tragédie de Racine.

d) Une dernière difficulté, constitutive (et liée, nous l'avons vu, à la question de la *mimésis* du temps) : le temps est ce qui *ne se voit pas,* mais se dit seulement, ce dont il faudra, pour en rendre compte, perpétuellement inventer les signes visuels.

2.1. Cadrage

Dire le temps c'est déplacer l'*ici-maintenant,* inscrire le fait-théâtre (texte + représentation) dans un certain cadre temporel, lui donner ses limites en même temps qu'on assure son ancrage référentiel. Or s'il est une découverte irrésistible de l'analyse structurale, c'est bien l'importance qu'elle attache au début, à l'*incipit,* aux premiers signes par rapport auxquels les autres s'organisent. Le *début* de tout texte théâtral fourmille en indices de temporalité (didascalies d'ouverture et début du dialogue) : l'*exposition* suppose l'ancrage dans la temporalité, si temporalité il y a : les didascalies sont là pour marquer ou non le temps, toujours relayées par le dialogue.

2.1.1. Elles marquent un moment de l'histoire par une série d'indices : les noms des personnages (historiquement connus, ou marqués linguistiquement : noms latins ou grecs, etc.) ; la période ou le moment nommés : « la scène se passe à... en l'année... » ; les indications de vêtement ou de décor, datées.

a) Ce passé historique peut être *abstrait :* le cadre temporel des pièces classiques est un pur indice textuel qui ne supporte aucune didascalie de couleur locale : la Rome de *Bérénice* n'indique aucun décor pompéien, même si les « flambeaux » et les « licteurs » suggèrent un hors-scène imaginaire. Contrairement à la dramaturgie romantique, le signifiant historique peut donc être détaché de tout signe visuel, figurable, renvoyant à une époque déterminée. En revanche ce passé abstrait peut indiquer avec une grande précision le moment de l'action par rapport à un événement historique : *Béré-*

nice, trois jours après la mort de Vespasien ; le *Jules César* de Shakespeare commence le jour de Ides de Mars, jour de l'assassinat de César. La pièce peut même être datée par rapport à un événement légendaire : Phèdre six mois après le départ de Thésée ; Horace, le matin du duel décisif entre Rome et Albe. Ces indications sont de simples repères contextuels.

b) Les indications peuvent faire un travail de « présentification » du passé historique : les signes de l'*ici-maintenant* étant, autant que faire se peut, recouverts par les signes indiciels et iconiques du passé. C'est le travail non tant de la dramaturgie shakespearienne, qui fabrique des signes passés imaginaires, que de la dramaturgie romantique.

c) Les signes peuvent *indiquer le passé* en tant que passé, et sa trace dans le présent. Indices du passé : micro-récits des événements, renvoyant à un hors scène temporel ; micro-séquences informantes concernant le passé du personnage ou des circonstances ; fonctionnement indiciel de signes informants (informants pour le présent, indiciels pour le passé [10]) ; — enfin figurations iconiques du passé : cadre vieilli, ruine, tout le théâtre de Hugo est marqué de signes iconiques (décor) indiquant le passé comme ruine, et ruine investissant le présent ; le vieillard enfin, figure dans tout théâtre la *présence vivante du passé,* du révolu historique : tout un jeu se fait entre le *vivant* et le *révolu* des éléments du passé.

2.1.2. Les marques indicielles de l'histoire peuvent en revanche ne figurer nulle part.

Leur *absence* indique un degré 0 d'historicité, un cadre temporel abstrait (voir par exemple les premières pièces d'Adamov) : mais alors nous sommes ramenés au moment présent, à l'*ici-maintenant* de toute repré-

---

10. Ainsi la séquence de l'acte I de *Lucrèce Borgia* où l'héroïne prie son homme de main Gubetta de remettre en liberté ses prisonniers est *informante* par rapport à sa conversion au bien, *indicielle* par rapport à ses crimes passés.

sentation. C'est le cas de toute une série d'œuvres modernes, dans lesquelles l'absence de repères historiques renvoie non pas seulement au refus de l'histoire mais plus précisément au *temps présent :* par une sorte de loi, l'absence de référent historique passé *signifie le présent;* il en est ainsi, qu'ils le veuillent ou non, chez Genet ou chez Beckett. Mais par un paradoxe imprévu, toute localisation dans le présent (allusion contemporaine, mode, etc.), tout renvoi référentiel à l'actuel, *historicise* irrémédiablement : c'est le malheur de pièces dites de boulevard, d'être très vite historicisées sans l'histoire (c'est-à-dire... démodées).

2.1.3. Historiciser le présent. En revanche, toute une série complexe d'informants dessinent une *situation temporelle,* présentée non comme un passé aboli, mais comme un présent de l'histoire. A ce moment, l'historicisation du texte est telle qu'on ne peut plus distinguer ce qui est à proprement parler *signifiant du temps* puisque l'ensemble des signes textuels du début à la fin du texte constitue un système d'informants et d'indices, progressant jusqu'au dénouement : chaque signe nouveau marque l'évolution de la *situation contextuelle :* c'est ainsi que l'on pourrait montrer dans *Sainte Jeanne des Abattoirs* de Brecht, ou dans les pièces d'Horvath (*Dom Juan revient de guerre, La Foi, l'Espérance et la Charité*) une projection *tout au long du texte* du paradigme du temps sur le syntagme de l'action ; ainsi dans les trois pièces nommées, on pourrait relever dans le texte (didascalies + dialogue) tous les signes de la crise des années 1920-1930, avec ses diverses particularités historiques datées.

2.2. Le temps et la modalisation de l'action

2.2.1. Didascalies (et dialogue les relayant) peuvent au cours de l'action indiquer le passage du temps, le progrès de l'action :

— changement de saison, changement d'heure (passage du jour à la nuit et réciproquement) ;

— changement dans le décor, marquant un *passage* ui peut être dénoté comme à la fois spatial et emporel, tout changement dans le décor connotant, auf indication contraire, un déplacement dans le temps.

2.2.2. Le nombre et la succession des *événements de la fable,* le rythme de la succession des unités du texte, la longueur des unités (surtout des séquences moyennes, des *scènes*), donnent de la durée temporelle un sentiment différent. Le retour ou le progrès des différentes séquences[11] indique un temps progressif ou un temps circulaire ; mais ces indications sont relatives : un grand nombre d'événements dans un court espace de temps représenté peuvent donner l' « impression » d'un temps extrêmement long ou au contraire d'une bousculade temporelle. Il faut d'autres éléments pour donner le rythme du temps.

2.2.3. Le discours des personnages. Le discours des personnages comprend des *signifiants du temps :*

a) Il est semé de micro-séquences informantes, annonçant les progrès de l'action, la marche du temps, la suite des événements : « La fuir depuis six mois et la voir tout à coup » annonce Ruy Blas à l'acte III (indiquant qu'il s'est écoulé ce temps depuis l'acte II). De même certaines micro-séquences informent d'un *autre temps,* extra-scénique, simultané ou décalé : ainsi Cléone faisant le récit interrompu du mariage de Pyrrhus avec Andromaque.

b) L'analyse du fonctionnement temporel du texte réclamerait le relevé exhaustif de tous les *déterminants du temps* (adjectifs ou adverbes selon l'ancienne nomenclature), et de tous les syntagmes temporels ; on repérerait les récurrences indiquant un fonctionnement particulier du temps : ainsi chez Racine la récurrence

11. Dans *Maître Puntila et son valet Matti,* de Brecht, les signifiants temporels indiquent la succession rapide, le battement entre le temps de l'ivresse du maître et le temps de sa lucidité.

de *pour la dernière fois* (souvent remarquée), mais aussi celle de *mille fois, cent fois, encore un coup,* marquant le caractère répétitif de la situation passionnelle; *encore, jamais, toujours,* connotant l'irrémédiable et l'absolu ; de même l'opposition lexicale entre des déterminants indiquant l'urgence et ceux indiquant la temporisation (recherche particulièrement intéressante dans *Bajazet*), l'urgence de la situation engendrant paradoxalement l'irrésolution et l'étirement infini du temps :

c) Ce relevé ne saurait se séparer de l'analyse des temps de verbe, indiquant la présence du futur ou du passé. La fréquence relative des uns et des autres dans le système nécessairement au présent du texte dramatique indique un rapport précis au temps : ainsi le futur marque l'urgence, la propulsion vers l'avenir, ou connote paradoxalement l'absence d'avenir, l'ironie tragique (ou comique) montrant un futur qui ne se réalisera pas, ou la psychologie de l'incertitude (Adamov).

2.2.4. Il serait possible d'étudier aussi les *signifiants temporels de la clôture de l'action,* les événements terminaux : la mort, le mariage, la guerre, la paix, comme changement dans le sens du temps. Le système théâtral du temps ne se comprend pas sans l'inventaire des signes connotant la dégradation ou l'amélioration, la réintégration (la restauration) ou l'avènement d'un nouvel ordre. C'est toute une étude des champs lexicaux des dernières répliques qui pourrait être tentée. Du point de vue syntaxique, dans les derniers discours des personnages, il faudrait relever les changements dans le système temporel, le recours au futur ou au contraire le retour au présent. Un exemple syntaxique : le passage fréquent à l'impératif, comme ouverture à un autre sens du temps : « Nous autres, bénissons notre heureuse aventure » s'écrie Félix à la fin de *Polyeucte,* et cet impératif est presque de règle, connotant le saut nécessaire à un autre temps, saut qui est une *action,* la dernière. Sans omettre aussi bien dans la comédie que dans le théâtre brechtien l'impératif qui est l'adresse au spectateur, le rapport refait avec l'autre temps, *le temps du spectateur*. C'est toute la clôture de l'action qui doit être analysée comme un segment autonome où l'on repère non seulement le fonctionnement de la *fin du temps* de l'action, mais tout le fonctionnement temporel du texte, dans la mesure où une fin *restauration de l'ordre ou éternel retour* suppose un autre régime du temps, donc une autre signification idéologique qu'une fin *ouverture sur le nouveau*.

2.2.5. La temporalité comme rapport entre signifiants. Une conclusion s'impose devant ce catalogue : c'est qu'à proprement parler des déterminations textuelles du temps n'ont pas de sens quand elles sont isolées : un signifiant temporel n'a pas de « signifié » : que veut dire « il est six heures » ou « ce matin » ? Un signifiant temporel ne prend sens que par son rapport à un autre ; le temps est un *rapport*. Au théâtre, il est un rapport en général décalé : laissons de côté le décalage constitutif du théâtre historique entre les deux moments de l'histoire. Mais un rapport décalé se fait entre les informants (les indicateurs temporels) et les didascalies indiquant le temps vécu (l'heure, le jour, la nuit) : ainsi par exemple le fait que dans *Angelo* (Hugo) la succession des jours est une succession des nuits ; que dans *Britannicus* le jour est un pont entre deux nuits du crime : l'enlèvement de Junie et le meurtre de Britannicus. De même ce n'est pas le nombre d'événements qui apporte le rythme rapide ou long, mais le rapport de ce nombre avec le reste des indications temporelles : un grand nombre d'événements dans un petit intervalle de temps peut donner le sentiment au spectateur-lecteur que le temps s'arrête ; en revanche, le nombre d'informants temporels accompagné de peu d'action donne le sentiment d'une durée infinie : le nombre des indicateurs temporels dans ce *Bajazet* où personne ne fait rien donne le sentiment d'un temps arrêté. D'autre part, un autre type de rapport peut naître, celui fréquent chez Shakespeare, qui provient d'une collision entre deux temporalités : celle des humains et des dieux dans *Le Songe d'une nuit d'été,* par exemple, ou dans *Lear,* celui du vieux roi et celui de ses filles engagées dans la guerre. Dans *Le Cid,* la bousculade des événements soulignée par le soin que met Corneille à préciser qu'ils n'excèdent pas vingt-quatre heures met en lumière la collision entre le temps dramatique du conflit et le temps épique du héros.

Les dramaturges du temps, un Maeterlinck, un Tchekhov, créent le sentiment dramatique du temps par le décalage entre les éléments du décor (montré ou simplement parlé par les personnages) et le discours de ces personnages ; chez Maeterlinck, le discours des personnages paraît ne pas bouger, être infiniment répétitif : mais ce sont les éléments du « monde » qui se déplacent et changent, créant une insupportable tension d'angoisse (*L'Intruse, Les Aveugles,* etc.)

Chez Tchekhov, les personnages passent leur temps à parler ce temps, leur passé, la différence du présent et du passé, la nostalgie du futur ; et pendant ce temps le décor ne bouge guère, ne se déplace que par infimes touches angoissantes : dans *La Mouette,* la permutation des meubles, le changement de saison, la rouille qui, dit-on, envahit le petit théâtre.

Dans *En attendant Godot,* il s'est écoulé une seule journée et voici que l'arbre nu s'est couvert de feuilles : nous sommes dans l'*impossible théâtral,* dans ce temps qui passe et qui ne passe pas, dans cette temporalité particulière à Beckett et créatrice d'une durée répétitive et destructrice.

Le théâtre est toujours ce rapport temporel impossible, cet oxymore du temps, sans lequel il ne ferait voir et vivre ni l'histoire ni notre temps vécu.

3. TEMPS ET SÉQUENCES

Nous avons vu, dans la première section de ce chapitre, comment la temporalité était avant tout inscrite dans le rapport (continu-discontinu) entre le temps du spectateur et le temps représenté ; la seconde section nous a montré l'insuffisance, le caractère relatif, non autonome des signifiants du temps. L'essentiel des signes de la temporalité nous paraît résider dans le mode d'articulation des unités qui découpent le texte de théâtre.

Quelques remarques :

a) Nous butons à nouveau sur ce problème essentiel du rapport dans la représentation du continu et du discontinu, de la durée comme coulée brute et des intervalles inscrits dans cette durée.

b) Si nous tenons le texte pour une grande « phrase », image commode, nous rencontrons un autre problème qui est celui de la coexistence de modes d'articulation différents du même texte ; la comparaison avec la *phrase* est sans doute insuffisante, peut-être la comparaison avec le vers sera-t-elle plus adéquate : « Le vers, dit Youri Lotman, est à la fois une suite d'unités phonologiques perçues comme divisées, existant distinctement, et une suite de mots perçus en tant qu'unités soudées de combinaisons phonématiques »[12]. On peut en dire autant du texte théâtral, surtout dans la mesure où les articulations de réseaux textuels différents *peuvent ne pas coïncider ;* le problème devient crucial à propos des petites et moyennes unités.

c) Le mode d'écriture du théâtre et des diverses dramaturgies dépendent étroitement de la syntagmatique théâtrale, c'est-à-dire du fait que les séquences (grandes, moyennes ou petites) sont organisées en unités *serrées* (vaudeville, mélodrame, tragédie) ou *lâches* (théâtre contemporain, de Maeterlinck à Beckett), en passant par toute une série d'intermédiaires, ou bien encore *discontinues et réversibles* (relativement) comme chez Brecht ; sans exclure la possibilité que tel type de syntagmatique vaille pour un tel niveau d'unités et ne vaille pas pour des unités plus

12. Y. Lotman : *Structure du texte artistique*.

petites (ainsi le réseau *serré* des micro-séquences chez Brecht et souvent chez Shakespeare).

d) Le travail propre de la représentation peut confirmer ou contrarier la syntagmatique textuelle par sa syntagmatique propre : la triple opposition *serré* vs *lâche, continu* vs *discontinu, réversible* vs *irréversible* peut être levée ou inversée par la mise en scène : on peut insister sur la continuité en laissant en place des éléments fixes (décor, objets, et même personnages) ou en préservant la récurrence des mêmes éléments ; ainsi peut-on transformer en continu même le discontinu brechtien ; ou bien au contraire on peut mettre l'accent sur tout ce qui peut signifier la rupture spatio-temporelle : on peut alors rendre problématique même la continuité classique.

3.1. Trois moments

Un premier mode de découpage du texte est celui qu'esquissait notre tableau des signifiants temporels, et qui distingue trois moments dans le continu du texte :

1° une situation de départ (l'*ici-maintenant* de l'ouverture du texte) ;

2° le texte-action ;

3° une situation d'arrivée.

Ce mode d'analyse est une pure opération abstraite, effectuée à l'aide d'une analyse de *contenu;* elle suppose un inventaire de départ, un inventaire d'arrivée et entre les deux une série de médiations plus ou moins enchaînées. Cette opération abstraite n'est pas sans importance pour déterminer non tant ce qui s'est passé que *ce qui a été dit.* Prenons l'exemple complexe du *Roi Lear :* au départ, le roi dépose sa couronne et divise son royaume entre ses filles. A l'arrivée, tout le monde est mort ; reste un héritier de hasard, ramassant la couronne ; une double lecture de cette situation d'arrivée : a) la « trahison » du roi qui s'est comporté en simple féodal a conduit à la destruction ; b) Lear a renversé l'ordre de la nature, et l'ordre de la nature est réellement renversé : ses filles sont mortes avant lui. Les médiations sont complexes : querelles et trahisons féodales, comportement des filles ingrates, comportement de la fille fidèle (mais qui pousse vers la même issue).

Autre exemple, plus simple, *Andromaque :* au départ, Pyrrhus trahit la Grèce en voulant épouser sa captive, et, d'une certaine façon, ressusciter Troie. A l'arrivée, la Grèce s'est vengée de son propre héros par une démarche autodestructrice (mort d'Hermione, folie d'Oreste) ; les médiations : allers et retours de Pyrrhus entre la Grèce et Troie, Andromaque et Hermione.

Tous les drames de l'intégration (ou de la réintégration) du héros se lisent ainsi assez facilement, d'autant que cette division ternaire permet de rendre compte du passage d'un espace à un autre [13]. Prenons plusieurs exemples :

La vie est un songe, de Calderon : Au départ, Sigismond, prince héritier disgracié est dans sa prison. A l'arrivée, il a pris place sur le trône, définitivement ; les médiations : ses allers et retours d'un espace à l'autre lui ont permis de comprendre que « la vie est un songe ».

Ruy Blas : Au départ, Ruy Blas, qui rêve à la reine, est laquais d'un grand seigneur. A l'arrivée Ruy Blas redevient laquais pour mourir ; la médiation : Ruy Blas devient par une imposture grand seigneur, ministre réformateur et se fait aimer de la reine. L'intégration a échoué.

Le Mariage de Figaro : Au départ, le comte Almaviva veut posséder la fiancée de son valet Figaro. A l'arrivée, le Comte a couché, à la place, avec sa propre femme ; la médiation : une coalition des opposants a retourné la situation. On voit comment le Comte désireux de piétiner l'espace des domestiques est ren-

---

13. Voir *supra* le chapitre « Le théâtre et l'espace », p. 139-176. Ce mode de découpage est particulièrement opérant pour le drame romantique ; nous l'avons essayé pour Hugo (*op. cit.*, p. 413), et pour Dumas (voir *Nouvelle Critique,* n° spécial « Linguistique et Littérature », et *Europe,* n° spécial « Alexandre Dumas »).

voyé dans l'espace de sa propre classe (en l'occurrence son propre lit conjugal).

Cette analyse tripartite, assez sommaire (et qui rejoint la mise à plat brechtienne de la *fable*), a surtout l'intérêt de montrer les grandes lignes de l'action, et son « sens », c'est dire non seulement sa signification apparente, dénotée, mais surtout sa direction ; elle met à l'écart les motivations psychologiques.

3.2. Les grandes séquences

Notons au départ [14] que la caractéristique des grandes unités est que, contrairement à toutes les autres, elles supposent l'interruption visible, textuellement indiquée, de *tous* les réseaux du texte et de la représentation ; cette interruption est l'entracte, matérialisé ou non par une pause dans la représentation mais figuré a) par un « blanc » textuel (et par l'indication textuelle d'un nouvel acte ou tableau), b) par une coupure dans la représentation, un noir, une chute du rideau, une immobilisation des comédiens, ou toute autre forme de rupture [15]. Deux modes de traitement des grandes unités, les « actes et les *tableaux* marquent deux formes opposées de la dramaturgie.

3.2.1. L'acte suppose l'unité, au moins relative, de lieu et de temps [16], et surtout le développement de données toutes présentes dès le début : le changement d'acte ne changera pas ces données préalables, simplement, d'acte en acte, elles se répartiront autrement comme les cartes dans des jeux successifs. Quel que soit l'intervalle temporel entre les actes, il ne fera pas intervenir de rupture dans l'enchaînement logique, et surtout, il ne sera pas pris en compte, *comptabilisé.*

Au contraire, la dramaturgie en tableaux suppose des *pauses temporelles* dont la nature est d'avoir été non pas

---

14. Voir *Communications* n° 8, l'article de Cl. Bremond.
15. Nous essaierions bien ici un plaidoyer pour l'entracte, pause pour la réflexion du spectateur et le rapport des deux temporalités.
16. Voir *supra,* même chapitre, section 1.

vides, mais pleines : le temps a marché, les conditions, les lieux, les êtres ont changé, et le tableau suivant figure ce changement par des différences visibles avec le précédent. Le tableau est la figuration d'une situation complexe et nouvelle dans son autonomie (relative)[17]. La dramaturgie brechtienne pousse à son comble, théorique et pratique, l'idée de l'autonomie de chaque tableau, présenté comme la figure d'une situation qui doit être comprise pour et par elle-même, comme une sorte de système isolé, avec une relative clôture, et dont il faut *montrer la structure particulière.* C'est d'une certaine façon privilégier la dimension verticale, la combinatoire des signes à un moment déterminé, le fonctionnement de l'ensemble paradigmatique.

On retrouve ici l'opposition du continu et du discontinu : la dramaturgie en tableau interrompt la continuité de l'enchaînement syntagmatique, comme suite logique, qui *va de soi.* Le discontinu du tableau est ce qui arrête, force à réfléchir, au lieu d'être entraîné par le mouvement du *récit;* s'il faut montrer au théâtre ce qui ne va pas *de soi,* la pause le permet, et la dramaturgie en tableau impose, par *l'intervalle,* la réflexion sur ce qui ne va pas de soi : toute rupture casse ce que Brecht appelle l'identification, ce que nous appellerions volontiers la « sidération » du spectateur, et l'oblige à quitter non seulement l'action, la suite du récit, mais l'univers du théâtre, pour revenir à son monde à lui. C'est paradoxalement l'intervalle qui oblige à revenir au *réel,* réel double, celui du spectateur hors du théâtre, réel référentiel de l'histoire qui marche dans l'intervalle et a fait avancer l'action; de toute manière ce qui est vu est l'objet de la dénégation, c'est l'intervalle qui contient la référence au « réel ».

3.2.2. Allons plus loin : la dramaturgie en tableaux

---

17. La dialectique continu-discontinu rend toute autonomie *relative.*

peut aller, dans les tentatives modernes[18], jusqu'au *montage* et/ou jusqu'au *collage,* l'un et l'autre étant créateurs de sens par le fait qu'ils supposent une *rhétorique :* on peut considérer le montage (rapprochement d'éléments de récits hétérogènes, mais qui font sens par l'obligation de leur trouver un fonctionnement commun) comme un travail de métaphorisation : chacun sait que le signifié de la métaphore n'est pas l'addition des signifiés des éléments mis au contact (et condensés), mais aussi un $+X$; quant au collage (intervention à l'intérieur du discours dramatique d'un élément référentiel *r,* d'un morceau de « réalité » apparemment étrangère au référent théâtral), il peut être tenu pour l'équivalent non tant de la métaphore que de la métonymie, et contraint le spectateur au même travail de construction du sens à partir de l'hétérogène.

3.2.3. La dramaturgie en actes et la dramaturgie en tableaux sont des extrêmes qui supposent toute une série de constructions possibles intermédiaires ; ainsi les « journées » de la dramaturgie espagnole du Siècle d'or sont une sorte de mixte avec déplacement dans le lieu et souvent dans le temps, mais continuité dans l'action ; ainsi la dramaturgie romantique, chez Hugo par exemple, où les distinctions entre acte et tableau s'affaiblissent : dans *Lucrèce Borgia*, l'indiscutable fonctionnement en tableaux coïncide avec un effort de prolepse, d'annonce du tableau suivant ; dans *Ruy Blas,* les actes I et II sont des *tableaux* (discontinuité temporelle et organisation interne paradigmatique) ; mais une unité temporelle étroite joint le III, le IV et le V, groupés en peu d'heures, et en un même lieu, retrouvant une forme de continuité tragique. Musset dans *Lorenzaccio* additionne bizarrement (et nous verrons comment) une dramaturgie en tableaux et une dramaturgie en actes :

18. Remarquons qu'il en va de même pour le *Dom Juan* de Molière et sans doute n'est-ce pas par hasard si c'est aussi la pièce de Molière où l'histoire est la plus présente.

pour tous se pose le même problème : comment comprendre l'histoire, et comment *se fait-elle ?*

3.2.4. Une étude de détail des grandes unités se doit d'examiner l'articulation des séquences, étant bien entendu que de toute manière le fonctionnement diégétique[19] sera toujours assuré, qu'il y aura toujours anaphore et récurrence des éléments qui devront rendre le récit intelligible. Même une dramaturgie en tableaux assure le suspens, est faite pour que le spectateur prévoie qu'il se passera quelque chose après... faut de quoi, il se lèverait et s'en irait. Prenons l'exemple de *Mère Courage,* de Brecht : certes, chaque épisode a son autonomie, l'aventure de chacun des enfants de Mère Courage est présentée comme un récit complet, cependant des éléments du récit embrayent à chaque fois sur l'aventure qui suit ; et même la mort de la muette qui devrait clore le récit n'est pas présentée comme une fin, tant que la séquence finale ne présente pas la solitude et l'impénitence de la femme que la guerre nourrit.

Dans une dramaturgie en *actes,* les éléments de suspens sont beaucoup plus clairs : à la fin de chaque acte, ce n'est pas une solution provisoire qui est présentée, mais une question violemment posée, dont on attend la réponse : ainsi l'acte I d'*Andromaque* devrait montrer une solution : la fin de non-recevoir, sans ambages, expédiée par Pyrrhus à l'ambassadeur grec Oreste : « L'Epire sauvera ce que Troie a sauvé. » En fait la question rebondit ; la fin de l'acte voit l'ultimatum posé par Pyrrhus à Andromaque : nommément la réponse devra être donnée à l'acte suivant ; l'intervalle est occupé par une *délibération* de l'héroïne ; ce que dit la projection d'une grande unité sur la suivante, c'est l'urgence tragique. En regard, chaque *tableau,* de *Mère Courage* par exemple, est une expérience achevée que l'intervalle devrait laisser le temps de digérer et de comprendre : on voit comment ce n'est

19. Qui a rapport au récit dans sa succession.

pas le même *sens du temps* qui est impliqué par l'un et l'autre type d'unités.

3.3. *La séquence moyenne*

Le problème posé par la séquence moyenne n'est pas simple; et d'abord celui de sa définition. Dans le théâtre « classique », la séquence moyenne est textuellement déterminée, et prend place comme unité de rang inférieur (plus courte) par rapport aux grandes unités (actes); la solution classique consiste à marquer par le titre *scène* et par un numéro d'ordre toute entrée ou sortie de personnage : ainsi la séquence moyenne est définie, sans équivoque, par une certaine *configuration de personnages.* Non sans quelque bavure; ainsi telle entrée brusque de confident, ressortant aussitôt après avoir dit ce qu'il savait, est étiquetée *scène,* alors qu'il s'agit évidemment d'une articulation entre deux scènes : telle l'arrivée de Panope annonçant à Phèdre le retour de Thésée; telle la petite scène où Œnone demande à Hippolyte et à Aricie de quitter la place pour la venue de Phèdre, et qui est une charnière, un *passage;* la vue classique de la séquence moyenne-scène n'est pas absolue, elle non plus. Cependant si l'on fait — *procédure d'une importance décisive* — le tableau d'une pièce, séquence moyenne par séquence moyenne, en indiquant la présence des personnages, on s'aperçoit que ces séquences moyennes correspondent réellement à des configurations de personnages et mieux encore à des collisions. Le tableau des séquences moyennes dans *Suréna* montre une admirable machine où toutes les combinaisons successives sont essayées.

Le rapport grande séquence/séquences moyennes dans une dramaturgie en tableaux est singulièrement plus compliqué; dans Shakespeare, la longueur très variable des tableaux fait que certains sont articulables en éléments de rang moindre et d'autres non; en règle générale quand nous avons un tableau d'une certaine complexité, les articulations en séquences moyennes se font non en fonction des entrées et sorties des personnages (quoique ce puisse être le cas) mais en fonction des *échanges* entre personnages : ainsi la grande « scène de la lande » dans *Le Roi Lear* entre le roi et son fou est articulée en séquences moyennes selon le type d'échange entre les deux protagonistes ; de même la scène du partage du royaume est à elle seule une grande séquence divisée en séquences moyennes selon les échanges a) entre Lear et ses filles, b) entre Lear et Cordelia, c) entre Lear et les prétendants de ses filles ; or les personnages sont quasi tous en scène tout le temps. D'une façon générale, c'est moins le contenu intellectuel que le passage d'un type d'échange à un autre, ou d'un type d'action à un autre qui définit la séquence. Quelquefois nous sommes confrontés au problème que nous retrouverons à propos de la détermination des micro-séquences, c'est-à-dire le fait que deux modes de découpage l'un en fonction du dialogue, l'autre en fonction des didascalies sont simultanément possibles.

Enfin certains types de dramaturgie en tableaux (chez Lenz, *Le Précepteur,* dans le *Woyzeck* de Büchner ou plus près de nous chez Kroetz ou Michel Deutsch), le tableau ne détermine pas une grande séquence, mais une séquence moyenne ; on a alors une mosaïque, un kaléidoscope de petits tableaux, indiquant une sorte de vue éclatée, un émiettement de la conscience (et des conditions de vie) ; la mise en scène du *Précepteur* par B. Sobel[20] exaltait cette dispersion. Un exemple particulier : *Lorenzaccio* où le découpage en tableaux est le fait des séquences moyennes (articulées par la différence des lieux, mais regroupés en *actes*).

Le travail de la mise en scène souligne ou gomme les coupures entre séquences moyennes, privilégie tel mode de découpage, par la présence permanente des comédiens, par exemple, par l'insistance sur les pauses entre scènes (parfois coupées par un baisser de rideau) : là encore c'est le rythme et le mouvement qui dépendent de ce mode d'articulation, de même que le

20. *Le Précepteur,* de Lenz, Gennevilliers, 1975.

rapport continu-discontinu, avec ses conséquences idéologiques.

3.4. Les micro-séquences

Mais le travail concret du temps se fait à l'aide du découpage en micro-séquences. Ce sont elles qui donnent le vrai rythme du texte et aussi de son sens : tirades, échanges rapides (stichomythies classiques, etc.), combinaisons de micro-séquences à multiples personnages ; scènes articulées en nombreuses micro-séquences, ou scènes formées de deux ou trois masses compactes ; scènes à glissement continu, ou coupures nettes ; scènes progressives ou scènes à micro-séquences récurrentes ; scènes articulées au niveau de la dénotation, scènes à articulations « invisibles ».

3.4.1. Qu'est-ce qu'une micro-séquence ? La définition en est relativement élastique : on ne peut en faire l'unité minimale de signification à l'intérieur de la matière théâtrale ; on sait que cette unité ne saurait exister : l'empilage de réseaux différemment articulés interdit de trouver ailleurs dans de grandes unités les moments où tous les réseaux sont interrompus en même temps. On se rend compte que même au niveau de la micro-séquence la difficulté subsiste, et nous allons la retrouver. On peut définir la micro-séquence, très grossièrement, comme la fraction de temps théâtral (textuel ou représenté), au cours de laquelle se passe *quelque chose qui peut être isolé.* Mais quoi ? Une action, un rapport déterminé entre personnages, une « idée »... Si l'on fait l'inventaire des diverses manières d'articuler deux micro-séquences on aura une perspective sur les différents modes de découpage en micro-séquences : articulation.

— par la gestuelle (didascalies) : dans la scène où Cornouaille fait aveugler Gloster par ses serviteurs, les micro-séquences marquent les étapes de la torture,

— par le contenu du dialogue, ou par les articulations de contenu dans un discours (les étapes d'un raisonnement, d'une discussion),

— par les « mouvements passionnels », repérables en général par des différences syntaxiques : passage du présent au futur, de l'assertion à l'interrogation ou à l'exclamation ;

— d'une façon plus générale par le mode de l'énonciation dans le dialogue : interrogatoire, prière, ordres (et les réponses).

Ce résumé non exhaustif implique une conséquence immédiatement visible, qui est le *conflit* quasi nécessaire entre ces divers modes de découpage : entre la gestuelle et le dialogue par exemple. Nous irons plus loin et nous dirons que ce conflit est presque partout la loi dans le texte théâtral : la vie et si l'on ose dire le *volume* d'un texte de théâtre tenant au fait qu'il peut être articulé de deux manières différentes, que la continuité est assurée par la gestuelle pendant que le dialogue est divisé, ou qu'il y a décalage temporel entre les deux découpages possibles. Ainsi dans la scène à laquelle nous venons de faire allusion, celle de l'aveuglement de Gloster dans *Le Roi Lear,* il y a une non-coïncidence entre la gestuelle des serviteurs aveuglant Gloster et les paroles de ce dernier : il y a un retard de la parole, marquant tragiquement l'incompréhension de la victime.

Allons plus loin : la division en micro-séquences suppose de la part du lecteur-metteur en scène une certaine idée du sens ; la division (même si elle se fonde sur certains traits du signifiant linguistique, même si elle est appuyée sur l'indication des didascalies) n'est jamais inscrite d'avance, elle demande à être constituée, elle dépend du sens général que l'on donne ou veut donner à l'ensemble de la scène, elle suppose des éléments *non dits ;* nous dirons que la micro-séquence peut être tenue pour une forme-sens qui ne se constitue à la rigueur qu'à la représentation. Certaines concaténations ne peuvent se repérer ou se constituer que par référence à des séquences antérieures du texte.

3.4.2. Fonction des micro-séquences. R. Barthes dans ses *Eléments de sémiologie* (*Communications* n° 4) fait une distinction importante entre séquences-noyaux et séquences-catalyses, ces dernières étant des développements et des ajouts, à la rigueur non indispensables. Cette distinction n'est pas fort rigoureuse mais elle est souvent très opérante, en particulier pour le texte théâtral, où elle permet, nous allons essayer de le montrer, de distinguer l'essentiel et l'accessoire. La distinction que R. Barthes fait à l'intérieur des catalyses entre catalyses informantes et catalyses indicielles me paraît moins utile et plus discutable, toute catalyse étant à des degrés divers à la fois informante et indicielle : elle apporte des renseignements nécessaires, et elle fonctionne comme *indice* par rapport au reste du texte (elle trouve sa place dans la diégèse du récit) ; mais si nous allons un peu plus loin, nous voyons que toute séquence possède au moins l'une des six fonctions jakobsoniennes[21] ; informants et indices entrent les uns et les autres dans le domaine de la fonction référentielle ; or une séquence (particulièrement une micro-séquence) peut avoir une fonction *émotive* (ou expressive), *phatique* (chargée d'assurer le contact entre protagonistes ou entre les protagonistes et le public), ou *poétique* (mettant l'accent sur le message dans sa totalité, servant de trait d'union entre les réseaux, ou chargée d'indiquer le rabattement du paradigme sur le syntagme)[22]. Nous n'attacherons pas non plus une importance excessive à la distinction (parfois utile, jamais décisive) entre séquences iconiques et séquences indicielles, tout le fonctionnement théâtral étant à la fois iconique et indiciel[23].

---

21. Voir *supra,* chap. I, p. 39.

22. Ainsi chez Racine, les micro-séquences proprement poétiques indiquent le rabattement du paradigme *mort de Troie* ou *Crète,* ou *splendeur romaine* sur le syntagme d'*Andromaque, Phèdre, Britannicus.* Les exemples fourmillent. Dans *Hernani* les moments « lyriques » marquent le rabattement du paradigme *amour mortel* sur le syntagme (ainsi la scène II. 2, annonce de la scène finale).

23. Tout signe iconique subit le processus que nous appelons *resémantisation,* analogue à ce que U. Eco appelle *sémiotisation du référent (op. cit.,* p. 69).

En revanche la distinction entre *catalyse* et *noyau* est tout à fait capitale, à la condition que nous ne prenions pas pour noyau la première information dénotée qui nous saute aux yeux. Formulons au sujet de ce *noyau* une hypothèse : il est toujours lié à une fonction *conative;* il peut toujours être figuré textuellement par un *impératif* (constituant de la phrase de base, susceptible de transformations) : ainsi dans *Lucrèce Borgia* la grande scène du banquet est dominée par la micro-séquence noyau (récurrente) : « buvons, buvez ! » (le vin/la mort) ; ainsi dans *Andromaque* (I, 4) s'opposent deux séquences-noyaux impératives (conatives) : « Epousez-moi ! — Laissez-moi tranquille ! » Toutes les micro-séquences catalytiques sont d'une certaine façon le développement *rhétorique* (rhétorique verbale ou iconique) des séquences-noyaux. Parfois ce double fonctionnement (noyaux-catalyse) est bien plus subtil et masqué par le non-dit du texte : par exemple le grand récit (essentiellement informant) de la bataille des Maures, fait par Rodrigue devant le roi, est le développement rhétorique (l'*apologie*) qui couvre un impératif non-dit : « ne me condamnez pas pour le meurtre du Comte ! »

C'est la fonction conative qui est décisive au théâtre, où chaque protagoniste essaie de *faire faire quelque chose à un autre* (pour satisfaire à son propre désir), à l'aide d'ordres, promesses, prières, supplications, menaces, chantages, qui tous ressortissent à la fonction conative.

3.4.3. Un exemple : Lorenzaccio, *acte II, scène II.* Si nous essayons de diviser en microséquences cette scène apparemment inutile à l'action[24], en nous aidant a) des échanges entre personnages, b) du contenu du dialogue, nous ne rencontrons guère de difficulté :

---

24. Dire que cette scène prépare le dénouement parce que le duc Alexandre posant pour Tebaldeo sera contraint d'enlever sa cotte de mailles que Lorenzo pourra ainsi voler est une bonne plaisanterie : cette cotte de mailles n'est pas vraiment nécessaire à l'action.

1° Lorenzo et le nonce du pape Valori s'entretiennent sous le portail d'une église, Valori vante la beauté esthétique des pompes de l'Eglise catholique ;

2° Le jeune peintre Tebaldeo Freccia intervient dans la conversation pour appuyer chaudement la thèse de Valori ;

3° Valori invite Tebaldeo à venir lui montrer ses toiles ;

4° Conversation à trois : Lorenzo taquine Tebaldeo que Valori défend ;

5° Lorenzo invite Tebaldeo à travailler pour lui, le peintre s'en défend au nom de sa conception de l'art ; Lorenzo discute cette conception ;

6° Interrogatoire « politique » de Tebaldeo par Lorenzo ; dernière invitation.

N.B. La distinction entre les dernières séquences se fait au niveau du contenu uniquement.

a) Remarquons que si nous faisons intervenir la gestuelle, nous nous trouvons devant un mode de découpage un peu différent : la gestuelle de Tebaldeo s'insérant dans la conversation entre Valori[25] et Lorenzo est nécessairement préparée par une approche, une sorte d'immixtion physique avant la parole : un léger décalage s'impose ici entre la gestuelle et le discours ; de même, l'exhibition du tableau est décalée par rapport à la demande de Lorenzo[26] et intervient au milieu d'une séquence-dialogue à trois dont elle n'interrompt nullement le contenu (la conversation porte sur l'art de Tebaldeo). Ces deux décalages indiquent un arrière-plan non dit, une attitude de Tebaldeo décalée par rapport à ses paroles, déséquilibre producteur de sens.

b) Il n'y a pas d'unité apparente dans la scène, en particulier pas de rapport apparent entre la séquence 1 et les suivantes : que vient faire ici le légat Valori (sinon « parler » de l'art et de la religion) ? La question peut

25. Didascalie : « s'approchant de Valori » (non de Lorenzo).

26. Didascalie : « il montre son tableau » (après son discours sur les rêves des artistes).

se poser : voilà une scène bien mal faite et qui manque d'unité ; et le suspens y est faible...

c) Le tableau change si l'on repère la micro-séquence-noyau, en fait dispersée à l'intérieur du découpage précédent ; voici ce que donne le repérage des impératifs : — « Valori (...) — *Venez* à mon palais, et ayez quelque chose sous votre manteau (...) Je veux que vous travailliez pour moi.

— Lorenzo — Pourquoi remettre vos offres de service ? (= *ne remettez pas... montrez vos œuvres*)[27].

— Lorenzo — Viens chez moi ; je te ferai peindre la Mazzafirra toute nue. (= *peins, c'est un ordre*).

— Lorenzo — Veux-tu me faire une vue de Florence ? (= *fais-moi*).

— Lorenzo — Ton pourpoint est usé ; en veux-tu un à ma livrée[28] ?

— Lorenzo — Viens demain à mon palais ; je veux te faire faire un tableau d'importance (...) »

Tous ces impératifs (ou équivalents) sont adressés à Tebaldeo ; mais ils sont la réponse à un impératif non dit, mais connoté :

1) par la gestuelle d'intervention de Tebaldeo[29],

2) par la rhétorique de séduction déployée dans toutes les phrases de Tebaldeo à l'adresse de Valori[30] ; cette rhétorique fait réseau de sens avec la gestuelle décalée que nous relevions plus haut. Cet impératif peut être ainsi formulé : Monseigneur, vous qui parlez si bien de l'art religieux, soyez mon mécène, achetez mes toiles. A quoi l'interlocuteur Valori, qui a fort bien entendu l'impératif de prière, répond par l'impératif : *Venez* (s.e. d'accord, je serai le mécène)[31] ; après quoi

---

27. « Vous avez, il me semble, un cadre dans les mains. »

28. Equivalent, par une suite claire de sous-entendus à : « *Deviens mon domestique.* »

29. Assez audacieuse ma foi ! adresser ainsi la parole au nonce du pape ! Il faut qu'il ait faim.

30. A laquelle succède immédiatement la rhétorique d'innocence adressée à Lorenzo.

31. Et Lorenzo dénote : « Pourquoi remettre *vos offres de service ?* »

l'intervention de Lorenzo revient à dire : venez (*viens*), c'est moi qui serai le mécène ; cette récurrence des séquences-noyaux *venez* rend la scène infiniment comique : après le bavardage de Tebaldeo sur « les personnages des tableaux si saintement agenouillés », les « bouffées d'encens aromatique », et la « gloire de l'artiste » qui... « monte à Dieu », on lui propose tout de suite de peindre une putain... L'intérêt de la présence de Valori apparaît alors.

Remontons à présent jusqu'à la première séquence et voyons si elle ne recèle pas, elle aussi, un *impératif :* tout le discours de (mauvaise) rhétorique chateaubrianesque sur « les pompes magnifiques de l'Eglise romaine » suit directement la première phase : « Comment se fait-il que le duc n'y vienne pas ? » Où ne vient-il pas ? à l'église, évidemment ; ce favori du prince ne pourrait-il pas conseiller à son maître de fréquenter la messe ? Un impératif discret pointe ici : veuillez conseiller à Alexandre d'aller à la messe (sous-entendu : alors on voudrait bien oublier vos frasques et vous pardonner à Rome)[32] ; le gouvernement reprendrait alors une allure pieuse et conforme. La micro-séquence sur l'esthétique de la religion apparaît alors ce qu'elle est : une rhétorique de séduction (à laquelle répond comiquement la rhétorique de séduction de Tebaldeo, qui *n'a pas compris,* et pour cause, le sous-entendu du discours et n'entend pas le dénoté)[33]. Le discours de Valori prend tout son sel si l'on relève la phrase finale sur la religion « colombe compatissante qui plane doucement sur tous les rêves et sur tous les amours » — phrase prononcée par un nonce du pape qui n'ignore pas que le Lorenzo auquel il s'adresse est le mignon d'Alexandre. Le racolage de Valori vaut bien celui du petit Tebaldeo, plus candide, et l'on voit alors d'une façon éclatante l'unité interne de la scène.

---

32. Dans la scène 4 de l'acte I, Valori se plaint au duc de l'immoralité de la cour et réclame la disgrâce de Lorenzo.
33. Il reprend le même discours sur le rapport de l'art et de la religion...

Notons que la phrase dédaigneuse de Lorenzo en réponse à la rhétorique de Valori : « Sans doute ; ce que vous dites là est parfaitement vrai et parfaitement faux, comme tout au monde » est non seulement un refus de répondre à la vraie question posée, et à la vraie sollicitation, mais une formule *annulant* le discours, c'est-à-dire le présentant comme sans rapport avec une quelconque valeur de vérité.

On voit comment c'est la *récurrence de la micro-séquence-noyau* qui organise tout le texte autour d'elle, permettant de constituer pour toute la séquence moyenne (scène) un sens acceptable. La mise à plat des rhétoriques par le personnage Lorenzo fait de toute la scène une démonstration idéologique : l'idéalisme religieux et l'idéalisme esthétique se retrouvent égaux dans le racolage et la prostitution ; ni l'un ni l'autre ne sont la voie de l'action et du salut, mais de redoutables mystifications, dont le héros se détourne : c'est en ce sens que la scène est bien l'annonce du meurtre, solution de désespoir, la seule, la dernière.

3.4.4. De quelques conséquences. a) Dans le domaine du théâtre plus que dans tout autre domaine textuel, le texte ne prend sens que par le non-dit, et plus précisément par le *sous-entendu,* avec ses caractéristiques que développe O. Ducrot, « sa dépendance par rapport au contexte, son instabilité », son opposition au « sens littéral », auquel il apparaît « surajouté », sa découverte « par une démarche discursive »[34]. Le sous-entendu, ajouterons-nous, apparaît, dans le domaine du théâtre, comme ce qui conditionne, et parfois constitue la fonction conative centrale.

b) La conséquence au niveau des micro-séquences est qu'on ne saurait découper, sauf exception, une séquence moyenne en microséquences d'une façon linéaire et suivie : cet exemple nous montre : 1) le décalage par rapport à un découpage gestuel, 2) le fait

34. Que nous venons de tenter. Voir O. Ducrot : *Dire et ne [illegible] dire,* p. 131-132.

que le noyau truffe si l'on peut dire les microséquences, 3) qu'il faudra pour rendre compte des articulations internes du texte à un niveau minimal avoir recours à des unités encore plus petites.

c) La détermination du noyau récurrent dans une séquence permet d'orienter la mise en scène vers des éléments clairement perceptibles par le spectateur : tel qui se perdrait dans les propos esthétiques de Tebaldeo perçoit clairement des rapports tels que la demande, la prière, l'ordre, le refus, et devant ce qui est rapports socio-économiques et sociopolitiques assez parlants, perçoit le rapport aux idéologies et à leurs mystifications ; la recherche du « noyau » permet le travail du concret.

d) Reste ici le travail sur les microséquences catalytiques, et en particulier l'analyse du mode d'interrogation de Lorenzo. Ici ce n'est plus de la notion de sous-entendu dont nous avons besoin, mais de celle de *présupposé,* le présupposé étant un « implicite immédiat »[35], un contexte immanent au message, contenant des informations hors message, mais que le locuteur tient pour indiscutables[36]. Le travail du discours de Lorenzo consiste à accoucher le discours de Tebaldeo de ses *présupposés ;* par exemple, Tebaldeo dit de son tableau : « C'est une esquisse bien pauvre d'un rêve magnifique. » Et Lorenzo répond : « Vous faites le portrait de vos rêves ? Je ferai poser pour vous quelques-uns des miens », mettant à plat le *présupposé :* le rêve de l'artiste préexiste à la réalisation, est extérieur à elle.

Mais nous sortons ici de l'analyse séquentielle, pour toucher à ce qui est proprement *le domaine du discours,* où nous retrouverons le présupposé. A la rigueur, il n'est pas possible de faire un découpage en microséquences sans faire en même temps une analyse du discours des personnages.

---

35. O. Ducrot : *Dire et ne pas dire,* p. 133. Et voir *infra* p. 235, 19.
36. *Ibid.,* section 4 : « La présupposition dans la discipline sémantique. »

Chapitre VI

LE DISCOURS THÉÂTRAL

1. LES CONDITIONS DU DISCOURS THÉÂTRAL

1.1.

Que peut-on entendre par discours théâtral ? On peut le définir comme l'ensemble des signes linguistiques produits par une œuvre théâtrale [1]. Mais c'est une définition trop vague et qui porte plus sur l'ensemble des *énoncés* du texte théâtral que sur le discours proprement dit, en tant que production textuelle : « L'énoncé, c'est la suite des phrases émises entre deux blancs sémantiques ; le discours c'est l'énoncé considéré

---

1. Rappelons pour mémoire que le texte théâtral *dans la représentation* fonctionne doublement :

a) comme ensemble de signes phoniques émis au cours de cette représentation (avec un émetteur double : l'auteur et le comédien, un récepteur double, le public, l'autre comédien),

b) comme ensemble de signes linguistiques (message) comma dant un ensemble sémiotique complexe : espace, objets, mou ments des comédiens, etc. (signes dont la matière de l'expressio divers). Le dialogue et les didascalies commandant les uns autres les signes de la représentation (voir *infra*).

du point de vue du mécanisme discursif qui le conditionne[2]. »

Une première difficulté apparaît en ce qui concerne le discours théâtral : où en sont les limites et qu'est-ce qui, dans l'activité théâtrale, peut être tenu pour discours ? Ce discours théâtral peut-il être compris *a*) comme un ensemble organisé de messages dont le « producteur » est l'auteur de théâtre, ou *b*) comme cet ensemble de signes et de stimuli (verbaux et non verbaux) qui sont produits par la représentation et dont le « producteur » est pluriel (auteur, metteur en scène, praticiens divers, comédiens) ? Pour la simplicité, nous nous en tiendrons ici, provisoirement[3], à l'ensemble de signes linguistiques *a*), ensemble que l'on peut rapporter au scripteur (l'« auteur ») comme sujet de l'énonciation.

1.2. L'énonciation théâtrale

On sait que les problèmes de l'énonciation ne sont pas simples, et l'écriture théâtrale est loin de les simplifier. En ce qui concerne l'*énonciation,* dans son acception la plus générale, nous nous en tiendrons à la définition donnée par Benveniste : comme « mise en fonctionnement de la langue par un acte individuel d'utilisation » indiquant « l'acte même de produire un énoncé, non le texte de l'énoncé »[4], l'acte qui fait de l'énoncé un discours.

Plus que tout autre texte, le texte de théâtre est rigoureusement dépendant de ses conditions d'énonciation ; si l'on ne peut déterminer le *sens* d'un énoncé en tenant compte uniquement de son *composant linguisti-*

---

2. Louis Guespin : *Langages* 23, p. 10. Nous ne pouvons aborder ici les discussions autour des diverses acceptions du mot *discours*.

3. Un « provisoire » qui risque de durer autant que le présent ouvrage, un travail sur la ou plutôt les sémiotiques de la représentation réclamant d'autres méthodes.

4. « L'appareil formel de l'énonciation », *Langages* 17, p. 11-12. [illegible] sur ce problème de l'énonciation l'excellent résumé que donne [illegible]aingueneau : *Initiation aux méthodes de l'analyse du discours,* [illegible]II.

que, et sans tenir compte de son *composant rhétorique,* lié à la situation de communication où il est proféré (comme le veut O. Ducrot)[5], l'importance du composant rhétorique est particulière au théâtre. La « signification » d'un énoncé au théâtre, mise à part la situation de communication est pur néant : seule cette situation, permettant d'établir des conditions d'énonciation donne à l'énoncé son *sens.* Les « mots » célèbres du théâtre sont rigoureusement dépourvus de sens, privés de leur contexte énonciatif : « Va, je ne te hais point... Le pauvre homme !... Va, je te le donne pour l'amour de l'humanité. » Exemples extrêmes, mettant en évidence le statut de tout texte théâtral. L'exercice pratique du théâtre donne à la parole ses conditions concrètes d'existence. Le dialogue en tant que texte est parole morte, non signifiante. « Lire » le discours théâtral, c'est à défaut de la représentation, reconstituer imaginairement les conditions d'énonciation, qui seules permettent de promouvoir le sens[6] ; tâche ambiguë, impossible à la rigueur. C'est que les conditions d'énonciation ne renvoient pas à une situation psychologique du personnage. Elles sont liées au statut même du discours théâtral et au fait, constitutif, de la double énonciation. Toute recherche sur le discours au théâtre souffre de l'équivoque qui plane sur la notion de discours, mais aussi de cette autre équivoque propre au théâtre : le discours au théâtre est discours de qui ? Il est discours à la fois d'un émetteur-auteur et alors le discours peut être pensé comme totalité textuelle (articulée) : le discours de Racine dans *Phèdre ;* il l'est aussi et inséparablement d'un émetteur-personnage et en ce sens, il est le discours non seulement articulé, mais fragmenté, dont le sujet de l'énonciation est le

5. Oswald Ducrot : *Dire et ne pas dire.*

6. C'est la perspective et l'intérêt de la démarche de Stanislavski (portée parfois jusqu'à l'abus) : imaginer l'être vivant qui porte les paroles théâtrales, et les conditions d'énonciation, psychiques et matérielles de ces paroles.

« personnage », avec toutes les incertitudes qui planent autour de la notion de personnage.

On voit ici non seulement l'équivoque, mais la contradiction, constitutive, féconde, inscrite dans le discours théâtral : dans la scène célèbre (et que nous citons volontiers) où, devant Auguste qui les interroge, Cinna et Maxime plaident l'un pour le pouvoir absolu et l'autre contre, qui est l'émetteur ? Où se situe la place d'un locuteur Corneille, et peut-on même parler d'une telle place ? On mesure l'incroyable naïveté des commentateurs (et la race n'en est pas éteinte) qui recherchent dans ces discours la pensée, les sentiments, voire la biographie de Corneille (*ou* de Cinna, ce qui n'est pas plus pertinent).

Impossible donc de penser que le sujet est « à la source du sens » (Michel Pêcheux) : le discours théâtral est la plus belle démonstration du caractère non individuel de l'énonciation[7].

1.3. La double énonciation

Comment donc expliquer cette double énonciation au théâtre ? Nous savons qu'à l'intérieur du texte théâtral nous avons affaire à deux couches textuelles distinctes (deux sous-ensembles de l'ensemble textuel), l'une qui a pour sujet de l'énonciation immédiat l'auteur et qui comprend la totalité des *didascalies* (indications scéniques, noms de lieux, noms de personnes), l'autre qui investit l'ensemble du dialogue (y compris les « monologues »), et qui a pour sujet de l'énonciation *médiat* un personnage. C'est à ce dernier sous-ensemble de signes linguistiques que se rapporterait « une linguistique de la parole, étudiant l'usage que les sujets parlants font des signes »[8]. Ces couches

7. P. Kuentz met en garde contre le fait que « sous le terme d'énonciation se poursuit l'opération de sauvetage du sujet » (*Parole/ Discours, Langue française,* n° 15, p. 27). Mais la parole théâtrale va à l'encontre de ce projet.

8. O. Ducrot (*op. cit.*, p. 70). Mais on peut penser que la notion de discours constitue justement une forme de dépassement de l'opposition langue/ parole.

textuelles constituant le *dialogue* sont marquées par ce que Benveniste appelle la *subjectivité*[9].

Ainsi l'ensemble du discours tenu par le texte théâtral est constitué de deux sous-ensembles :

a) un discours rapporteur, dont le destinateur est l'auteur (le scripteur) ;

b) un discours rapporté dont le locuteur est le personnage[10]. Il s'agit donc d'un procès de communication entre « figures »-personnages qui prend place à l'intérieur d'un autre procès de communication; celui qui unit le scripteur au public; on comprend pourquoi toute « lecture » qui refuserait d'inclure le dialogue théâtral à l'intérieur d'un autre procès de communication ne peut que manquer l'effet de sens du théâtre : lire la scène des aveux de Phèdre à Hippolyte en oubliant le rapport de Racine au spectateur est nécessairement réducteur. C'est que le dialogue est un *englobé à l'intérieur d'un englobant.*

Ce qui se trouve montré dans toute représentation, c'est une double *situation de communication, a*) la situation théâtrale ou plus précisément *scénique* où les émetteurs sont le scripteur et les praticiens (metteur en scène, comédiens, etc.), *b*) la situation *représentée,* celle qui se construit entre les personnages.

Par conséquent, il nous faut lever l'équivoque fondamentale qui pèse sur le discours théâtral : *ses conditions d'énonciation* (son contexte) *sont de deux ordres, les unes englobant les autres :*

a) les conditions d'énonciation *scéniques,* concrètes,

b) les conditions d'énonciation *imaginaires,* construites par la représentation.

Les premières sont déterminées par le code de la représentation (antérieur à tout texte de théâtre) : conditions de la représentation, rapport du public et de la scène, forme de la scène, etc. ; elles sont reprises et

---

9. Nous retrouverons ce problème de la *subjectivité* en analysant la spécificité du langage théâtral.

10. Inutile de dire que ces deux sous-ensembles ne sont pas parallèles et n'ont pas le même fonctionnement.

modifiées par le « texte » (écrit ou non écrit) du metteur en scène [11] ; elles figurent pour une part dans les *didascalies* puisque les didascalies indiquent : 1) l'existence de ce procès de communication particulier qu'est la communication théâtrale, 2) pour une part le code scénique qui la détermine.

Les secondes (les conditions d'énonciation imaginaires) sont essentiellement indiquées par les *didascalies* (quoique des éléments importants puissent, nous l'avons vu, figurer aussi à l'intérieur du dialogue). Tout se passe donc comme si la situation de parole était montrée par cette couche textuelle que l'on nomme didascalies et donc le rôle propre est de *formuler les conditions d'exercice de la parole.* On voit les conséquences de ce fait fondateur :

1) tout d'abord, le rôle double des didascalies (déterminant les conditions d'énonciation scéniques *et* imaginaires) explique l'équivoque dont nous parlions plus haut, et la confusion entre ces deux types de conditions ;

2) le fait que les didascalies [12], commandant la représentation, ont *pour message propre* ces conditions d'énonciation imaginaires.

Autrement dit, ce qu'exprime la représentation théâtrale, son *message propre, ce n'est pas tant le discours des personnages que les conditions d'exercice de ce discours.* De là le fait capital et qui passe si souvent inaperçu de toute analyse textuelle, alors que les spectateurs le perçoivent intuitivement mais clairement, que le théâtre dit moins une parole que comment on peut ou l'on ne peut pas parler. Toutes les couches textuelles (didascalies + éléments didascaliques dans le dialogue) qui définissent une situation de communication des personnages, déterminant les conditions

11. Sur ce point du texte T' du metteur en scène, voir *supra*, p. 23.

12. Nous entendons par didascalie, ici, non seulement les didascalies proprement dites, mais tous les éléments, y compris dans le dialogue, qui ont une fonction de commande de la représentation (*cf.* Shakespeare ou Racine).

d'énonciation de leurs discours, ont pour fonction non pas seulement de *modifier le sens* des messages-dialogues, mais de *constituer des messages autonomes,* exprimant le rapport entre les discours, et les possibilités ou impossibilités des rapports interhumains. Dans le *Galilée,* de Brecht, la scène célèbre où le pape, revêtant les insignes de la papauté, s'éloigne à mesure de toute complaisance envers son ami Galilée, dit moins un discours que les conditions d'énonciation *nouvelles* du discours du même personnage. Beaucoup d'œuvres contemporaines, celles de Beckett par exemple, ont moins pour objet un discours que les conditions d'exercice ou de non-exercice d'une parole : de là la quasi-impossibilité où l'on est d'en faire une simple analyse textuelle : les paroles des vieux dans *Fin de partie* sortent d'une poubelle et le message est moins dans le discours tenu par les vieux que dans le rapport parole-poubelle : que peut-on dire quand ce qu'on dit sort d'une poubelle ? C'est la condition d'énonciation du discours qui *constitue le message* et donc s'inscrit dans le discours d'ensemble tenu par l'objet-théâtre à l'intention du spectateur. La couche textuelle didascalique a pour caractéristique à la fois d'être un message et d'indiquer les conditions contextuelles d'un autre message.

1.4. Discours et procès de communication

Nous nous retrouvons donc devant un procès de communication à quatre éléments (2 fois 2) :

1) le discours rapporteur (I) a pour locuteur-destinateur le scripteur IA (à quoi se joignent au niveau de la représentation les destinateurs A' que sont les divers praticiens) ; et il a pour destinataire le public IB ;

2) le discours rapporté (II) a pour destinateur-locuteur le personnage[13] IIA ; et il a pour destinataire un autre personnage IIB.

Nous avons donc, non seulement « une syntaxe qui

---

13. Voir *supra* dans le chapitre v « Le Personnage », le personnage comme sujet d'un discours.

sert deux maîtres » (le locuteur I et le locuteur II)[14] mais en fait une structure beaucoup plus compliquée, les quatre voix fonctionnant quasi simultanément dans toute la durée du texte théâtral, la voix des deux locuteurs étant mêlée comme se trouvent aussi mêlées la voix et l'écoute du destinataire-interlocuteur et du destinataire-public.

Nous tâcherons de voir successivement comment fonctionne le discours rapporteur dans sa réalisation avec les quatre voix, puis comment fonctionne le discours rapporté, dans sa relation principale avec le locuteur personnage, et dans le dialogue entre interlocuteurs.

2. LE DISCOURS DU SCRIPTEUR

Nous entendons par discours du scripteur ce *discours rapporteur* lié non seulement à la volonté du scripteur d'écrire pour le théâtre, mais à l'ensemble des conditions d'énonciation scéniques : au scripteur 1 (l'auteur) s'ajoute le scripteur 2 (praticien, metteur en scène, etc.).

Remarquons que si nous parlons ici de situation de communication et des conditions d'énonciation qui en dépendent, nous ne parlons pas des *conditions de production* au niveau des scripteurs 1 et 2, l'étude des rapports de production des textes (et des représentations) à leurs conditions socio-historiques dépassant ici notre propos ; ce travail, absolument nécessaire, excède à la fois nos possibilités et les limites que nous nous

14. Volochilov (cité par Marcellesi, *op. cit.*, p. 195), à propos, non du théâtre mais simplement du discours rapporté : « Une linguistique dynamique à trois dimensions, l'auteur, l'auteur du discours rapporté, la construction linguistique, une combinaison du *ton* du personnage (empathie) et du *ton* de l'auteur (distanciateur) à l'intérieur d'une même construction linguistique. »

sommes tracées, quoique nous rencontrions l'histoire et l'idéologie à tous les tournants de notre démarche.

Nous nous contenterons d'étudier les caractéristiques générales du discours de théâtre, et d'abord la première de toutes : le discours de théâtre n'est pas déclaratif ou informatif, il est *conatif* (avec prédominance de ce que Jakobson appelle la *fonction conative*) [15] ; son mode est l'*impératif*.

2.1. Enonciation théâtrale et impératif

Affirmation paradoxale. Apparemment, si nous lisons un texte de théâtre enfermé entre les pages d'un livre, il ne nous saute pas aux yeux que son statut est radicalement différent de celui d'un roman ou d'un poème. Mais nous nous souvenons que le texte de théâtre est présent doublement sur scène : comme ensemble de signes phoniques émis par les comédiens, et comme signes linguistiques *commandant* les signes non linguistiques (l'ensemble sémique complexe de la représentation) ; il est alors clair que le statut du texte *écrit* (texte, canevas, scénario, partition, etc.) est d'être ce qui *commande* les signes de la représentation (quoiqu'il y ait nécessairement dans la représentation des signes autonomes produits sans relation directe au texte). Sur ce point, ce qui est l'évidence pour les didascalies ne l'est guère moins pour le dialogue qui commande tout autant, directement et indirectement, les signes de la représentation : directement, puisque le dialogue sera *dit* sur scène, indirectement dans la mesure où le dialogue, autant par ses structures que par ses indices, conditionne les signes visuels-auditifs.

Si dans une didascalie, nous rencontrons le syntagme *une chaise,* il est impossible de le transformer en « il y a une chaise ». La seule transformation qui rende compte du fonctionnement du texte didascalique, c'est : « *mettez* une chaise... » (sur scène, sur l'aire de jeu). Mais la réplique « prends un siège, Cinna » a aussi pour

---

15. Voir *supra*, p. 219.

caractéristique d'ordonner la présence d'un siège sur l'aire de jeu[16]. En outre, la même phrase, à l'intérieur du texte écrit par Corneille fait commandement au comédien *de la dire.* Nous ajouterons — ce qui est moins visible — que l'ensemble du texte commande par ses structures mêmes le fonctionnement des signes de la représentation.

Ainsi le texte de théâtre est modalisé :

a) comme impératif à l'usage des praticiens de la scène : faites ou dites ceci ou cela ; mettez une chaise, une table, un rideau, dites telle phrase ;

b) comme impératif à l'usage du public : voyez, entendez (et/ou imaginez) ce que j'ai *ordonné* aux praticiens de vous montrer (imposer, proposer).

Le statut du texte théâtral est exactement celui d'une partition, d'un livret, d'une chorégraphie, conduisant à la construction d'un système de signes par l'intermédiaire de *médiateurs :*

a) le comédien, créateur-distributeur de signes linguistiques phoniques,

b) le metteur en scène (décorateur, scénographe, comédiens, etc.).

Le discours tenu par le texte théâtral a donc un caractère particulier : il possède une force *illocutionnaire*[17] : il apparaît un acte de parole supposant et créant ses propres conditions d'énonciation, analogue sur ce point à un manuel d'infanterie ou à un missel[18]. La parole théâtrale est classiquement développée comme suit : X (auteur) dit que Y (personnage) dit que (énoncé) ; une formulation bien plus juste serait :

X (auteur) ordonne à Y (comédien) de dire que (énoncé),

---

16. Que le praticien obéisse ou contrevienne à l'ordre est une autre question : mais s'il désobéit c'est à un ordre implicite.

17. Sur cette question des actes et de la force illocutionnaires voir O. Ducrot : *Dire et ne pas dire,* Searle : *Les Actes de parole.* La force illocutionnaire étant ce qui détermine comment l'énoncé doit être reçu par le récepteur (assertion, promesse, ordre).

18. Une question serait de savoir dans quelle mesure et comment la parole théâtrale crée aussi son propre code.

et X (auteur) ordonne à Z (metteur en scène) de faire que (énoncé didascalique) [ex. : qu'une chaise soit sur scène].

Le trait fondamental du discours théâtral est de ne pas pouvoir se comprendre autrement que comme une série d'ordres donnés en vue d'une production scénique, d'une représentation, d'être adressée à des destinataires-médiateurs, chargés de le répercuter à un destinataire-public.

2.2. *Nous sommes au théâtre*

Une conséquence : le discours théâtral repose sur un présupposé fondamental : *nous sommes au théâtre.* Autrement dit, le contenu du discours n'a de sens que dans un espace déterminé (l'aire de jeu, la scène) et dans un temps déterminé (celui de la représentation). L'auteur dramatique affirme au départ :

a) ma parole suffit à donner aux praticiens l'ordre de créer les conditions de l'énonciation de mon discours ; elle constitue à elle seule cet ordre, et c'est en cela que réside sa force illocutoire ;

b) mon discours n'a de sens que dans le cadre de la représentation ; chacune des phrases de mon texte présuppose l'affirmation qu'elle est dite ou montrée *sur scène* (que *nous sommes au théâtre*). Il s'agit bien d'un présupposé au sens que Ducrot donne à ce mot [19] car

---

19. Voir O. Ducrot, T. Todorov : *Dictionnaire encyclopédique des sciences du langage*, p. 347 :

« ... l'opposition du posé et du présupposé. L'énoncé " Jacques continue à faire des bêtises " affirme à la fois (a) que Jacques a fait des bêtises dans le passé, et (b) qu'il en fait dans le présent. Or les affirmations (a) et (b) semblent devoir être séparées à l'intérieur de la description globale de l'énoncé, car elles ont des propriétés différentes. Ainsi (a) est encore affirmé lorsque l'énoncé est nié (" Il est faux que Jacques continue à faire des bêtises ") ou qu'il est l'objet d'une interrogation (" Est-ce que Jacques continue à faire des bêtises ? "). Il n'en est pas de même pour (b). D'autre part (a) n'est pas affirmé de la même façon que (b) : (a) est présenté comme allant de soi, ou comme déjà connu et impossible à mettre en doute ; (b) au contraire est présenté comme nouveau et éventuellement discutable. Aussi appelle-t-on (a) un présupposé (ou présupposition) et (b), un

quelle que soit la phrase (quel que soit son *posé*), on peut lui faire subir les transformations négatives ou interrogatives, sans rien changer au *présupposé*. Si nous reprenons la réplique de Dom Juan au Pauvre : « Va, je te le donne pour l'amour de l'humanité », on peut écrire ; « je ne te le donne pas... » ou « est-ce que je te le donne ? » sans que le présupposé *nous sommes au théâtre* soit le moins du monde touché.

D'où quelques conséquences. Prenons un exemple : quand dans l'*Iphigénie* de Racine, Arcas dit : « Mais tout dort, et l'armée et les vents et Neptune », cette phrase peut à la rigueur avoir une signification, elle n'a pas de sens ; elle n'est à proprement parler ni vraie ni fausse, on n'en peut rien dire. Mais si nous ajoutons le présupposé *nous sommes au théâtre* nous aurons : (sur scène) « tout dort, et l'armée, et les vents, et Neptune ». Phrase qui présente encore des difficultés et n'aura de valeur de vérité que si la mise en scène, construisant un référent mimétique lui donne cette valeur. La seule question à laquelle on puisse répondre par oui ou par non est la suivante, précisant encore le présupposé : « est-ce que sur scène, le comédien X chargé de représenter Arcas a dit : Mais tout dort, et l'armée et les vents et Neptune ? » Réponse : oui, il l'a

---

posé. Si on s'accorde généralement sur les propriétés du posé et du présupposé, il est très difficile de trouver une définition générale du phénomène. Celle-ci peut être tentée dans trois directions :

— Du point de vue logique : le présupposé sera défini par le fait que, s'il est faux, l'énoncé ne peut être dit ni vrai ni faux (la fausseté des présupposés détermine un “ trou ” dans la table de vérité de la proposition).

— Du point de vue des conditions d'emploi : les présupposés doivent être vrais (ou crus vrais par l'auditeur) pour que l'emploi de l'énoncé soit “ normal ”. Sinon il est inacceptable. Mais il reste à définir plus précisément cette “ Déontologie ” du discours à laquelle on se réfère alors.

— Du point de vue des relations intersubjectives dans le discours (pragmatique). Le choix d'un énoncé comportant tel ou tel présupposé introduit une certaine modification dans les rapports entre les interlocuteurs. Présupposer serait alors un acte de parole ayant une valeur illocutoire, au même titre que promettre, ordonner, interroger. »

dit ; ou : non, il a oublié de le dire, ou bien le metteur en scène lui a dit de ne pas le dire.

Cet exemple simple indique assez clairement où se situe la *dénégation* au théâtre. Certes la parole théâtrale a valeur impérative, mais de ce fait même elle ne peut avoir valeur informative ou *constative* (selon le vocabulaire d'Austin[20]), le message qu'elle dispense n'est pas référentiel, ou plus exactement ne se rapporte qu'au *référent scénique.* Elle ne dit que ce qui est sur scène (ce qui est et ce qui doit être). Lorsqu'Arcas dit : « Mais tout dort... »

a) Racine donne l'ordre au comédien de dire . « Mais tout dort »,

b) le comédien informe le spectateur de ce qui est « sur scène ». Mais ce qui est peut n'être finalement que la *parole* du comédien... La totalité du discours de théâtre est à la fois limitée et informée par le présupposé de base. Ce qui apparaît évident à propos du vers dit par Arcas, ne l'est pas moins, quoique beaucoup moins visible, lorsqu'un locuteur-personnage dit à un autre : « Je vous aime », ou « je vous hais » ; de tels messages ne véhiculent aucune information « constative », ils n'apprennent rien sur personne.

La dénégation au théâtre, qui jusqu'à présent n'avait de sens que psychique, acquiert une réalité linguistique, par le moyen de ce présupposé de base. Le discours de théâtre apparaît alors déconnecté du réel référentiel, accroché au seul référent scénique, « débrayé » par rapport à l'efficace de la vie réelle. Cette simple constatation jette un certain doute sur toutes les spéculations assimilant le théâtre au *sacré,* faisant de la représentation un lieu de contact avec le sacré. On dirait plus volontiers l'inverse ; que par le fait de la dénégation, le théâtre est le lieu où les paroles sacrées ne sont plus sacrées, où elles ne peuvent plus ni baptiser, ni prier les dieux, ni sanctifier un mariage, — le lieu où le *juridique* n'a pas de valeur, où l'on ne peut

20. Austin : *Quand dire, c'est faire,* Seuil, 1970.

ni faire un serment ni signer un contrat, ni conclure un accord[21].

Le présupposé inscrit donc fortement tout le discours du scripteur dans le cadre de la communication théâtrale, avec son autonomie et sa déconnexion du réel.

2.3. Le discours du scripteur comme totalité

Si le discours du scripteur ne prend sens que comme théâtralité, rien ne nous interdit de le considérer aussi, au moins provisoirement comme un « poème total », justiciable de la seule analyse textuelle, voire de l'analyse poétique « infinie », sur le modèle, par exemple de l'analyse des *Chats,* de Baudelaire (Jakobson, Lévi-Strauss). Certes on peut considérer *Phèdre* ou *Bajazet* comme une totalité poétique et l'analyser en tant que telle, en tant que poème de Racine. C'est ce que font avec plus ou moins de bonheur tant l'explication de texte traditionnelle que la critique nouvelle. Rien ne nous interdit de soumettre à cette pratique, sinon la totalité du texte dramatique (projet qui relèverait de la paranoïa), du moins tel échantillon, non tant pour donner au fragment choisi un *sens* (je pense que le lecteur est édifié sur ce point), mais pour aboutir à des déterminations stylistiques. Certes il y a un « style » de Racine ou un « style » de Maeterlinck ; un Léo Spitzer par exemple étudie la *litote* chez Racine. Analyses parfaitement légitimes portant sur le lexique propre de Corneille ou de Molière, ou sur la syntaxe, et plus encore sur le travail prosodique. Nous n'insisterons pas sur des modes de lecture bien connus dans leur diversité

---

21. Florence Dupont (Communication au séminaire de Bourg-Saint-Maurice, 1976) nous fait remarquer que les Romains étaient si pénétrés de cette certitude qu'ils interdisaient à un citoyen de devenir comédien, la puissance juridique de la parole du citoyen risquant de l'emporter sur le statut de la parole théâtrale, et de garder, même sur les planches, son efficace juridique (l'affranchissement d'un esclave, par exemple).

et qui ne touchent pas au texte théâtral comme à un objet particulier[22].

Plus intéressante peut-être serait l'analyse, nécessairement intuitive et « sauvage », qui tenterait de décrypter dans le discours total d'un texte théâtral, justement *le* discours de l'auteur, l'expression de ses « intentions » créatrices. Méthodologiquement incertaine, une telle analyse totale risque, limitée au pur texte, sans sa référence scénique, non seulement de manquer le sens, mais de s'égarer complètement. Nécessairement limitée, elle exclut les rapports entre personnages et les conditions d'exercice du discours théâtral. Mais surtout n'envisager que la poétique du discours c'est laisser échapper ce qui est le spécifique de la parole théâtrale, qui est d'abord *béance* entre l'acte et la parole (action, gestuelle, etc.), entre la musique et le sens (dramatique), entre la voix du scripteur et la voix du (des) personnages. L'analyse poétique est une part légitime, parfois essentielle, d'une analyse dramatique beaucoup plus complète ; elle ne saurait aller seule.

2.4. Parole du scripteur, parole du personnage

Parmi les nombreux faux problèmes qui jalonnent la réflexion critique sur l'objet paradoxal qu'est le théâtre, le pire est sans doute celui qui pose la question du *sujet du discours théâtral.* Quand Hermione parle, qui parle ? Racine ou cet objet fictif qu'est Hermione ? Devant une question aussi brutalement, absurdement posée, le critique bat en retraite ; on *n'ose* pas poser la question ainsi. Mais on ose tout à fait se demander si Lorenzaccio c'est Musset (parfois on affirme tout droit : Lorenzo ou Perdican, c'est Musset ; on sait bien que le romantisme c'est individualiste et subjectif...). On ose, avec quelque inquiétude, se demander ce qu'est le « raisonneur » dans une pièce de Molière et si son discours est vraiment le discours de Molière.

---

22. Sur ce mode d'analyse voir Jakobson, *Essais de poétique,* et le manuel pratique et bien fait de Delas et Filiolet : *Linguistique et Poétique,* Larousse, 1973.

Notre théorie des *quatre voix* dans le discours théâtral a le mérite de nous faire échapper à cette quête éperdue et vaine de la « pensée » ou de la « personnalité », quand ce n'est pas de la « biographie » de l'auteur. Le discours théâtral, à partir du moment où nous découvrons ces quatre « voix », ne peut être qu'un *rapport* entre ces voix. Particulièrement, à l'intérieur du dialogue la voix du locuteur I (le scripteur) et la voix du locuteur II (le personnage) sont l'une et l'autre présentes, mais peut-être irrepérables en tant que telles : la voix de l'auteur investit-désinvestit la voix du personnage par une sorte de battement, de pulsation qui « travaille » le texte de théâtre. Ainsi le grand discours de Don Carlos dans *Hernani* (acte IV) investit à la fois la voix de Don Carlos dans sa réflexion sur l'empire qu'il attend et la voix de Hugo dans sa réflexion sur le pouvoir au XIXe siècle. Il serait aussi vain d'y chercher une étude historique des conditions de l'empire au XVIe siècle qu'un décalque des idées de Hugo. On peut en dire autant dans le *Cinna* de Corneille des trois discours sur le pouvoir suprême ; encore sommes-nous là en présence de discours politiques particulièrement parlants ; mais cette réflexion peut s'étendre à la totalité du texte dialogué. Le *Je* biographique est occulté dans le discours théâtral : ainsi la parole autobiographique du Je-Hugo ne truffe son théâtre qu'à la faveur d'obscures allusions topographiques ou onomastiques[23]. Si Mauron ou Goldmann par des moyens divers peuvent repérer dans le texte racinien la présence du *deus absconditus* janséniste, ce n'est pas à proprement parler au niveau du discours, c'est à l'aide des structures de l'œuvre.

Dans la mesure où le discours théâtral est discours d'un sujet-scripteur, il est discours d'un sujet immédiatement dessaisi de son *Je,* d'un sujet qui se nie en tant que tel, qui s'affirme comme parlant par la voix d'un autre, de plusieurs autres, comme parlant sans être

---

23. Voir A. Ubersfeld : *Le Roi et le Bouffon,* p. 477-479.

sujet : le discours théâtral est *discours sans sujet.* La fonction du scripteur est d'organiser les conditions d'émission d'une parole dont il nie en même temps être responsable. Discours sans sujet, mais où s'investissent deux voix, dialoguant : c'est la première forme, fruste, de *dialogisme*[24] à l'intérieur du discours de théâtre; dialogisme dont il est plus facile de postuler l'existence que de relever les traces le plus souvent irrepérables.

Décrypter le discours de théâtre comme discours conscient/inconscient d'un scripteur, ou l'entendre comme discours d'un sujet fictif (avec un rapport conscient/inconscient tout aussi fictif) sont deux démarches peut-être possibles à la condition de n'être pas isolées l'une de l'autre. Mais démarches toutes deux illégitimes et fallacieuses si elles prétendent remonter à un *psychisme* (celui du créateur, celui du personnage) et en rendre compte, puisque précisément le travail du discours théâtral consiste à échapper au problème de la subjectivité individuelle. Le discours théâtral est par nature une interrogation sur le statut de la parole : qui parle à qui ? et dans quelles conditions peut-on parler ?

2.5. L'émetteur-scripteur et le récepteur-public

Si nous reprenons la distinction des quatre voix, nous nous apercevons qu'il y a procès de communication entre un émetteur et un récepteur. Nous avons vu comme dans ce procès la voix du public était loin d'être nulle[25] ; non seulement elle se fait entendre concrètement, mais elle est toujours supposée par l'émetteur; on ne peut dire (écrire) au théâtre que ce qui peut être entendu : positivement ou négativement (par autocensure), le scripteur répond à une voix du public. Un exemple : la présence dans le théâtre du XIXe siècle du personnage de la courtisane tient à une demande sociale. Tout texte théâtral est la réponse à une

---

24. Sur cette notion, et sur la présence de voix plurielles à l'intérieur d'un texte, voir Bakhtine : *Poétique de Dostoïevski,* Seuil, 1970.
25. Voir *supra,* I, p. 26-27.

demande du public, et c'est sur ce point que se fait le plus aisément l'articulation du discours théâtral avec l'histoire et l'idéologie. Il est très intéressant de repérer (et toutes sortes de méthodes sont possibles) les éléments communs au discours théâtral d'une époque ou plus précisément d'un genre lié à tel type de théâtre et de scène. Ainsi, par exemple, les études stylistiques sur le mélodrame [26] ou sur le drame populaire au XIXe siècle ou sur le drame élisabéthain portent en fait non tant sur une sorte de discours commun des scripteurs que sur le discours commun au récepteur. Le vocabulaire du mélodrame renseigne moins sur les habitudes d'écriture des auteurs de mélos que sur l'*écoute du public.* Même si l'auteur prend le contre-pied de ce qu'attend son spectateur (ainsi font par exemple Hugo et plus près de nous Jean Genet), il ne se peut pas que ce refus ne soit inscrit à l'intérieur du discours théâtral. Que le scripteur se situe dans le droit fil de l'idéologie dominante ou qu'il prétende lui opposer un contre-discours, le fantôme du discours dominant est présent à l'intérieur du texte, sous telle ou telle forme précise, représentant telle ou telle variante de l'idéologie dominante. Les analyses de discours devenues déjà « classiques » [27] réclament une méthode particulière à propos du théâtre : une forme capitale de dialogisme est présente dans le discours théâtral qui oppose à l'intérieur du même texte *deux discours idéologiques,* en général, eux, parfaitement repérables.

On voit quel problème se pose à propos non seulement du théâtre classique, mais de toute forme de théâtre non contemporain : comment va se constituer le nouveau rapport entre un discours textuel créé en relation avec un public déterminé, et un public qui a changé et dont ni les préoccupations, ni la culture, ni l'idéologie ne sont les mêmes ? La tendance la plus simple est de nier le problème et de tenir que le rapport

---

26. Voir *Revue des sciences humaines,* n° spécial « Le Mélodrame », juin 1976.

27. Voir Régine Robin : *Linguistique et Histoire,* A Colin, 1973.

entre le discours du scripteur et la voix du spectateur se fait sur le terrain d'une nature humaine universelle, de passions éternelles. Un autre piège est de tenter de reconstituer le discours de l'auteur muni de ses conditions historiques d'énonciation, en niant du même coup la présence du public contemporain et de sa voix spécifique.

C'est là qu'intervient une autre voix doublant pour la moduler la voix du scripteur, et qui est la voix de cet émetteur qu'est le metteur en scène (et des auteurs praticiens) : au T du texte du scripteur s'ajoute le T' du texte du metteur en scène : au rapport IA — IB se substitue ou se combine un rapport I'A — I'B. Le discours émis par *Bérénice*, quand elle est montée par Planchon, suppose un destinataire *nouveau :* le public de 1965. Un « dialogue » s'établit entre la voix du metteur en scène et celle de l'auteur; dialogue bien entendu impossible à décrypter au niveau du texte de théâtre et qui ne prend son sens que dans le cadre des signes émis par la représentation : c'est le domaine où, à une sémiologie du discours de théâtre, doit se joindre une sémiotique de la représentation. Question que nous ne pouvons qu'aborder. Mais il est clair qu'aux problèmes posés par la ou les idéologies des spectateurs de 1976, le metteur en scène doit donner des réponses qui l'obligent à une *lecture* nouvelle du discours du scripteur.

On mesure ici à quel point cette notion de discours du scripteur court le risque d'être elle-même arbitraire, si n'est pas montré le rapport dialectique des quatre voix du procès de communication théâtrale.

3. LE DISCOURS DU PERSONNAGE

Nous touchons là au domaine où les habitudes de lecture et de commentaire du texte de théâtre rendent le plus difficile un nouveau mode d'analyse. Nous renvoyons sur ce point à ce qui a été dit au chapitre « Le personnage »[28] sur les rapports entre le discours du personnage et l'être fictionnel qui prétendument porte ce discours. Qu'il nous suffise ici de rappeler *a*) que la notion de personnage est relativement récente et historiquement datée, et qu'elle n'a au théâtre rien d'universel, *b*) que, bien loin que le discours du personnage soit le matériau permettant de constituer une « psychologie » de l'individu personnage, ce que nous savons par ailleurs de l'ensemble sémiotique-personnage et de sa fonction syntaxique nous permet de repérer les conditions d'énonciation de ce discours et donc *de le comprendre.*

Nous renvoyons aussi à ce que nous avons dit plus haut touchant l'étude du discours du personnage comme étendue de parole.

3.1. Le discours du personnage comme message : les six fonctions

Quelles que soient les critiques auxquelles on peut soumettre les six fonctions repérables selon Jakobson dans le discours, il n'en reste pas moins que l'analyse du discours du personnage selon ces fonctions reste commode et féconde. Nous nous excusons de ne faire qu'un rapide survol de ce qui devrait être l'objet d'une étude particulière.

a) La fonction *référentielle :* au niveau du contenu il est possible de faire l'inventaire de ce que le personnage nous apprend sur les autres et sur lui-même : on comprend alors que le personnage a à nous apprendre sur sa propre « psychologie » une couche bien mince entre tous ces renseignements référentiels (quoique ce soit le domaine qui permette au commentateur les développements les plus faciles et d'autant plus brillants qu'ils ne risquent d'être contredits par aucune analyse). Le discours du personnage renseigne sur la politique, la religion, la philosophie : il est outil de *connaissance* pour les autres personnages (v. l'exposi-

28. Voir p. 127.

tion) comme pour le public (le double destinataire); moyennant une *analyse,* il exprime aussi l'idéologie d'un « sujet » fictionnel, mais plus encore peut-être, et c'est une part essentielle de sa fonction référentielle, il montre comment se dit une parole, dans *son rapport avec une situation référentielle :* le *réalisme* du discours du personnage se situe là; mais sur ce terrain aussi la fonction référentielle du discours du personnage ne peut être analysée sans le recours aux autres discours.

b) La fonction *conative :* la parole du personnage est action ou peut l'être parce qu'elle détermine à l'action (et/ou à un autre discours) les autres protagonistes : ainsi le discours de Cinna sur le pouvoir monarchique a pour résultat d'empêcher Auguste d'abdiquer. L'étude de la fonction conative a pour terrain non seulement le mode des verbes, ce qui est évident, mais l'ensemble du fonctionnement *rhétorique* du discours, le travail de l'argumentation, qui fait du personnage un *orateur* : ordre, persuasion, etc., toutes les modalités du discours comme acte ressortissent à la fonction conative.

c) La fonction *émotive* ou *expressive* qui est en principe tournée vers l'émetteur dont elle a pour tâche de traduire les émotions est au théâtre tournée vers le récepteur-spectateur, avec pour mission d'imiter pour les *induire* chez lui des émotions dont à la limite il sait bien que personne ne les éprouve. Dans ce domaine encore ce n'est pas la syntaxe seule, ou même la sémantique qui permettent de mettre en lumière la fonction émotive du discours du personnage : ni les traits lexicaux (lexique de la passion) ni les caractéristiques syntaxiques (exclamations, ruptures dans la syntaxe, « style » haché) ne suffisent à indiquer la fonction émotive; le célèbre « vous y serez, ma fille » d'Agamemnon invitant sa fille à son propre sacrifice n'induit l'émotion qu'à la faveur du rapport du discours à son contexte. C'est ici le point où l'analyse proprement linguistique touche à ses limites au théâtre, où la sémantique réclame d'être relayée par la *pragmatique.*

d) La fonction *poétique :* en principe elle ne touche qu'indirectement le discours du personnage-sujet de l'énonciation : si l'on peut analyser la poétique d'un texte de théâtre, ce ne peut être que celle du discours total ou de ses éléments (séquence par séquence), non celle de telle couche textuelle (celle que prononce le comédien-personnage) isolée de l'ensemble textuel. Dans certains cas, rares à la vérité, on peut saisir, non pas seulement un « style » propre au personnage, mais véritablement une poétique propre : ainsi Shakespeare, il est possible d'analyser dans *Le Roi Lear* une poétique propre à la couche discursive du discours du Fou ou même du discours de Lear (à partir du moment où dans la lande il se dit « fou »). Il ne serait pas impossible — quoique difficile — de rechercher dans ces cas les éléments poétiques propres au discours du personnage : autrement dit de rechercher une organisation interne propre à ce discours. Avec les réserves que pose toute étude de la poétique d'un texte nécessairement dispersé, éclaté. Et cette autre réserve majeure, que ce qu'on trouve est moins une poétique du discours qu'une poétique *du texte* (et d'un texte nécessairement non clos). On s'éloignerait alors, et d'une façon relativement arbitraire, de ce qui est le domaine propre de la théâtralité. Concrètement la question qui se pose est celle de l'utilité d'une telle analyse pour la construction scénique du personnage, autrement dit pour le comédien. Question que nous laissons ici ouverte.

e) La fonction *phatique.* Si théoriquement la notion est claire, pratiquement elle pose de terribles problèmes de détermination textuelle : en fait la fonction phatique investit tout message proféré par un comédien-personnage ; ainsi, quoi qu'exprime le personnage, il dit aussi : *je vous parle, m'entendez-vous ?* Fonction phatique perpétuellement double : adressée à l'interlocuteur scénique en même temps qu'au spectateur. Il est extrêmement intéressant et important de repérer les déterminations textuelles qui indiquent le rapport phatique à l'autre (interlocuteur *ou* spectateur). Le travail textuel du théâtre contemporain va très souvent dans le sens d'une exhibition du rapport phatique au détriment des autres fonctions. A la limite, certains dialogues chez Beckett ou chez Adamov pourraient apparaître comme communication sans autre contenu que le fait même de la communication et de ses conditions d'exercice ; l'exemple le plus éclatant se trouve peut-être dans *En attendant Godot,* où une part considérable des messages paraît n'avoir d'autre sens que d'affirmer, de maintenir ou simplement de demander le contact. Mais en ce cas, il est très difficile de déterminer la fonction phatique au simple niveau linguistique : très souvent la fonction phatique du discours se fait par l'indication d'un geste ou par l'intermédiaire d'un objet dénoté dans le discours : les chaussures par exemple dans le même texte de Beckett ou la machine à sous dans le *Ping-Pong,* d'Adamov. Par une sorte de paradoxe, le signe le plus clair du fonctionnement phatique du discours du personnage est la « néantisation » de tout contenu référentiel ou conatif : à partir du moment où le discours apparaît discours *de rien,* c'est que sa fonction essentielle est phatique ; il dit la communication. Ce qui est extrêmement visible et fondateur dans le théâtre contemporain existe aussi dans tout discours théâtral, même celui d'un personnage classique. Il faudrait donc, à chaque moment du discours du personnage, étudier non seulement le discours en lui-même avec ses fonctions, mais *a*) les conditions de l'énonciation qui font la force ou la faiblesse du discours (appuyé sur des baïonnettes, ou supplication vaine du vaincu), *b*) le rapport avec une gestuelle parallèle qui peut l'annuler ou en limiter les effets.

Nous dirons, pour conclure sur ce point capital de la fonction phatique dans le discours du personnage, que nous retombons pour l'étudier sur les problèmes de la *pragmatique,* et que rien ne saurait être montré dans le discours du personnage qui ne soit en rapport avec les deux « discours » qui l'accompagnent, celui du *contexte* et celui de la *gestuelle.* La composante textuelle — et nous pourrions le montrer pour chacune des fonctions — ne saurait se comprendre sans les deux autres composantes.

3.2. *Le personnage et son « langage »*

Et je rapporte les propos qu'ils se lancent
Ce que la mère dit à son fils
Ce que le patron ordonne à l'ouvrier
Ce que la femme répond au mari
Je rapporte toutes leurs paroles
Quémandeuses ou autoritaires
Implorantes ou équivoques
Mensongères ou ignorantes
Belles ou blessantes
Je les rapporte toutes.

(Brecht : *Chant de l'auteur de pièces,*
trad. J. Tailleur.)

C'est à dessein que nous employons le mot vague de *langage,* qui rend compte à la fois de tous les aspects de ce qui est dit par le personnage.

3.2.1. Ce qu'on peut appeler son idiolecte. Dans certains cas déterminés, le personnage se sert d'une « langue » à part : il y a dans la couche textuelle dont il est le *sujet* des particularités linguistiques que le théâtre met en lumière ; dans tous ces cas particuliers, le langage sert à donner au personnage un statut d'« étranger » ; ainsi les personnages populaires, montrés comme ceux qui ne savent pas se servir de la langue des *maîtres :* comme les paysans de Molière, même dans le cas où ils sont par ailleurs valorisés, comme la Martine des *Femmes savantes,* ou ceux de Marivaux ; leur langue, artificielle, n'a aucune valeur référentielle, et ne sert qu'à indiquer une distance, comme le fait, autrement, l'usage des accents provinciaux et des formules patoisantes (cf. chez Molière, dans *M. de Pourceaugnac,* ou dans Les *Fourberies de Scapin*). Plus tard, le *niais* du mélodrame sera aussi montré comme celui qui désire parler la langue des maîtres, d'autant qu'il sert leurs valeurs et leur idéologie, mais ne la parle pas sans de comiques distorsions. Dans tous ces cas, l'idiolecte du personnage sert à éveiller chez le spectateur un rire de supériorité, sur celui qui ne sait pas bien se servir de l'outil linguistique de la communauté. La différence linguistique n'est jamais considérée au théâtre comme une différence *spécifique,* mais comme la désignation de celui qui est hors du groupe, en position d'infériorité[29].

3.2.2. Le code social. C'est l'aspect des choses sur lequel insiste Brecht, et qui est déterminant dans certaines formes de théâtre. Mais à la limite, tout personnage de théâtre est considéré comme parlant d'abord le langage de la couche sociale à laquelle il appartient. Cette « évidence » réclame d'être fortement nuancée : est-ce la couche sociale (c'est à dessein que nous n'employons pas le mot classe, qui suppose la conscience sociale) à laquelle il est censé appartenir ou celle à laquelle appartient le scripteur ? A moins que ce ne soit le langage *imaginaire* que le scripteur prête à la couche sociale à laquelle appartient son personnage ? Le langage des rois de Racine est *imaginaire,* il n'est ni celui de Racine, ni celui de Louis XIV. Le langage du capitaliste Puntila (*Maître Puntila et son valet Matti*) n'est pas plus celui de Rockefeller ou de Ford que celui de Brecht. C'est-à-dire que le langage des personnages de théâtre n'est pas conçu comme reflétant avec une exactitude référentielle le langage de l'être social qu'il est censé représenter. Cependant, il est clair que le langage d'Alceste est autrement codé que celui des petits marquis (qui appartiennent à la même classe sociale, mais peut-être pas à la même couche sociale que lui, en tout cas pas au même *groupe*). Ce qui est socialement codé dans le *discours* du personnage, c'est l'emprunt à tel ou tel type de discours déjà existant dans la société qui l'entoure, et qu'il utilise comme

---

29. On sait les difficultés rencontrées par Balzac, entre autres, pour donner au théâtre droit de cité à l'*argot.* En regard, on peut remarquer que dans l'assemblage de populations de l'empire ottoman, le théâtre populaire fait rire d'un rire de supériorité aux dépens des particularités linguistiques des allogènes.

système codé : ainsi Alceste disant à Célimène « Non, vous ne m'aimez pas comme *il faut* que l'on aime », pose un discours présupposant qu'il y a tel ou tel type non tant d'amour que de *discours sur l'amour*[30] dans le groupe social dont il fait partie. Ce qui est « social » dans le langage du personnage n'est pas le langage en tant que reflet d'une réalité, mais tel ou tel type de *discours social.* Nous touchons là au problème capital de la pluralité de discours à l'intérieur du discours du personnage (le *dialogisme* bakhtinien), problème dont l'un des aspects les plus intéressants est l'emprunt par une classe sociale du discours d'une autre classe (et en général de la classe dominante), problème extraordinairement actuel au théâtre et que nous retrouverons. Un exemple : dans les formes immédiatement contemporaines du théâtre du quotidien : les personnages de Kreutz, Michel Deutsch, Wenzel, Lassalle ne peuvent pas parler un discours qui soit le leur, ils sont obligés d'emprunter le discours (*les* discours) dominant pour exposer des problèmes qui sont les leurs.

3.2.3. Le discours subjectif. Une telle analyse réduit la part subjective dans le discours du personnage : la présence, à l'intérieur de son discours, et de l'interlocuteur et du discours social diminue la part réservée à l'énonciation subjective. Dans tel exemple célèbre, le « Je ne l'ai pas encore embrassé d'aujourd'hui », la tradition scolaire entend un cri spontané de l'amour maternel ; peut-être, mais c'est bien davantage une *arme* (à double tranchant) contre Pyrrhus ; c'est un coup porté, que l'on paraphraserait ainsi : à Pyrrhus demandant : « Me chercheriez-vous, Madame ?... », elle répond : « ce n'est pas vous que je cherche et que j'aime, mais l'enfant Astyanax, reste de Troie » (« Puisqu'une fois le jour vous souffrez que je voie

---

30. La même *formule* « aimer comme il faut » se retrouve dans la bouche du paysan Pierrot (*Dom Juan*), avec un développement discursif autre. Le comique vient précisément de cet emprunt au langage d'une autre classe.

Tout ce qui reste, hélas et d'Hector et de Troie »). Le discours du personnage prend en compte non tant une subjectivité qu'une intersubjectivité.

Le discours du personnage s'affirme comme parlant sa subjectivité, comme « homme dans la langue ». Le théâtre est le domaine privilégié d'exercice de ce que Benveniste appelle « l'acte individuel d'appropriation de la langue », qui

> « introduit celui qui parle dans sa parole (...) La présence du locuteur à son énonciation fait que chaque instance de discours constitue un centre de référence interne. Cette situation va se manifester par un jeu de formes spécifiques dont la fonction est de mettre le locuteur en relation constante et nécessaire avec son énonciation (...) C'est d'abord l'émergence des indices de personnes (le rapport *je-tu*) qui ne se produit que dans et par l'énonciation : le terme *je* dénotant l'individu qui profère l'énonciation, le terme tu, l'individu qui y est présent comme allocutaire. De même nature et se rapportant à la même structure d'énonciation sont les indices nombreux de l'ostension (type *ce, ici,* etc.), termes qui impliquent un geste désignant l'objet en même temps qu'est prononcée l'instance du terme[31] ».

Le discours au théâtre est bien ce discours axé sur l'énonciation discours du *je/tu* (par opposition à un discours du *il,* objectif), discours de l'*ici-maintenant,* où fonctionnent ce que Benveniste appelle les *embrayeurs*[32] : mais — paradoxe fondateur du théâtre et de sa possibilité — la caractéristique des embrayeurs est de n'avoir *pas de référent :* qui est *je?* où est *ici,* quand est *maintenant?* il faut des spécifications extérieures au discours pour lui donner son référent : la représentation théâtrale, comme nous l'avons montré,

---

31. On comprend que le choix d'une lecture ici privilégiant le sentiment individuel ou le rapport interpersonnel retentisse sur la représentation (mise en scène).

32. E. Benveniste, *Problèmes de linguistique générale,* II, p. 82.

construit ce référent. Ce qui lui permet de porter une infinité d'*ici-maintenant*, et par ricochet une pluralité de *je*. Le *je* théâtral n'est jamais réservé à un moi historiquement et biographiquement déterminé, puisque, si c'est « Cléopâtre » qui parle, ce n'est pas Cléopâtre, mais un n'importe qui.

C'est sur ces deux points (le rapport *je-tu*, et le système du présent) que devrait d'abord porter l'analyse du discours du personnage en tant que discours subjectif. Ainsi le rapport *je-tu* implique un rapport à chaque fois nouveau entre le personnage et sa propre subjectivité, comme entre celle-ci et les autres subjectivités. A chaque moment de l'action le rapport *je-tu* indique le mouvement des rapports intersubjectifs. Une question se pose à toute lecture : qu'est-ce que le personnage, dans une séquence déterminée, fait de son *je ?* Prenons deux exemples opposés : d'abord le discours auto-réflexif de Phèdre qui, dans la grande scène de l'aveu à Hippolyte, ne parle que son propre *je* (le plus souvent en position de sujet), parfois sous forme métonymique :

« Toujours devant mes yeux je crois voir mon époux.
Je le vois, je lui parle ; et mon cœur... je m'égare,
Seigneur ; ma folle ardeur malgré moi se déclare (...)
Oui, Prince, je languis, je brûle pour Thésée :
Je l'aime...
J'aime. Ne pense pas qu'au moment que je t'aime,
Innocente à mes yeux je m'approuve moi-même. »

On pourrait citer tout le discours de Phèdre, non seulement dans cette scène mais dans presque tout le texte. Bel exemple de discours autoréflexif, dont le subjectivisme, qui fonctionne au niveau de l'action, comme sur le plan du discours interpersonnel, appelle le commentaire illusoire d'une psychologie de la personne.

Un exemple inverse : le discours anonyme de Ruy Blas clamant son apostrophe aux ministres, où lui, Premier ministre tout-puissant, ne peut pas dire *je* (excepté dans deux incises), parce qu'il n'a pas d'identité, qu'il porte un nom usurpé.

De même l'analyse du *système temporel* est extrêmement révélatrice du rapport du personnage au temps et à l'action. Dans toutes les premières pièces d'Adamov, le « héros » (le personnage central de tous ces récits oniriques) est incapable de se parler ou de parler sa propre action au présent. Son discours auto-réflexif est un discours au futur (ou parfois au conditionnel), où l'acte est reporté à un moment de l'action qui est en fuite perpétuelle vers l'avant. Là encore, le discours subjectif du personnage renvoie moins à la psychologie du personnage incapable de se parler au présent et repoussant au lendemain son acte velléitaire (*le Sens de la Marche, les Retrouvailles*), qu'à un certain type de relations interpersonnelles, commandant l'action et commandées par elle. Nous touchons ici au problème de la *modalisation* de l'énonciation, qui correspond à une relation interpersonnelle, sociale, exige donc une relation entre les protagonistes dans la communication. Une phrase ne peut recevoir qu'une seule modalité d'énonciation, obligatoire, qui peut être déclarative, interrogative, impérative, exclamative et spécifie le type de communication entre le locuteur et le(s) auditeur(s)[33], de même que « l'adhésion du locuteur à son propre discours »[34] (*peut-être, sans doute, évidemment*). C'est la syntaxe qui prend en compte une part considérable de la modalisation de l'énonciation ; et sur ce point le statut du discours de théâtre n'est pas différent de celui du dialogue de roman (ainsi par exemple le discours tout en négations par lequel Madame de Clèves refuse Nemours à la dernière page du roman de Madame de La Fayette) ; mais au théâtre il y a *réversion de la modalisation sur le contenu du discours :* modaliser l'énonciation du discours n'est pas tant lui donner une « couleur » particulière que lui donner un autre sens : la modalisation devient à proprement parler le contenu même du message ce

33. Maingueneau, *Initiation aux méthodes de l'analyse du discours,* p. 110.
34. *Ibid.,* p. 119.

qui est dit n'est pas l'objet de l'interrogation et de l'incertitude, mais bien plutôt cette interrogation ou cette incertitude même engageant un certain type de rapports de langage avec l'interlocuteur : « Vous ne répondez point ? » demande Hermione à Pyrrhus qui ne l'écoute plus, et la phrase n'a pas tant pour message l'interrogation sur une réponse éventuelle, que l'appel phatique à l'autre. Plus encore que le théâtre classique, le théâtre contemporain travaille à l'aide de la modalisation et sur elle. La parole y est marquée d'incertitude, coupée délibérément d'un référent « réaliste », sa subjectivité est exhibée ; ainsi la parole incertaine, velléitaire des héros d'Adamov ; la modalisation y joue statistiquement un rôle infiniment plus important que dans le théâtre classique. Par exemple, dans la célèbre première phrase de *Fin de partie,* de Beckett, on voit comment la modalisation s'installe : « Fini, c'est fini, ça va finir, ça va peut-être finir. »

3.3. Hétérogénéité du discours du personnage

Le personnage sur scène est parlé en principe par un seul comédien (et s'il y a des distorsions, elles sont ressenties en tant que telles) ; d'autre part, il y a dans maintes formes de théâtre, et nous ne pensons pas seulement à Brecht, un effort pour aligner le discours du personnage sur un référent « quotidien » : c'est ainsi que parlent le marquis, le valet, le boucher, le P.-D.G., l'ouvrier agricole de Picardie. De là dans le discours du personnage un « effet de réel » souvent très puissant, donnant à ce discours une unité, au moins apparente, qui l'emporte sur les différences ; il y a des formes de théâtre qui jouent sur l'unité du discours de tel ou tel personnage, ainsi les « types » de la comédie ; ainsi le « naturalisme » du discours de certains personnages de Goldoni ou de Tchekhov — de certains, non de tous. Dans d'autres cas, c'est l'uniformité du « style » d'un Corneille ou d'un Racine, qui produit dans le discours du personnage un effet d'unité.

Unité presque partout plus apparente que réelle, au moins dans le théâtre qui n'est pas trop étroitement conventionnel. Il y a dans l'énoncé théâtral d'un personnage, présence de discours dont le statut est hétérogène : à côté du discours subjectif, il y a des *discours cités :* discours de l'opinion générale, de la « sagesse des nations », aphorismes, proverbes, maximes, énoncés à la troisième personne, mis à distance comme des éléments objectifs ; le discours théâtral le plus subjectif charrie une masse de discours autres, empruntés à des éléments culturels, appartenant à la société ou plus souvent à la couche sociale où évolue le personnage. On peut dire sans trop d'abus qu'une part considérable du travail de la distanciation brechtienne consiste à arracher les énoncés du personnage à l'illusion du monocentrisme, pour montrer en eux des juxtapositions d'énoncés de provenance diverses ; plus particulièrement ce travail consiste dans la juxtaposition d'un discours subjectif et d'un discours mis à distance, objectivé. Un exemple admirable, presque fabuleux : celui de *La Bonne Ame de Se-Tchouan,* clivée en deux personnages à discours opposés. Ce qu'il est convenu d'appeler le conflit intérieur du personnage est au théâtre collision de discours : à chaque pas nous nous heurtons à ce fait fondateur que, même dans le monologue, le discours du personnage ne fonctionne que par le dialogue, implicite ou explicite. Toute analyse de discours un peu précise ne peut manquer de montrer que le discours du personnage n'est pas une coulée continue, mais la juxtaposition de couches textuelles différentes, qui entrent en rapport, en général conflictuel. Allons plus loin : ce sont ces couches discursives différentes qui permettent le dialogue. Le rapport discours du personnage-dialogue est un vrai rapport dialectique. Il est impossible d'analyser le discours du personnage comme une monade isolée, mais inversement c'est son hétérogénéité textuelle qui permet qu'il soit mis en rapport avec d'autres discours.

4. DIALOGUE, DIALOGISME, DIALECTIQUE

La parole théâtrale est, même dans le monologue, essentiellement dialoguée. Le dialogue théâtral est moins une série de couches textuelles à deux ou plusieurs sujets de l'énonciation que l'émergence verbale d'une situation de parole comportant deux éléments affrontés.

4.1. Dialogue et situation de dialogue

Il est certes important de faire ce que fait toute dramaturgie « classique »[35], à savoir le repérage des diverses formes de dialogue et de leur combinatoire à l'intérieur de l'ensemble du texte dramatique : dialogue en longues tirades où les personnages s'affrontent rhétoriquement ou passionnellement en grandes coulées construites ; stichomythies (échanges vers à vers ou hémistiche à hémistiche) comme dans les moments intenses de la tragédie, répliques interrompues et bafouillages alternés de la comédie classique, scènes multiples où se combinent comme une tresse les échanges des interlocuteurs ; faux dialogue, où un locuteur tient presque toute la place, son discours étant simplement ponctué des répliques d'un interlocuteur chargé d'assurer la relance, comme dans certaines scènes à confident de la tragédie classique ou du drame romantique ; dialogues « parallèles » sans échanges (avec ou sans aparté) comme parfois chez Shakespeare, et souvent dans le théâtre dit de l'absurde. Autant de formes de dialogue dont la description est utile, au moins formellement.

Disons que le mode d'échange est déjà un signe permettant de construire le sens, et porteur de sens en

35. Voir pai exemple J. Schérer : *La Dramaturgie classique en France* et P. Larthomas : *Le Langage dramatique.*

lui-même. Il est clair cependant que nous ne « comprendrions » pas, comme nous le faisons, le *sens* d'une scène en langue étrangère, si nous ne disposions pas d'autres éléments[36]. La base du dialogue c'est le *rapport de force* entre les personnages, cette formule étant entendue dans son sens le plus large : le rapport d'amour peut être aussi un rapport de domination, désirer c'est être demandeur donc en position d'« infériorité » par rapport à celui qui détient l'objet du désir. De là tout un jeu dans la constitution de ces rapports de forces qui déterminent les conditions d'exercice même de la parole. Ainsi, comme le montre O. Ducrot avec beaucoup de précision[37], toute scène d'interrogatoire ou simplement d'interrogation suppose (ou plus exactement présuppose) que le personnage qui interroge a *qualité* pour le faire, donc que les rapports « juridiques » entre l'interrogateur et l'interrogé sont tels qu'une pareille relation de langage est possible, et que l'interrogé est *obligé* de répondre ou s'oblige à le faire. La fameuse scène d'Auguste et de ses conseillers n'a de sens que par rapport à l'ordre implicite d'Auguste, ordre auquel nul ne saurait se dérober, par rapport à sa position de maître, un maître qui peut obliger ceux qu'il convoque à lui dire s'il doit ou non abdiquer.

Un dialogue de théâtre a donc une double couche de contenu, il délivre deux espèces de messages ; le même système de signes (linguistiques) porte un double contenu :

a) le contenu même des énoncés du discours ;

b) les informations concernant les conditions de production de ces énoncés.

Oublier cette seconde couche d'information, parce qu'elle est moins évidente, revient à mutiler le sens des énoncés eux-mêmes, comme nous tâcherons de le

---

36. Les exemples naguère des représentations du théâtre des Nations, et tout récemment celles du festival d'Automne à Paris, avec les mises en scène en italien de G. Strehler et en allemand de P. Stein, démontrent cette possibilité.

37. Voir O. Ducrot : *Dire et ne pas dire* et *La Preuve et le Dire.*

montrer sur quelques exemples. Le dialogue de théâtre se fait sur la base d'un *présupposé* qui le gouverne : que l'un des interlocuteurs, par exemple, a qualité pour imposer la loi de dialogue. Allons plus loin ; le message premier du dialogue du théâtre est justement la relation verbale et les présupposés qui la gouvernent. Or cette relation verbale est elle-même dépendante des rapports (de domination principalement) entre les personnages, dans la mesure où ces rapports apparaissent le mime de rapports dans la réalité : ils sont la matière principale de la *mimésis;* inutile de dire alors que ces rapports apparaissent eux-mêmes sous la dépendance des rapports « sociaux », pour employer le terme le plus large.

4.2. Dialogue et idéologie

Nous reprendrons sur ce point du rapport idéologie-discours, l'analyse très claire que fait Régine Robin, commentant un texte de Haroche, Henry et Pêcheux[38], elle rappelle :

— « Que les idéologies[39] ne sont pas des éléments *neutres,* mais des forces sociales, des idéologies de classe.

— Que les discours ne sont pas réductibles aux idéologies, pas plus que les idéologies ne sont superposables aux discours. Il est indiqué que les formations discursives sont *une composante* des formations idéologiques[40], autrement dit, que les forma-

---

38. « La sémantique et la coupure saussurienne ; langue, langage, discours », *Langages* n° 24, déc. 1971, p. 102.

39. On peut définir l'idéologie, d'après Althusser, comme « la façon dont les hommes vivent leurs rapports à leurs conditions d'existence ». Le même auteur définit les idéologies pratiques comme des « formations complexes de montages, de notions, de représentations, d'images d'une part, et de montages de comportements, attitudes, gestes d'autre part ; l'ensemble fonctionnant comme des normes pratiques qui gouvernent l'attitude et la prise de position concrète des hommes à l'égard des objets réels de leur existence sociale et indivuelle et de leur histoire » (cité par R. Robin : *Linguistique et Histoire,* p. 101-102).

40. « On parlera de formation idéologique pour caractériser un élément susceptible d'intervenir comme une force confrontée à

tions idéologiques gouvernent les formations discursives.

— Que les formations discursives ne peuvent s'appréhender qu'en fonction des conditions de production, des institutions qui les impliquent, et des règles constitutives du discours : comme le soulignait M. Foucault, *on ne dit pas n'importe quoi, à n'importe quel moment, dans n'importe quel lieu*[41].

— Que les formations discursives doivent être rapportées aux *positions* des agents dans le champ des luttes sociales et idéologiques.

— Que les mots ne sont analysables qu'en fonction des combinaisons, des constructions dans lesquelles ils sont employés[42]. »

Ce résumé est d'autant plus immédiatement applicable au dialogue de théâtre, que celui-ci ne prend sens que par rapport à ce que Régine Robin appelle les *positions discursives* des locuteurs. Or ces positions discursives sont repérables à l'aide de ce qui est le contenu explicite du discours, mais davantage encore au niveau de ce que R. Robin appelle l'*inasserté,* et qui est un « préconstruit » du discours, analogue dans son fonctionnement au *présupposé* tel que l'établit O. Ducrot, c'est-à-dire ce qui est la *base commune,* l'assertion que l'on ne met pas en doute et sur laquelle se construit le dialogue, avec ses divergences.

Il est clair, par exemple qu'un dialogue shakespearien, dans lequel un roi est l'un des locuteurs, *présuppose* des maximes définissant le rapport féodal du roi et de ses vassaux (la position discursive), avec toutes les modifications socio-historiques que l'époque de Shakespeare introduit dans les rapports féodaux : la

---

d'autres forces dans la conjoncture idéologique caractéristique d'une formation sociale, en un moment donné ; chaque formation idéologique constitue ainsi un ensemble complexe d'attitudes et de représentations qui ne sont ni " individuelles ", ni " universelles ", mais se rapportent plus ou moins directement à des positions de classes en conflit les unes par rapport aux autres. »

41. Souligné par nous ; formules directement applicables au dialogue de théâtre.

42. R. Robin, *Linguistique et Histoire,* p. 104.

contradiction se fait entre ces *maximes présupposées,* et les *positions de discours différentes* qu'établit la rébellion des vassaux. Ainsi dans les échanges entre le roi Lear et ses filles révoltées (sous, ou à côté du discours construit, de ses arguments familiaux, moraux, affectifs, voire politiques), ce qui intervient, c'est le changement dans le rapport de force entre le vieux roi et les nouvelles maîtresses.

On voit par quelles médiations l'idéologie s'investit dans un texte de théâtre, moins au niveau du contenu explicite (et même de ses connotations) qu'au niveau des présupposés commandant les rapports entre les personnages. Ainsi, les conséquences idéologiques de la crise de la féodalité à la fin du XVIe siècle en Angleterre sont moins perçues au niveau du contenu des dialogues qu'au niveau des situations de langage qui s'établissent entre les personnages : tout le texte de *Richard II* et de *Macbeth* s'éclaire en fonction d'une telle lecture des dialogues. Avec une particularité propre au théâtre : ce qui, dans la lecture de textes autres (discursifs ou romanesques), n'est perçu que par un travail critique sur le texte peut être au théâtre mis en forme et proprement *exhibé* par la mise en scène ; tout se passe comme si la tâche du metteur en scène était précisément de *montrer « visuellement » les situations de langage, et par extension les positions discursives.*

4.3 Questionner le dialogue

Ainsi donc le questionnement sur le dialogue est d'abord un questionnement sur les conditions de production du dialogue. La puissance d'impact du dialogue sur le spectateur tient le plus souvent au décalage entre le discours tenu et ses conditions de production, ou à l'anormalité des conditions de production, marquée par une distorsion à l'intérieur même de ces conditions de production du dialogue.

Le premier travail sur le texte d'un dialogue est de l'interroger sur :

a) les rapports de *dépendance* entre les personnages,

à l'intérieur d'une formation socio-historique donnée : maître-valet, roi-sujet, homme-femme, aimant-aimé, solliciteur-sollicité, etc. ;

b) l'incidence de ces rapports sur le rapport de parole entre les locuteurs, avec toutes les conséquences qui en découlent sur la *force illocutoire* des énoncés : ainsi le *sens* même d'un énoncé impératif dépend de la possibilité pour le locuteur d'être obéi ; on doit donc poser au texte un certain nombre de questions : qui parle ? qui a droit de parler ? qui interroge et qui répond ? qui porte la parole le premier ? etc. ;

c) les *présupposés* sur lesquels repose l'existence même du dialogue, — à ne pas confondre avec ceux qui gouvernent les *énoncés* de ce dialogue.

4.4. Les contradictions

Les réponses à ces questions conduisent à un certain nombre d'évidences qui méritent à peine d'être signalées : mais, souvent, elles permettent de voir comment le dialogue fonctionne au moyen d'un certain nombre de contradictions :

a) *Contradiction entre la parole des locuteurs et leur position discursive.* Un serviteur ne parle pas devant son maître, un bouffon n'injurie pas un roi : or *Le Roi Lear* et tant d'autres textes shakespeariens montrent comment cette contradiction peut être productrice de sens. Nous avons vu naguère comment le dialogue dans le drame de Hugo reposait sur la volonté de faire parler ce qui n'a pas la parole, et dans une position « impossible » : la courtisane au roi chaste, le laquais aux ministres ou à la reine... Le sens alors se déplace : il se centre non sur la signification des énoncés, mais, par l'absurde, sur les conditions de production de la parole efficace et de son écoute possible. Si nous reprenons ici la notion dramaturgique de *vraisemblance,* nous nous apercevons qu'elle touche moins la « psychologie » que les conditions d'exercice du dialogue. Si la dramaturgie baroque suppose souvent cette très visible contradiction, la dramaturgie classique s'efforce de la colmater. Mais la contradiction n'en existe pas moins, apportant à la scène classique sa force et son sens : ainsi l'exemple bien connu de la scène 4 de l'acte I d'*Andromaque* qui voit la confrontation de l'héroïne et de Pyrrhus : or cette scène indique le renversement possible du rapport maître-esclave, vainqueur-vaincue ; tout le dialogue repose sur le conflit du double présupposé : Andromaque en situation de faiblesse, Andromaque en situation de force. On peut même se demander si le *sens* de la scène n'est pas celui-là : montrer ce *renversement* dans la situation de parole, renversement qui *est le fait du vainqueur* (mais de quelle force surgie en lui-hors de lui ? question posée, indécidable, brèche psychologique mal colmatée par les mots *amour* ou *passion*) :

b) *Contradiction entre conditions d'énonciation et contenu du discours;* c'est ainsi que fonctionne une grande part du théâtre de Marivaux : par retournement des conditions de production du discours, d'où la boiterie dans le dialogue ; l'exemple du *Jeu de l'amour et du hasard* est excellent, où maîtres et valets ont échangé leurs positions discursives ; mais sont presque aussi caractéristiques les hypocrites discours des maîtres, dans *La Double Inconstance,* dissimulant leur véritable situation de parole.

Dans Beckett, cette contradiction prend un visage différent : les conditions de production du discours sont dissimulées, c'est dans l'ignorance qui pèse sur elles que s'écrit le suspens du dialogue : ainsi dans *Fin de partie,* les rapports de parole Hamm-Clov, et l'incertitude sur les rapports de forces qui les sous-tendent.

Un bel exemple caractéristique est celui de la scène 2 de l'acte II de *Lorenzaccio,* scène que nous avions déjà analysée en y montrant le jeu des articulations[43] : les propositions de Lorenzo et de Valori, nonce du pape (« Venez chez moi... je te ferai peindre... »), répondent à un *non-dit* dans les paroles du jeune Tebaldeo, à un *sous-entendu* (mais non à un présupposé), par lequel il a fait des offres de services (« embauchez-moi,

---

43. Voir plus haut p. 219 et suiv.

achetez-moi »)[44] et dont il est facile de repérer les traces indicielles dans le discours et dans la gestuelle ; on s'aperçoit alors de la réelle situation de discours de Tebaldeo, solliciteur répétant comme un perroquet flagorneur les remarques (d'ailleurs mal comprises) de Valori, et acceptant de subir un interrogatoire indiscret de la part de son futur « patron ». On repère alors le lieu où fonctionne la *mimésis :* dans le mime d'une situation de discours qui est, plus que celle de l'artiste de la Renaissance, celle de l'artiste, du littérateur du début du XIXe siècle : affirmation d'indépendance morale, d'autonomie de l'art (art pour l'art), servitude dans les conditions de production ; affirmation d'un commerce équitable, vente « libre » de l'objet-tableau, ou de l'objet-livre, en fait esclavage où le patron a acheté la force de travail en monopolisant d'avance toute la production. Scène extraordinaire montrant comment la *référence* n'est pas tant à chercher dans le référent socio-historique des énoncés, que dans la situation même de production du dialogue.

4.5. *Les énoncés dans le dialogue*

4.5.1. On en conclut que le dialogue est le développement, la mise en forme de deux positions discursives confrontées ou affrontées. Vue choquante pour tous ceux qui sont accoutumés à voir dans le dialogue de théâtre l'émergence de conflits où se déploient l'autonomie, la liberté, l'efficacité de la parole passionnelle ou rhétorique. Cette autonomie que l'on démontre facilement illusoire dans le miroir du théâtre[45] n'exclut pas la mise en forme d'une dialectique parole-action,

---

44. Sans parler, dans le dialogue des protagonistes, des indices assez clairs d'une séduction ou d'un achat homosexuels, l'individuel et le politique étroitement unis.

45. A partir du moment où dans le « texte » d'un personnage émergent plusieurs discours contradictoires ou du moins divergents relevant de plusieurs formations discursives, il devient difficile de faire apparaître la parole comme produit d'une conscience libre, d'un « sujet » autonome et créatif.

où la parole apparaît facteur de changement dans l'action, et, par un choc en retour modifiant ses propres conditions de production[46]. Mais on s'aperçoit que même dans le théâtre classique français, domaine privilégié, les exemples de dialogues où la parole est réellement productive sont infiniment plus rares qu'on ne pense. La *parole persuasive* des Grecs ne trouve son champ que dans les conditions quasi juridiques où le code permet le déploiement d'un discours logique : une relative égalité dans les situations de discours, etc. On peut dire que la dramaturgie de Corneille fait tous ses efforts pour constituer et construire les conditions d'échange d'une parole efficace : les locuteurs peuvent convaincre et se convaincre. Chez Racine, déjà, au contraire, ce qui est mis en lumière c'est l'inefficace d'un dialogue où, malgré les apparences, personne ne convainc personne. Nous retrouvons ici par un autre biais l'importance de la *fonction phatique* dans le dialogue, et le fait que l'enchaînement des énoncés, leur échange sont plus importants que leur contenu.

4.5.2 Dialogue et dialogisme. Les énoncés eux-mêmes sont pris dans un système de contradictions qui tantôt sont dialectiquement levées tantôt subsistent côte à côte. Nous avons vu à propos des discours des personnages que ceux-ci comportent des énoncés juxtaposés renvoyant à des formations discursives différentes : première forme de dialogisme, infiniment intéressante, dans la mesure où elle suppose la non-coïncidence du personnage avec lui-même, mettant en question l'unité du personnage et montrant dans son discours l'émergence des contradictions de l'histoire, bien au-delà de la psychologie individuelle. On peut lire ainsi même les grands monologues délibératifs de l'âge classique : les stances du *Cid,* mais aussi, en y regardant d'un peu près, les monologues passionnels de Racine : le mono-

46. L'examen, dans chaque séquence moyenne (scène), de ce rapport dialectique serait un travail singulièrement fécond, y compris sur le plan pédagogique.

logue inclut des énoncés et des maximes dont les *présupposés* ne sont pas les mêmes[47].

On pourrait montrer que le dialogisme à l'intérieur du discours d'un personnage n'est pas seulement cette fracturation en deux *voix,* comme le veut Bakhtine, mais le *collage* (ou le *montage*) d'énoncés radicalement hétérogènes[48]. Et au-delà, il affecte non seulement telle ou telle forme moderne de théâtre, mais l'ensemble du genre : il est *constitutif du dialogue de théâtre,* par un biais imprévu qui est celui du *présupposé commun :* s'il y a dialogue (et dialogisme), c'est que toutes les consonances et dissonances, les accords et les conflits se font autour d'un noyau commun. Quand Bakhtine refuse le dialogisme du théâtre, il a raison, parce qu'il voit l'existence de ce noyau commun ; il a tort, parce que c'est justement ce présupposé commun qui permet la confrontation, la juxtaposition, le montage, le collage de voix différentes. Pour discuter, il faut s'accorder sur un point, qui n'est pas mis en question, qui, non formulé, est la base même de la parole commune. Selon l'exemple fameux « le roi de France est chauve », on peut discuter, s'accorder ou se battre à propos de la calvitie du roi de France ; encore faut-il que l'on soit d'accord sur le fait (*présupposé*) que la France a un roi ; sans cela, le dialogue tourne court si quelqu'un s'écrie : « Mais il n'y a pas de roi de France ! » Notons par parenthèses que dans certaines formes de théâtre, celui de Ionesco, par exemple, le dialogue continue on pourrait montrer que la caractéristique du dialogue ionescien est de fonctionner sans

47. Il y aurait tout un travail à faire qui n'est guère imaginable à l'heure actuelle, les bases théoriques n'étant pas assurées, et par lequel on montrerait l'articulation de *présupposés* liés aux formations discursives et de *présupposés* liés à un fonctionnement inconscient du discours.

48. Il y a *montage* quand les éléments hétérogènes prennent sens par la combinaison, par la construction qui est faite avec eux ; il y a *collage* quand c'est l'hétérogénéité qui fait le sens, non la combinaison.

présupposé commun. Mais aussi, il n'est ni dialogique, ni dialectique.

Ainsi nous pouvons montrer d'une manière très précise que dans le *Lorenzaccio* de Musset, le héros est confronté à des énoncés appartenant à plusieurs formations discursives, elles-mêmes relevant de plusieurs formations idéologiques : le discours « libéral », de Philippe Strozzi avec ses connotations culturelles de latinité héroïque, le discours « ultra » et « Jeune France », facile à repérer dans les énoncés de Tebaldeo[49]. A chaque fois le dialogue ne peut s'établir que parce que Lorenzo reprend à son compte les *présupposés* (contradictoires) sur lesquels reposent les discours de ses interlocuteurs. De là la position centrale et centralisatrice du héros, qui ne peut pas ne pas fonctionner comme « conscience spéculaire », selon la formule d'Althusser[50], mais aussi destructrice, par annulation successive des discours qui lui sont confrontés.

On pourrait prendre d'autres exemples, montrer comment Néron est provisoirement battu par Burrhus (dans *Britannicus*), parce qu'il est contraint d'adopter formellement les *présupposés* du discours de ce dernier. Au reste, il ne faudrait pas imaginer qu'il n'y a de présupposés que politiques ou « idéologiques » : le présupposé qui sous-tend un dialogue peut être aussi bien : *j'aime X* ou *X m'aime* (tout en réservant le fait qu'il y ait ou non articulation à l'idéologie en ce dernier cas)[51]. Quant au *comique*, l'une de ses sources vient de la présence dans le même dialogue de présupposés

49. Nous renvoyons ici à notre article « Révolution et topique de la cité : Lorenzaccio », *Littérature,* 1977, pour la méthode d'analyse des énoncés : relevé du paradigme de la *cité Florence* et de sa distribution entre les locuteurs, construction de réseaux discursifs que l'on peut mettre en parallèles avec leurs référents sociopolitiques de 1833, fonctionnement du dialogue.

50. Althusser, *Pour Marx :* « Vers un théâtre matérialiste ».

51. Il serait intéressant de montrer comment la structure œdipienne de la famille (et du psychisme) peut fonctionner comme présupposé. On irait peut-être assez loin, en repérant par ce biais l'articulation de l'analytique et de l'idéologique.

différents, non aperçus des intéressés, ou au contraire de l'adoption parfaitement hypocrite d'un présupposé auquel le locuteur n'adhère pas : ainsi Valère contraint dans le dialogue avec Harpagon d'adopter le présupposé : *l'argent est tout;* la cérémonie finale du *Malade imaginaire* est la matérialisation du présupposé qui sous-tend tous ses discours : la présence du médecin guérit magiquement par contact.

4.6. *De quelques procédures d'analyse du dialogue*

Si nous reprenons ce qui précède, nous pouvons en tirer quelques directions de recherche sur le dialogue de théâtre. Il faut :

a) Etablir pour les différents locuteurs quelle est leur position discursive, et plus concrètement quelle est leur situation de parole, parfois inaperçue, occultée par l'évidence du sens (des énoncés) : c'est souvent un non-dit du discours qui la conditionne ; il faut donc rechercher les *indices* permettant de discerner la situation « réelle », les rapports « réels » entre les personnages : gestuelle, modalisations, etc. ; il faut faire l'inventaire du double domaine du *sous-entendu* (Tebaldeo a bien envie de vendre sa peinture, Valori veut quelque chose de Lorenzaccio, Andromaque n'est pas libre de ses mouvements), et du *présupposé* (l'art est par nature solliciteur, l'art est libre, une captive est soumise à son vainqueur)[52] qui détermine la position discursive des locuteurs.

b) Rechercher les *présupposés* qui conditionnent le dialogue lui-même ; ainsi dans la scène de Tebaldeo, Lorenzo et Tebaldeo s'accordent sur les présupposés suivants . Florence = mère pourrie, prostituée ; art = production naturelle poussant sur une terre fécondée par la pourriture. Présupposés par rapport à quoi le dialogue fonctionne en différence, par conflit (ou par addition) au niveau, non du présupposé, mais du *posé*

52. Sans qu'on puisse prendre en compte ici des présupposés d'existence : *il y a un artiste nommé Tebaldeo, une captive nommée Andromaque,* etc.

(de ce qui est immédiatement en question, que l'on peut *nier,* sur quoi l'on peut interroger — tandis que le présupposé est en dehors de toute négation, de tout questionnement, mais vaut pour un postulat). Nous rappelons qu'il serait vain de rechercher dans tel ou tel dialogue un présupposé qui se réduirait à une formule idéologico-politique : ainsi dans *L'Intruse,* de Maeterlinck, exemple extrême, le présupposé est *fantastique :* tout le dialogue, multiple, complexe, fuyant, à nombreux personnages présuppose que *la mort est une personne qui entre chez les gens.* Travail corollaire : le repérage des présupposés multiples à l'intérieur des couches discursives attribuées à un personnage, multiplicité qui lui permet de dialoguer avec plusieurs personnages.

c) Faire un relevé des énoncés produits (avec leurs références historiques), permettant de voir comment fonctionne le *posé* du discours, les énoncés explicites. Ainsi dans cette même scène de Tebaldeo, le posé concerne la *liberté* de l'artiste, avec ses implications biographiques (discours récurrent chez Musset : cf. *Le Fils du Titien*), ou la liaison de l'art avec la catastrophe historique. Ces énoncés produits peuvent être étudiés *a*) dans leur fonctionnement propre et leur enchaînement dans le dialogue, *b*) dans leur rapport à telle ou telle formation discursive, *c*) dans leur rapport aux présupposés.

4.7. *Quelques remarques en forme de conclusion*

a) Il est possible de faire non seulement une sémantique du discours théâtral, mais même à la limite une sémiologie, puisque le préconstruit (ou le présupposé) est *dans le signe,* au niveau d'un signifiant du discours, et non pas au niveau d'un signifié des énoncés ; mais une telle sémiologie ne saurait se comprendre séparée d'une pragmatique, qui déterminerait les conditions d'exercice de la parole discursive.

b) Le discours théâtral apparaît pratique englobant une part considérable de discours social, sous forme de préconstruit ou de présupposé, discours social que personne en particulier ne prend en compte, dont personne n'est sujet de l'énonciation; l'idée de la responsabilité, du droit de propriété d'une personne sur son langage s'éloigne donc. Ce caractère non individuel est rendu plus sensible au théâtre par le fait que le même discours passe de bouche en bouche (personnages, comédiens).

Ce type d'analyse est important car il montre l'inclusion du discours dominant (ou telle ou telle variante particulière) sous forme de citation, formule, maxime, proverbe, objection interne, à l'intérieur même du (ou des) discours; ainsi on peut montrer comment le discours dominant n'agit pas seulement *par* la parole, mais *sur* la parole, informant les rapports entre les personnages. Nous touchons ici aux formes les plus récentes de théâtre, ce qu'on appelle, en France et en Allemagne, le théâtre du quotidien, et dont l'écriture montre dans le dialogue les lambeaux du discours dominant, déchirés, mais tenaces et destructeurs, dans les bouches qui devraient n'avoir rien à faire avec lui. De là ses étonnantes vertus *critiques*. C'est à ce niveau du discours théâtral, et en particulier du dialogue, que le rapport idéologie-écriture théâtrale est le plus lisible.

Inversement le théâtre, comme pratique, permet de montrer comment l'idéologie n'est pas seulement représentation, mais production, dans la mesure où elle conditionne les rapports entre les hommes (discours et actions); de ce fait, on peut dire que l'idéologie peut être prise en compte non seulement au niveau des énoncés, mais au niveau de la totalité textuelle.

c) Ce type d'analyse n'est pas innocent; il nous montre d'abord qu'au niveau du discours il n'est pas possible d'échapper totalement à la *mimésis,* même si on lui donne son sens non naturaliste de mime des conditions de production de la parole. Ensuite l'importance du théâtre est soulignée par le fait qu'il exhibe le rôle de la parole par rapport à la situation et à l'action; c'est le biais par où peut agir la réflexion « brechtienne » du spectateur : montrer ce que vaut, ce que pèse, ce que « veut dire » (au sens le plus concret) un discours. Ce n'est pas par hasard que nous avons mis Brecht en exergue.

d) Le rôle fondamental de la mise en scène par rapport à un discours qui en principe lui préexiste, c'est d'*exhiber le préconstruit,* de faire voir ce qui est du domaine du non-dit (ou du dit connotatif ou indiciel). La mise en scène montre qui parle et comment on peut ou on ne peut pas parler. Parfois, et c'est la règle au cours de l'histoire, le changement dans les formations discursives aboutit au fait que tel ou tel élément préconstruit perd son sens et son actualité : la tâche de la mise en scène est de construire et d'exhiber un présupposé parallèle, « semblable » comme des triangles sont semblables : ainsi B. Sobel reconstituant un antisémitisme préconstruit différent et semblable à celui de Marlowe dans *Le Juif de Malte,* pour le montrer, l'exhiber comme présupposé « idéologique ». La mise en scène des classiques a pour tâche non seulement d'exhiber les présupposés, mais de remplacer ceux qui sont hors d'usage, parce qu'ils ne fonctionnent plus.

Nous aimerions rappeler que le discours au théâtre n'est — nous l'avons vu surabondamment — qu'une part d'une pratique totalisante dont la caractéristique est d'être une pratique sociale investissant non seulement le spectateur, mais les metteurs en scène, comédiens, techniciens comme praticiens inscrits dans un circuit économique dont nous n'avons rien dit (ce n'était pas notre propos), mais dont la présence pèse, du moins nous l'espérons, sur toutes les pages qui précèdent.

CONCLUSION PROVISOIRE

Nous avons essayé de montrer comment l'activité théâtrale, quelles que soient les zones d'ombre qui subsistent en elle, quelle que soit la complexité de l'investissement intellectuel et psychique nécessaire, peut être analysée comme une autre à l'aide de procédures encore artisanales... Et il n'est pas prouvé qu'elles n'aient pas à le demeurer longtemps encore[1].

Ces analyses du signifiant théâtral ne sont pas innocentes : elles ouvrent sur des perspectives idéologiques auxquelles elles ne peuvent se substituer, pas plus que celles-ci ne peuvent remplacer celles-là; nous souscrirons à la formule de J. Kristeva, citée par Régine Robin[2] : « La distinction dialectique signifiant/idéologie est d'autant plus importante qu'il s'agit de faire la théorie d'une pratique signifiante concrète — par

---

1. Le lecteur nous pardonnera, j'espère, de n'avoir pu renouveler la théorie du signe, ou celle de l'énonciation, de n'avoir pas théorisé sur la structure, mais utilisé des modèles structuraux comme outils opératoires.

2. Régine Robin : *Histoire et Linguistique,* p. 96.

exemple le cinéma. Substituer l'idéologie au signifiant est dans ce cas non seulement une erreur théorique, mais conduit à un blocage du *travail proprement cinématographique*, qui se voit remplacé par des discours sur sa fonction idéologique. » On en peut dire autant du théâtre. Mais plus encore que le cinéma, le théâtre est une pratique active, même pour le spectateur, pratique prise dans les luttes concrètes.

Le réel et le corps

La fascination qu'exerce le théâtre — en crise perpétuelle, mais indestructible — tient d'abord à ce qu'il est un objet dans le monde, un objet concret, et que sa matière n'est pas une image mais des objets et des êtres réels : des êtres surtout, le corps et la voix des comédiens.

La pratique théâtrale est matérialiste : ce qu'elle dit, c'est qu'il n'y a pas de pensée sans corps ; le théâtre est corps et le corps est premier et demande à vivre, mais toute son activité est soumise à des conditions concrètes d'exercice, qui sont sociales. On peut être idéaliste quand on lit, moins aisément quand on est pris dans la pratique théâtrale.

Le théâtre est corps : ce qu'il dit c'est que les émotions sont nécessaires et vitales, et que lui — théâtre — travaille avec et pour les émotions : le tout est de savoir ce qu'on en fait.

Les torchons et les serviettes

Si le théâtre est producteur d'émotion, c'est qu'il est miroir du monde, mais miroir étrange : il rapproche, il grossit, il syncope. Chez lui l'impossible est roi, il travaille avec, il est fait pour le dire ; il est le lieu où figurent ensemble les catégories qui s'excluent : les contradictions du réel y trouvent leur place, mais au lieu de les camoufler, il les exhibe. Acrobate, il passe la barre de la binarité du signe. S'il est vraiment structural, c'est parce qu'il passe son temps à violer les contraintes structurelles.

La circularité du rite et du mythe est compromise par

son travail de production. Sa figure principale est l'*oxymore.* Oxymore, le temps théâtral : le mythe est répétitif; mais le théâtre s'arrange pour faire dire au mythe ce qu'il n'a jamais dit : ainsi Eschyle réécrivant Prométhée, ainsi les trois *Electre* du théâtre grec.

Oxymore, l'espace théâtral qui est aire de jeu *et* mime du réel, signe *et* référent. Oxymore le personnage, comédien vivant et figure textuelle.

Théâtre : le héros bouchonne sa glorieuse nudité avec le torchon, tandis que la pimpante serviette essuie le plancher.

Théâtre : la princesse gardeuse d'oies, robe couleur de lune et peau d'âne. Le théâtre est le lieu du scandale : le criminel-matricide est coupable-innocent, absous par les dieux. Le théâtre exhibe l'insoluble contradiction, l'obstacle devant lequel la logique et la morale assise rendent leur tablier; le théâtre apporte la solution fantasmatique, rêvée...

Que faire du scandale? Trois solutions : tout rentre dans l'ordre, les choses après les saturnales redeviennent comme avant, les transgressions sont punies et le roi légitime retrouve son trône. Ou bien le scandale est maintenu, aggravé, irrécupérable, jusqu'à la destruction finale, l'accroissement indéfini de l'entropie du monde. Ou s'installe un nouvel ordre; Athéna absout Oreste; et demain est aujourd'hui.

L'oxymore théâtral est la figure des contradictions qui font avancer les choses; mais le travail de la pratique théâtrale peut être de les montrer à peine pour les recouvrir tout de suite d'un voile profond : les théâtres de consommation montrent juste assez pour appâter et rassurer. C'est que le théâtral proclame ce qui est inacceptable et monstrueux, il est la fissure que le spectateur est violemment contraint de colmater, comme il peut. Ou son petit esquif personnel fera eau de toute part. Et il ne manque pas de formes théâtrales qui bouchent vite les fissures, colmatent les brèches, liment les dents du tigre. D'autres obligent à penser, à chercher la solution : « Cher public, va, cherche un dénouement. Il faut qu'il en existe un convenable, il le faut, il le faut ![3] »

Exorcisme, exercice

A chaque fois nous butons sur la même opposition dialectique. Le théâtre est figure d'une expérience réelle, avec ses contradictions explosives et que la scène donne à voir comme oxymore. Or cette expérience, dans le champ réduit de l'aire de jeu, le spectateur peut la vivre comme exorcisme ou comme exercice. L'expérience théâtrale est un *modèle réduit.* En tant que telle, elle permet de faire l'économie de l'expérience vécue, elle l'exorcise, elle fait vivre par procuration des émotions et des pulsions que la vie quotidienne réprime : meurtre, inceste, mort violente, adultère et blasphème, tout ce qui est interdit est, là, scéniquement présent. Et la douleur et la mort sont douleur et mort à bonne distance ; banalités : nous sommes dans le domaine privilégié de la *catharsis.* Au conflit insoluble elle donne une solution de rêve et l'on s'en va content : ça s'arrangera sans nous.

Mais le *modèle réduit* est aussi un outil de connaissance : transformer comme fait le théâtre l'insignifiant en signifiant, sémantiser les signes, c'est donner ou se donner le pouvoir de comprendre les conditions d'exercice de la parole dans le monde, le rapport de la parole et des situations concrètes ; discours et gestuelle désignent le non-dit qui sous-tend le discours. Le théâtre étant modèle réduit des rapports de forces, et finalement des rapports de production, apparaît comme exercice de maîtrise sur un objet d'essai plus petit et plus facile à manier.

Exorcisme, exercice : ne pas croire que les deux vues du théâtre sont exclusives : elles sont vécues dans une perpétuelle oscillation où l'émotion appelle la réflexion qui réengendre le choc émotif. Le spectateur est peut-être alors dispensé de *subir* ce qu'il subit dans sa vie. Ce

3. Brecht : épilogue de *La Bonne Ame de Sé-Tchouan.*

qu'Artaud appelle la Peste c'est la libération violente, chez le spectateur, d'une émotion spécifique, bouleversante, mais cette émotion est aussi productrice : on fait vivre au spectateur quelque chose à quoi il est absolument contraint de donner sens.

Le sens en avant

D'où il suit que le sens au théâtre, non seulement ne préexiste pas à la représentation, à ce qui est concrètement dit, montré, mais qu'il ne se fait pas sans le spectateur. De là les insolubles difficultés de toute herméneutique au théâtre : comment décrypter un sens qui n'est pas encore produit ? Le texte est de l'ordre de l'illisible et du non-sens ; c'est la pratique qui constitue, construit le sens. Lire le théâtre, c'est préparer simplement les conditions de production de ce sens. C'est la tâche du « dramaturge », du sémiologue, du metteur en scène, du lecteur, la vôtre, la nôtre. Et ce n'est pas irrationalisme que de constater que ce sens, toujours en avant de notre propre lecture, échappe pour une large part à une formalisation rigoureuse. Nous n'éliminerons pas le domaine du vécu au théâtre, et le sens construit pour tous est aussi la mémoire de chacun. C'est le trait irremplaçable du théâtre que, n'étant plus comme dit le poète « la voix de personne » — puisque le scripteur volontairement s'est absenté —, il investisse à ce point le spectateur, qu'il soit pour finir notre voix à tous.

Chapitre VII

POUR UNE PRAGMATIQUE DU DIALOGUE DE THÉÂTRE

Toute parole a plusieurs sens dont le plus remarquable est assurément la cause même qui a fait dire cette parole.

Paul Valéry
Autre Rhumbs

« La *pragmatique* au sens américain, disent Greimas et Courtès, vise essentiellement à dégager les conditions de la communication », mais ces mêmes auteurs montrent qu'elle va infiniment au-delà, qu'elle inclut la « dimension cognitive », qu'elle prend en compte l'ensemble des rapports de parole entre sujets parlants, et que de ce fait elle ne se surajoute pas à la linguistique à laquelle elle serait étrangère, mais dont en fait elle ne saurait être séparée : « Le destinateur et le destinataire ne sont pas des instances vides (...) mais des sujets compétents. » [1]

1. Greimas et Courtès, *Sémiotique, dictionnaire raisonné de la théorie du langage,* Hachette, 1979.

1. *La parole-acte*

Que le langage soit fait pour « dire quelque chose », communiquer une information, un savoir, c'est ce que chacun sait ou croit savoir. Que le langage soit aussi pesée sur un autre, acte qui « oblige » le destinataire ou le locuteur, ou qui change les rapports entre les sujets parlants, c'est ce que l'on soupçonne aisément, mais qu'il est moins facile de montrer.

Certes, on sait bien (Benveniste) qui, trivialement, l'impératif a pour but ou pour « résultat empirique » de faire faire quelque chose à quelqu'un. Mais cela ne suffit pas : l'impératif a pour conséquence liée à son énonciation, de changer les rapports entre les locuteurs : « C'est, dit Ducrot, que la personne qui a reçu l'ordre se trouve devant une situation tout à fait nouvelle, devant une alternative — obéir ou désobéir — directement issue de l'énonciation, on pourrait même dire créée par l'énonciation[2]. »

De plus en plus on se rend compte que le langage ne peut être compris que comme celui d'un locuteur en situation; la vieille distinction saussurienne entre langue et parole tend à s'estomper dans les analyses que fait par exemple l'école anglaise du fonctionnement de l'énonciation à l'intérieur même de la langue : la parole (et non seulement la langue) est soumise à des lois, à des *règles du jeu;* règles que le discours théâtral non seulement utilise (il ne saurait s'en dispenser) mais exhibe, si j'ose dire *in vitro :* décollées de leur efficace dans la vie, elles deviennent lisibles.

1.1. *De la situation à l'acte*

Nous avons essayé de montrer (voir *supra*) comment aucun des énoncés émis par un personnage de théâtre ne saurait avoir un sens hors de son énonciation. Ce fait n'est d'ailleurs pas propre à l'énoncé provenu d'un

---

2. O. Ducrot, introduction à J. R. Searle, *Les Actes de langage*, Hermann, 1972

texte théâtral : si je lis sur un mur le graffiti : « *A ce soir* », je peux bien, comme tous les autres francophones, comprendre la signification de ce message (et même comprendre que c'est un message), mais le sens m'en demeure obscur, dans la mesure où je ne connais ni l'énonciateur, ni le destinataire, ni le temps et le lieu du rendez-vous éventuel ; ce syntagme, dépourvu de ses embrayeurs, est dépourvu de sens si je lisais : « Je te dis : à ce soir », je ne serais pas plus avancée dans la mesure où les embrayeurs ne me permettent pas de « désambiguiser » le message. Le *sens* final dépend donc de la situation d'énonciation, situation d'énonciation particulière, au théâtre, dans la mesure où à la situation d'énonciation fictionnelle se superpose (à moins que ce ne soit l'inverse) une situation d'énonciation scénique.

Mais ce n'est pas tout, on le sait : tout énoncé ne fonctionne dans un échange que si les deux interlocuteurs se sont mis d'accord, implicitement, sur un certain nombre de *présupposés ;* pour que je m'intéresse au meurtre de Clytemnestre, il faut que soient présupposées chez moi un certain nombre de connaissances sur Clytemnestre, Agamemnon, Oreste, Egisthe, etc., et pour qu'on me dise : « *A ce soir* », il faut qu'en cet instant ce ne soit pas le soir[3].

Ce n'est pas encore tout : non seulement un énoncé dit quelque chose, mais il fait quelque chose, et sans jouer avec le mot *sens,* on peut dire que cet *acte* fait partie de son *sens.* On sait qu'il existe des verbes et des syntagmes *performatifs,* qui, par le fait même qu'ils sont prononcés font l'action qu'ils désignent ; on ne peut dire « Je promets » sans promettre. Les verbes à proprement parler *performatifs* sont relativement peu nombreux : promettre, jurer, baptiser... Mais ce fonctionnement-là du langage peut s'étendre infiniment (Austin) : si j'interroge ou si j'interdis, je fais un acte lié à mon énonciation, et je ne peux énoncer telle formule sans acccomplir l'acte correspondant ; à la

3. Voir *supra.*

limite, toute phrase assertive suppose l'acte d'assertion; si je dis : « *Il fait beau aujourd'hui* », il n'est pas sûr que je dise la vérité (peut-être pleut-il à verse), mais je ne peux pas ne pas *faire un acte d'affirmation,* qui m'engage et engage mes rapports avec mes interlocuteurs. C'est le cas, bien évidemment, du discours scientifique ou pédagogique, où mon affirmation engage ma responsabilité vis-à-vis de mes lecteurs ou auditeurs. Mais c'est à la limite le cas de tout énoncé qui, s'il est dit pour quelqu'un, *présuppose* un certain type de rapports et en *institue* d'autres.

1.2. Rapports interpersonnels

Si nous reprenons le syntagme *à ce soir,* la formule, quoique très ambiguë, peut être considérée comme l'équivalent en structure profonde d'un impératif : (*soyez*) ce soir (en tel lieu, à telle heure); en tant qu'impératif, la formule suppose tels rapports entre les interlocuteurs qui fait que le destinataire du message est tenu de donner une « réponse », d'obtempérer ou de refuser l'ordre implicite; quelle que soit la réponse, non seulement elle suppose tel ou tel type de rapports, mais elle les modifie; disons plus : tel qu'il se présente l'énoncé *à ce soir* reste ambigu; si nous ne connaissons pas la situation d'énonciation, nous ne pouvons pas interpréter la formule sauf à dire simplement qu'il s'agit apparemment et vaguement d'un ordre : « Une infé rence est toujours requise pour interpréter une parole, fût-ce une parole " explicite ", de sorte qu'il ne suffit jamais de comprendre la phrase énoncée pour déterminer l'acte de parole accompli par son énonciation[4]. » Ainsi cet *à ce soir* peut être une suppliante demande de rendez-vous de la part d'un amoureux transi, un ordre comminatoire d'un supérieur hiérarchique à son subordonné, la menace d'un créancier armé jusqu'aux dents vis-à-vis d'un débiteur récalcitrant (situation de Série Noire), une simple convention entre partenaires de bridge ou de belote, ou bien une invitation à dîner. Il

4. Fr. Récanati, *Les Enoncés performatifs,* Minuit, 1981, p. 211.

nous faudra donc connaître le contexte pour comprendre « ce qui est dit »[5] ; autrement dit, nous en disons toujours beaucoup plus que ce que suppose la signification « explicite » de notre discours : « Notre langage étant ce qu'il est, la force de nos énonciations ne peut qu'excéder (...) la signification linguistique de la phrase, quel que soit le désir du locuteur d'être le plus explicite et le plus direct possible[6]. »

De toute manière en disant *à ce soir,* j'aurai avec le destinataire passé *un contrat,* un contrat soumis à des règles[7] et qui dominera la suite de mes rapports langagiers et autres avec le destinataire.

1.3. Actes de parole

Si je prononce une phrase, selon Austin, j'accomplis du même coup trois actes différents et simultanés : tout d'abord un acte dit *locutionnaire* ou *locutoire :* j'ai combiné des éléments phoniques, grammaticaux et sémantiques, je ne dirai pas pour produire[8], mais qui produisent une certaine signification ; j'ai accompli une activité *perlocutoire,* autrement dit, à travers mon énoncé, j'ai éveillé des sentiments de peur, espérance, satisfaction, attente, dégoût, etc. (cf. l'énoncé *à ce soir*), chez mon interlocuteur. Enfin mon énoncé a une certaine force illocutionnaire ou *illocutoire,* qui a construit un certain contrat entre moi et un autre. Il est commode de considérer que tout acte de parole contient trois faces : l'expression d'un « contenu sémantique », un pouvoir expressif ou affectif sur le

5. « Les performatifs explicites ne sont pas tels (...) qu'on puisse (...) déterminer en contexte nul — c'est-à-dire sans référence au contexte — l'acte illocutionnaire qu'ils servent à accomplir. » *Ibid.*, p. 206.

6. *Ibid.*

7. Tout échange de paroles est soumis à des règles conversationnelles à la fois logiques et socioculturelles sur lesquelles nous ne pouvons nous étendre.

8. Il est dangereux de ne considérer dans les actes de langage que leur intentionnalité : ce que nous disons dépasse ce que nous voulons dire.

récepteur, une force qui institue un certain type de rapport conventionnel avec l'autre : j'ai ou je n'ai pas, je me donne ou je ne me donne pas droit d'interroger, d'ordonner, de répondre, de refuser, etc.

La force illocutionnaire de l'énoncé est précisément ce qui à tous les moments modifie les rapports et fait avancer les échanges langagiers, la conversation, mais aussi les rapports tout courts entre les hommes.

Non que cette analyse n'appelle des réserves et ne comporte des dangers : elle privilégie dans le langage les éléments qui déterminent les rapports interpersonnels ; elle *a l'air* de ne tenir compte que de l'intentionnalité du langage, de son caractère d'expression volontaire ; Austin insiste, il est vrai, sur l'importance de l'*intention* du locuteur ; cette intention est évidente dans le cas des verbes performatifs : on ne peut guère dire *je te baptise* ou *je te maudis* sans avoir l'intention de baptiser ou de maudire. Mais il s'en faut que la force illocutoire de tout acte de langage soit volontaire ou même consciente : en disant *à ce soir,* je peux accomplir un acte ayant force illocutoire de demande ou de promesse sans intention explicite : le problème de l'intention restant psychologique et non linguistique.

Cette analyse de l'école d'Oxford, visant la *pragmatique* du langage, c'est-à-dire son fonctionnement concret, laisse de côté une part considérable des fonctions du langage, en particulier tout ce qui ressortit à ce que Jakobson appelle *la fonction poétique* et plus généralement tout ce qui dans le langage (ou plutôt dans le *discours*[9]) est sui-référentiel, et qu'on rangerait tout de même difficilement dans la catégorie fourre-tout du *locutoire.* Cela dit et quelle que soit la prudence nécessaire, il n'en reste pas moins que les théories des actes de langage apportent des lumières décisives à l'analyse du discours de théâtre.

9. Voir *supra,* p. 225, la définition du *discours.*

2. *Dire et faire au théâtre*

De plus en plus on se rend compte que le langage est toujours celui d'un locuteur « en situation »; or le théâtre est justement l'œuvre artistique qui montre le langage en situation : situation imaginaire, certes, mais visible et concrètement perceptible. De plus en plus, l'écriture théâtrale contemporaine montre une sorte de déplacement par rapport au contenu même du discours ; l'accent, dans le théâtre tout récent, est mis beaucoup moins sur les conflits d'idées et de sentiments, sur ce qui est dit, et beaucoup plus sur les conflits de langage, la stratégie propre du discours, le travail de la parole des personnages, et la manière dont elle « retraite » et « remodèle » à tous les instants la situation de parole et les rapports des protagonistes.

Un exemple élémentaire emprunté à une situation de la vie : si je dis *asseyez-vous* à l'étudiant qui entre dans mon bureau, mon acte de langage (avec sa force illocutoire : ordre donné) fixe nos rapports langagiers : je parle d'une position énonciatrice de force, d'un *droit à parler,* mais aussi je fais cadeau à mon interlocuteur de son propre droit à une parole virtuellement égale à la mienne, la position assise lui conférant une situation de confort langagier, et une égalité théorique avec ma propre position. Or le théâtre contemporain travaille à l'aide du langage quotidien à montrer, avec un grand raffinement la dynamique propre des rapports humains, telle que l'exhibe la stratégie des actes de parole. La modernité d'un Adamov, d'un Beckett vient de l'extraordinaire minutie efficace avec laquelle ils démontent ces mécanismes. L'écriture de dramaturges de l'aujourd'hui (par exemple Michel Vinaver) est fondée sur la stratégie des actes de parole. C'est un cas entre beaucoup où l'on s'aperçoit que la théorie et la pratique marchent du même pas.

Mais il est évident que l'on peut soumettre à la même analyse les textes classiques, même si dans beaucoup de cas la richesse du contenu manifeste (du locutaire), et les habitudes de lecture psychologiques occultent souvent cet aspect fondamental. Il existe aussi des formes modernes de théâtre « littéraire » ou d'« idées » (Giraudoux, Sartre), où le versant proprement pragmatique du discours peut apparaître secondaire, en regard des jeux du contenu discursif.

2.1. Parole de Phèdre

Prenons un exemple emprunté à la pièce la plus classique du théâtre classique. Dans *Phèdre* (1,3), Œnone, nourrice de Phèdre, supplie l'héroïne de lui dire la raison de sa douleur et de sa volonté de mort :

Madame, au nom des pleurs que pour vous j'ai versés,
Par vos faibles genoux que je tiens embrassés,
Délivrez mon esprit de ce funeste doute.

Et Phèdre cède, employant une formule qui pourrait passer inaperçue, si l'on ne prenait en compte les actes de parole qui s'y investissent : *Tu le veux. Lève-toi. Tu le veux :* le *locutoire* ne dit rien d'autre que la reconnaissance de fait du vouloir de l'autre :

— l'effet *perlocutoire*, à la fois sur l'émetteur et sur le récepteur, produit l'émotion de l'accord retrouvé, du consentement à l'amour de l'autre (la nourrice), effet qui provoque sur le spectateur une émotion induite ;

— la force *illocutoire* est indirecte, c'est une *promesse ;* reposant sur un sous-entendu (ton vouloir devient ma loi), promesse confirmée par le syntagme qui suit : *Lève-toi.*

— le *contenu locutoire* porte sur l'acte annoncé : se lever (présupposé qui a été le posé des vers précédents : Œnone est aux genoux de Phèdre ; sous-entendu : attitude du suppliant) ;

— l'*effet perlocutoire* est ambigu ; nous verrons qu'on peut le rattacher à une « émotion de solennité » ;

— la *force illocutoire* est celle de l'ordre donné, ordre direct, correspondant et aux rapports situationnels entre les deux personnages : rapport de maîtrise, tutoiement et impératif, et à la posture des protagonistes : Phèdre assise, Œnone agenouillée. Notons que l'ordre confirme indirectement la promesse implicite de l'énoncé précédent (*tu le veux*). Mais le *sens* de l'acte ordonné reste ambigu : quel acte Œnone est-elle invitée à faire en se levant ? Notons que Racine n'écrit pas : *relève-toi,* ce qui impliquerait un simple changement de posture ; il dit *lève-toi,* ce qui suppose que la posture nouvelle (debout) a une importance ; on ne peut pas se contenter de gloser : tu n'as plus besoin de rester agenouillée, puisque je fais droit à ta supplique (« relève-toi ») ; il faut aller plus loin, et considérer que l'ordre suppose, s'il est accompli, un changement dans les conditions du discours, de l'échange dialogué ; quelque chose que l'on pourrait gloser : *lève-toi,* pour que je puisse parler. Pourquoi ? Le présupposé ici serait : ce que j'ai à dire comporte l'écoute dans la position debout. Ce qui implique un autre présupposé culturel : qu'il y a un lien entre la posture debout et une certaine solennité, sacrée. L'acte illocutoire ne prend sens que de tout un contexte culturel : l'aveu est acte sacré, qui suppose la construction d'une situation d'énonciation solennelle ; Œnone est invitée à se lever pour assister à un acte religieux, ici une *confession,* à préparer par le geste le rituel de la confession.

De là une extraordinaire conséquence, qui est un renversement radical de la situation réciproque des personnages : Phèdre donne à Œnone (comme à qui dépend d'elle) l'ordre de recevoir sa confession ; du même coup, elle l'institue en confesseur, guide, directeur de conscience (*surmoi,* si l'on veut), elle institue, ce faisant, des rapports nouveaux entre elle-même et sa nourrice ; de servante, celle-ci se retrouve dans la *position de maîtrise* du juge et du guide ; ce qui se matérialise dans la posture physique : debout, elle va dominer une Phèdre assise. Il se fait par ce seul acte de langage une transformation irréversible, source de la tragédie, Phèdre ayant conféré à Œnone le pouvoir de la diriger, avec toutes les conséquences catastrophiques que l'on sait.

Au cas où l'on aurait un doute sur cette interprétation de l'acte de parole de Phèdre, la réponse d'Œnone nous l'enlèverait : « Parlez, je vous écoute », dit-elle, acceptant implicitement la nouvelle situation ; en effet, l'ordre donné (*parlez*), le passage du *vous* au *je*, le contenu locutoire (la constatation du changement de position et la reconnaissance implicite de la position d'écoute : *je vous écoute),* toute l'analyse de l'énoncé rend évidente la transformation des rapports.

Le dialogue ainsi analysé montre la stratégie langagière qui le sous-tend et que l'on pourrait résumer ainsi grossièrement :

« Parlez ! — Oui, mais je t'institue mon confesseur ! —D'accord. » Il n'est pas difficile de voir que l'on peut chercher et trouver sans trop d'efforts une stratégie « inconsciente », c'est-à-dire qui n'est ni exprimée, ni cachée, mais qui est à la fois dite et non dite : Phèdre se débarrasse de sa responsabilité, la dépose aux pieds de l'autre. Le dialogue serait alors :

— Dites-moi votre désir, que j'en détourne le cours loin de vous.

— Sois désormais la gardienne de mon désir !

— Entendu ! » (Fin de la responsabilité de Phèdre.)

Cette glose « analytique » n'a d'autre ambition que de montrer qu'il n'est pas impossible d'articuler une procédure de mise en évidence des actes de langage et une lecture éventuelle du discours de l'inconscient.

L'importance décisive de ce vers et en particulier de l'énoncé de Phèdre est indiquée aussi par le système consonantique et sa curieuse structure en miroir : *T*u *l*e *v*eux ; *l*è*v*e-*t*oi. Le poétique confirme ici le pragmatique.

2.2. *L'acte scénique*

La pragmatique du discours textuel au théâtre ouvre directement sur la pratique scénique : le comédien sait alors ce qu'il a à faire, quel type d'acte il a à accomplir (avec toutes les possibilités qu'il garde de jouer *un autre acte,* mais en connaissance de cause et pour des raisons bien précises). Dans cette scène de *Phèdre,* les comédiennes savent qu'elles doivent jouer la solennité de l'acte, le nouveau contrat passé entre elles et la transformation de leurs rapports.

On voit alors que les motivations conscientes et inconscientes de Phèdre et d'Œnone sont secondaires en face de l'acte de parole accompli, de son importance spectaculaire, dramaturgique et peut-être philosophique. On voit dans quelle mesure l'analyse des actes de langage permet de prendre en compte les actes psychiques (imaginaires) effectués, déterminant un changement dans les rapports interpersonnages sans avoir à chercher *derrière* les paroles une psychologie causale où l'on est accoutumé de chercher l'origine des paroles; autrement dit, nous n'avons pas à chercher pourquoi Phèdre et Œnone (êtres de papier) disent ce qu'elles disent, mais *ce qu'elles font en le disant.*

Comment analyser en conséquence un énoncé dans le discours d'un personnage ? Nous dirons que :

1° il y a une signification ; s'il est prononcé tous les auditeurs francophones comprendront la signification de l'énoncé : *lève-toi ;*

2° la présence d' « embrayeurs » (comme les pronoms) rend un tel énoncé ambigu : qui est *toi ?* et qui parle ? L'énoncé cesse d'être sur ce point ambigu si l'on connaît les interlocuteurs, le contexte et la situation d'énonciation. (Notons qu'au théâtre une certaine ambiguïté demeure du fait qu'à la situation d'énonciation *fictive* est conjointe une situation d'énonciation réelle, sur scène, avec des locuteurs qui ne sont pas les personnages, mais les acteurs[10].)

3° le sens de l'énoncé n'est pas complet si n'est pas définie sa place dans le jeu de la parole : les sous-entendus, les présupposés ; par exemple l'énoncé : *lève-toi* présuppose que le destinataire n'est pas debout ; qu'une certaine convention culturelle associe la posture debout et un acte solennel ;

4° le sens de l'énoncé pour le destinataire (double au théâtre, interlocuteur et spectateur) comprend :

---

10. Voir notre *Lire le Théâtre II (l'Ecole du Spectateur),* Editions sociales, 1981.

a) ce qui est dit (= ce qui précède), la somme d'informations véhiculée ;

b) l'effet produit par les paroles (que l'émetteur ait eu ou non l'intention de produire cet effet perlocutoire) ;

c) enfin la force [11] illocutionnaire ou illocutoire, c'est-à-dire l'acte même qui constitue ou modifie les rapports entre les locuteurs et produit l'action de l'un sur l'autre.

2.3. Le cas particulier du théâtre

1° le *locutoire :* au théâtre, l'acte locutoire comprend deux actes différents : réciter, dire les mots (le phatique), donner un sens à ces mots (le rhétique) : on voit bien que dire les mots, c'est le fait de la performance théâtrale, leur donner sens, pour un destinataire c'est le fait de la fiction ; là réside la différence fondamentale entre réciter et jouer, réciter un texte qui est adressé au public, le jouer qui est parler à un autre.

2° le *perlocutoire,* c'est la production d'un effet, effet réel sur le spectateur, effet simulé sur le partenaire, avec cette restriction d'importance que les effets ne sont pas les mêmes ; le tyran dont la parole « effraie » fictivement le partenaire, produit sur le spectateur des émotions diverses, mais dont aucune n'est la peur.

3° l'*illocutoire ;* c'est le point le plus difficile, puisque l'acte de langage avec ses effets précis sur le destinataire paraît simulé et non réel ; c'est tout le statut de la parole théâtrale qui est mis en question : « De même qu'au théâtre le tonnerre et les combats ne sont qu'apparents, une assertion de théâtre n'est qu'une assertion apparente. Ce n'est que jeu ou représentation. L'acteur jouant son rôle n'asserte pas, il ne ment pas non plus [12]. » Ce qui n'est pas exact, malgré la caution qu'apporte à cette thèse Récanati : « Le sens

---

11. Il nous paraît qu'on ne peut opposer le *sens* et la *force* dans un énoncé, la force illocutoire fait partie du sens de l'énoncé : si je dis : je promets, mon acte de promesse fait partie du sens de mon énoncé.

12. G. Frege : *Uber Sinn und Bedeutung,* cité par Fr. Récanati, *op. cit.,* p. 252.

locutionnaire, dit-il, est la *représentation* (au sens théâtral) d'un acte illocutionnaire ; mais si l'on veut avoir une idée de l'activité pragmatique réelle des acteurs, distingués de leurs personnages, il faut se tourner vers les coulisses[13]. » C'est vrai à la lettre, et cela correspond au sens commun concernant les répliques de théâtre, sens commun qui oscille entre deux positions, fausses toutes deux : *a*) une réplique de théâtre dit la même chose que la même réplique dans la vie et fait le même acte ; ce qui est manifestement impossible, les relations étant évidemment plus complexes dans la vie, tandis que le jeu du dialogue est plus simple au théâtre, et le tout étant commandé par le *présupposé* de tout discours théâtral ; *je joue* (je joue à dire/faire ce que je dis/fais) ; *b*) le discours théâtral est purement imaginaire, et tout acte de langage au théâtre n'est que la « représentation » d'un acte réel, le théâtre disant simplement qu'un tel acte peut être effectué, le *lève-toi* de Phèdre n'étant que l'image d'un acte réel. Or c'est manifestement faux : il s'agit d'un acte réel, et il n'y a pas à chercher l'acte de langage dans les coulisses, il est sur scène : l'actrice qui joue Œnone *se lève,* l'acte de parole qui lui en a donné l'ordre est bien un acte effectif ; mais pour comprendre le statut du discours théâtral, il faut distinguer entre le scénique et le fictionnel : le fictionnel suppose des actes de paroles qui ont leur pleine force illocutionnaire ; si le personnage dit *je jure,* sa parole possède dans l'intérieur de la fiction sa pleine force illocutoire de serment, mais évidemment l'*acteur,* lui, n'est pas engagé dans le serment prononcé par le personnage, et si l'acteur disait au public *levez-vous,* il sortirait de son rôle. L'illocutoire au théâtre est donc paradoxal ; le discours au théâtre est le mime d'actes de parole qui sont ni plus ni moins valables que d'autres, mais qui ne sont valables que dans l'espace scénique : l'ensemble du discours théâtral est marqué par le présupposé : *je joue,* présupposé dont la conséquence logique est que le discours ne

13. Fr. Récanati, *ibid.*, p. 255

fonctionne que dans le *cadre* construit par ce présupposé, qui est le cadre scénique. Impossible d'analyser le discours de théâtre sans faire référence à ce statut scénique du discours.

Le discours théâtral est donc le *mime d'une parole dans le monde* avec ce qu'elle dit sur elle-même et sur le monde, avec l'émotion qu'elle suscite ; mais plus encore elle est le modèle réduit des mille et une façons dont la parole agit sur autrui.

Ce qui est montré au théâtre (à l'aide de rapports langagiers dont nous savons bien que théâtralement ils sont fictifs ou fictionnels), ce sont justement ces rapports de langage, c'est le mime des conditions de la parole humaine.

De là l'importance de la parole théâtrale : on peut y voir les relations humaines sans se préoccuper du Sujet (transcendantal), de la Conscience absolue (ou de ce que Lacan appelle le Grand Autre), l'on n'est pas personnellement provoqué ou convoqué, et du même coup on est délivré de l'obligation de répondre, mais non de celle d'entendre. Il est donc possible de voir dans le théâtral la pure stratégie de la parole humaine. Pure? non pas pure, mais impliquée dans tout le contexte historico-social de la vie des hommes.

2.4. Shakespeare

Si quelque chose est réel sur scène c'est bien la parole humaine et ses fonctions, même si ses conditions de production sont simulées; une réplique de théâtre produit les mêmes effets illocutionnaires, a la même force et modifie les relations de parole, exactement comme une phrase « dans la vie ». Un exemple, particulièrement parlant. Dans le *Jules César,* Shakespeare, les deux principaux meurtriers de César, Brutus et Cassius, après leur acte et les difficultés qui s'ensuivent pour eux, se disputent violemment ; ils en sont aux propos atroces, quand tout à coup Brutus lâche : « Portia est morte. » « Oh, Portia ! », répond Cassius, et c'est fini, la dispute s'arrête, la réconciliation se fait ; le locutoire contient une information importante :

Portia, la femme de Brutus, l'âme de la conjuration, s'est suicidée ; l'effet perlocutoire est ici double, sur le spectateur, émotion de pitié, sur le destinataire immédiat, émotion intense, que traduit le laconisme de la réponse. La force illocutoire ici est bien autre que celle d'une affirmation ; l'énoncé contient un illocutoire implicite, qui est une demande : arrêtons cette querelle ; il est clair ici que le perlocutoire et l'illocutoire sont étroitement joints, unis si l'on peut dire par tout un réseau de présupposés et de sous-entendus déterminant le contexte fictionnel de l'échange. Mais il est visible que cet échange *modifie concrètement* la suite de l'échange langagier, des rapports de parole des deux interlocuteurs ; allons plus loin, il modifie l'ensemble des rapports entre les personnages, donc le cours de l'action. Simulation d'acte de parole certes, mais aussi dans le cadre précis de la scène, échange réel, qui devient dans la représentation un échange concret. C'est le fonctionnement réel du langage sur les hommes qui est ici montré : s'il est un domaine où la mimésis théâtrale est difficile à nier, c'est — et c'est peut-être le seul — le domaine du langage : le lecteur-spectateur le comprend, il en comprend la signification, les effets, la force : il l'observe dans ce qu'on pourrait appeler une situation de laboratoire.

3.1. Le contenu

On peut penser qu'il s'agit ici d'un mode d'analyse purement formaliste et néo-positiviste. Nous pensons qu'il n'en est rien, à condition de ne pas oublier un certain nombre de choses : d'abord que la distinction pragmatique entre locutoire, perlocutoire, illocutoire dans le langage est tout à fait opérante si l'on sait qu'il s'agit d'une procédure d'analyse et que les trois fonctions ne sauraient être dissociées : plus précisément, tout appartient au contenu, et d'une certaine manière l'illocutoire est à *l'intérieur* du locutoire, ou pour dire les choses plus grossièrement, l'acte de langage, avec sa force, fait partie du « contenu » exprimé, du « sens » de l'énoncé · le destinataire entend fort bien ce que lui *signifie* la force illocutoire de la réplique (ou s'il ne l'entend pas c'est dû, non à l'énoncé, mais aux conditions de transmission et de réception). Réciproquement on peut dire, comme le montre Récanati [14] que la force illocutoire ne saurait être perçue non seulement de qui ignorerait la signification de l'énoncé, ce qui est évident, mais même de qui ignorerait le contexte : l'exemple plus haut de la réplique de Shakespeare l'illustre clairement. De même, dans tous les cas de *demande* (explicite ou implicite), l'*effet* émotionnel ôte toute ambiguïté à l'acte de langage.

Ce mode d'analyse complexe, extraordinairement utile, n'a ni pour but, ni pour résultat de lever toutes les ambiguïtés : l'ambigu est constitutif du langage, et c'est l'une des tâches de la représentation théâtrale et plus précisément du comédien de lever les ambiguïtés qui subsistent par tous les moyens théâtraux, en particulier les moyens paralinguistiques : intonation, rythme, phrasé, et ce « langage » parallèle qu'est la gestuelle.

3.2. *L'idéologique et le poétique*

Une question peut se poser, ou une objection. Dans un tel mode d'analyse où se situerait une lecture idéologique, étant bien entendu que le discours idéologique est toujours un discours, structuré comme un discours et qui peut se lire à l'aide de tel ou tel texte, de telle ou telle production artistique, que l'idéologie n'est pas contenue *dans* le produit artistique dont on l'extrairait par analyse ou par dessication! Il n'y a pas d'herméneutique de l'idéologie.

Cela dit, à quel niveau de l'analyse pragmatique y a-t-il place pour l'idéologique ? Tout d'abord, un énoncé proféré ou écrit possède un certain contenu, un certain stock d'informations et d'assertions : informations et assertions dont la structure complexe montre l'insertion de « discours autres », citationnels, et la présence de « formations discursives » [15] ; tout ce contenu « asser-

14. Récanati, *op. cit. passim,* et part. p. 206.
15. Voir *supra.*

tif » est justiciable d'une lecture idéologique, qui pren dra en compte justement, nous l'avons vu, les formations discursives.

Ensuite tout le réseau des présupposés est lui aussi intégré ou intégrable à telle ou telle formation discursive où peut se lire un discours idéologique : la situation d'énonciation et le rapport de force en sont immédiatement justifiables ; la liaison immédiate entre les conditions de parole et la force illocutoire fait que d'une certaine façon l'illocutoire dépend de l'idéologique : tout acte de parole dépend des contrats non écrits qui lient ensemble les personnages parlants, et ces contrats sont eux-mêmes dépendants de l'idéologie qui sous-tend leurs rapports. Un exemple très simple, très quotidien : dans une pièce de Michel Vinaver, *Dissident,* une jeune femme rentrant du travail dit à son grand fils de dix-sept ans qu'elle a laissé sa voiture en double file, et le garçon répond : « Je vais aller te la garer » ; l'illocutoire dans cet énoncé n'est pas mystérieux, c'est une *promesse ;* toute promesse présuppose que le sujet a *le pouvoir* de l'accomplir, et le sous-entendu est idéologique : ce sont les hommes, non les femmes, qui savent garer les voitures ; la promesse ici tente de changer les rapports de force mère-enfant, et la réponse de la mère rappelle indirectement ces rapports (économiques) entre la mère qui travaille et tient les cordons de la bourse et le fils jeune chômeur : « Encore un an et tu pourras passer ton permis », réponse qui est elle aussi une *promesse,* mais dilatoire et qui présuppose les rapports *actuels* de sujétion du fils à la mère : on voit comment tout un système socio-idéologique sous-tend les échanges de parole les plus quotidiens, système que le théâtre a pour travail d'exhiber, de mettre au jour, de rendre visible à tous : ici, sous l'échange « affectueux » se lit un conflit de forces que la suite du texte rend manifeste.

Enfin nous dirons qu'une lecture pragmatique n'est pas exclusive, au contraire, d'une lecture *poétique* qui est d'un autre ordre et met en jeu d'autres procédures, appartenant essentiellement à un mode d'écoute du *locutoire,* de la matérialité phonique et syntaxique de l'énoncé théâtral : mais le poétique dans un texte de théâtre n'est lui-même pas plus étranger à l'acte de parole que dans le cas d'un message, d'un slogan publicitaire : le poétique ici est orienté en direction du destinataire (spectateur/lecteur). Le poétique fait aussi partie de la parole des sujets parlants et en tant que tel il est aussi communiqué de l'un à l'autre, dans le même temps où il est communiqué au spectateur. Mais le problème des articulations entre pragmatique et poétique, entre une lecture du texte comme réseau d'actes de langage, et une lecture centrée sur le poétique (autoréférentiel, renvoyant aux structures internes du texte), ce problème est loin d'être simple.

L'intérêt de l'analyse pragmatique au théâtre est de montrer comment la part essentielle du texte de théâtre est l'image de la parole active, vivante, dans toutes ses dimensions, y compris la dimension poétique, gouvernant dynamiquement les rapports humains et partant l'ensemble du récit et de l'action dramatiques.

BIBLIOGRAPHIE

I. — ÉLÉMENTS DE SÉMIOLOGIE

Barthes R., *Essais critiques,* Seuil, 1970.

Demarcy R., *Eléments d'une sociologie du spectacle,* col. 10/18, 1973.

Derrida J., *L'Ecriture et la différence,* Seuil, 1967.

— *La dissémination,* Seuil, 1973.

Eco U., *La structure absente,* Mercure, 1972.

Greimas A. J., *Sémantique structurale,* Larousse, 1966.

— *Du sens,* Seuil, 1970.

Helbo A., *Sémiologie de la représentation,* Ed. Complexe, 1975.

Jakobson R., *Théorie de la littérature,* Seuil, 1966.

Kaisergruber D. et D., *Pour une sémiotique de la représentation classique (Phèdre),* Larousse, 1970.

Kristeva J., *Sémiéiotike,* Seuil, 1969.

Lotman Y., *La structure du texte artistique,* Gallimard, 1973.

Mannoni O., *Clefs pour l'imaginaire,* Seuil, 1969.

Metz C., *Langage et cinéma,* Larousse, 1971.

Mounin G., *Introduction à la sémiologie,* Minuit, 1970.

Prieto L., *Messages et signaux,* P.U.F., 1972.

Propp V., *La morphologie du conte,* Poiret, 1973.

Rastier F., *Essais de sémiologie discursive,* Mame, 1974.

Recherches internationales à la lumière du marxisme : « sémiotique » n° 81, Fd *Nouvelle critique,* 1974.

Sémiotique narrative et textuelle (Barthes, Greimas, etc.), Larousse, 1973.

Sémiotique et sciences sociales, Seuil, 1976.

Souriau E., *Les Deux cent mille situations dramatiques,* Flammarion, 1950.

II. — NUMÉROS SPÉCIAUX SUR LA SÉMIOLOGIE/SÉMIOTIQUE

Communications, n° 4 (éléments de sémiologie), 8 (structure des récits), 11 (le vraisemblable), 16 (l'objet).

Langages, n° 10 (Pratiques et langages gestuels).

Littérature, n° 9 (La Scène).

Sémiotique.

III. — ARTICLES ISOLÉS

Bogatyrev P., « Les signes du théâtre », *Poétique 8,* 1971.

Hamon P., « Pour un statut sémiologique du personnage », *Littérature,* 1972.

Honzl J., « La mobilité du signe théâtral », *Travail théâtral* n° 4.

Imgarden R., « Les fonctions du langage au théâtre », *Poétique 8,* 1971.

Jansen S., « Esquisse d'une théorie de la forme dramatique », *Langages 1,* déc. 1968.

Jachymiak J., « Sur la théâtralité », *Littérature, Sciences, Idéologie,* Programme d'analyse 2.

Kowzan, « Sur le signe théâtral », *Diogène* n° 61, 1968.

Marcus S., « Modèles mathématiques dans l'étude du drame », résumé in *T.A. Information,* n° 2, 1967.

Pagnini M., « Per una semiologia del teatro classico », *Critici* IV, 2, 1970.

Revzine O. et I., « Expérimentation sémiotique chez Eugène Ionesco », *Sémiotica III.*

IV. — LINGUISTIQUE ET SÉMIOTIQUE

Benveniste E., *Problèmes de linguistique générale,* I et II, Gallimard, 1966, 1973.

Delas et Filiolet, *Linguistique et poétique,* Larousse, 1974.

Ducrot O., *Dire et ne pas dire,* Hermann, 1972. — *La preuve et le dire,* Mame (col. Repères), 1974.

Jakobson R., *Essais de linguistique générale,* Minuit, 1963 (voir surtout la 6e partie : *Poétique*).

Maingueneau O., *Initiation aux méthodes de l'analyse de discours,* Hachette, Université 1976.

Marcellesi J. B., et Gordin B., *Introduction à la socio-linguistique,* Larousse, 1974.

Pêcheux M., *Les vérités de la Palice,* Maspéro, 1975.

V. — SÉMIOTIQUE ET SCIENCES HUMAINES

Althusser, *Pour Marx,* Maspero, 1965.
Baudrillard J., *Le système des objets,* Gallimard, 1968.
Goldmann L., *Pour une sociologie du roman,* Gallimard, 1964.
— *Structures mentales et créativité culturelle,* Anthropos, 1970.
Hall, *La dimension cachée,* Anthropos, 1970.
— *Le langage silencieux,* Mame, 1973.
Lacan J., *Ecrits,* Seuil, 1966.
— *Séminaire,* XI, Seuil, 1973.
Lévi-Strauss, *Anthropologie structurale,* I et II, Plon, 1958, 1972.
Panofsky E., *Essais d'iconologie,* Gallimard, 1967.
Robin R., *Histoire et linguistique,* Colin, 1973.
Vernant J.-P. et Vidal-Naquet P. : *Mythe et tragédie en Grèce ancienne,* Maspero, 1972.

VI. — THÉÂTRE

Brecht B., *Ecrits sur le théâtre,* L'Arche, 1963.
Larthomas P., *Le langage dramatique,* Colin, 1972.
Ubersfeld A., *Le Roi et le Bouffon,* Corti, 1974.
Schérer J., *La dramaturgie classique en France.*

VII. — DICTIONNAIRES SPÉCIALISÉS

Ducrot O., Todorov T., *Dictionnaire encyclopédique des sciences du langage,* Seuil, 1972.
Dubois J., Guespin L., Giacomo M., Marcellesi Ch. et J. B., Mével J. P., *Dictionnaire de linguistique,* Larousse, 1975.

VIII. — SUPPLÉMENT BIBLIOGRAPHIQUE (1982)

Théorie :

Bakhtine, *le Marxisme et la Philosophie du langage,* Minuit, 1977.
U. Eco, *Lector in fabula,* Bompiani, Milano 1979.
Fr. Flahaut, *la Parole intermédiaire,* éditions du Seuil, Paris, 1978.
H. R. Jauss, *Pour une esthétique de la réception,* Gallimard, 1978.
Y Lotman, *Esthétique et sémiotique du cinéma,* Ed. Soc., 1977.

Fr. Récanati, *la Transparence et l'Enonciation,* Seuil, 1979.
— *Les énoncés performatifs,* Minuit, 1981.
Greimas et Courtès, *Sémiotique — Dictionnaire raisonné de la théorie du langage,* Hachette, 1979.

Théâtre :

R. Abirached, *La crise du personnage de théâtre,* Grasset, 1978.
B. Brecht, *Journal de travail,* l'Arche, 1976.
G. Banu, *Bertolt Brecht,* Aubier, 1981.
B. Dort, *Théâtre réel,* Seuil, 1971. *Théâtre en jeu,* Seuil, 1979. *Le texte et la scène* (coll. avec A. Ubersfeld, Sorbonne Nouvelle, 1978).
P. Pavis, *Problèmes de sémiologie théâtrale,* Montréal, Les presses de l'université du Québec, 1976. *Dictionnaire de Théâtre,* Editions sociales, 1980.
P. Paris, *Voix et images de la scène, essais de sémiologie théâtrale,* Presses universitaires de Lille, 1982.
J. Schérer et M. de Rougement, *Textes d'esthétique théâtrale* I et II, Dédes, 1973, 1978.
Sémiologie et théâtre (M. Corvin) Organon 80, Univ. de Lyon II.
La Semiotica et il doppio teatrale (Giulio Ferroni), Liguori, 1980.
G. Strehler, *Un théâtre pour la vie,* Fayard, 1980.
P. Brook, *L'espace vide,* Seuil, 1977.
A. Ubersfeld, *l'Ecole du spectateur (Lire le théâtre II),* Editions sociales, 1981.

INDEX DES NOTIONS

TABLE DES MATIÈRES

A paraître (janvier 1983)

12.
Alain Roux
LA RÉPUBLIQUE POPULAIRE DE CHINE
(Le casse-tête chinois t. 1 : 1949-1966)

13.
Friedrich Engels
L'ORIGINE DE LA FAMILLE, DE LA PROPRIÉTÉ PRIVÉE ET DE L'ÉTAT

(février 1983)

14.
Staline
TEXTES

15.
Jean-Jacques Rousseau
DISCOURS SUR L'ORIGINE ET LES FONDEMENTS DE L'INÉGALITÉ PARMI LES HOMMES

(mars 1983)

16.
Karl Marx, Friedrich Engels
MANIFESTE DU PARTI COMMUNISTE

17.
LES MARXISTES ET L'ART
TEXTES CHOISIS

18.
Antonio Gramsci
TEXTES

ESSENTIEL
publiera ensuite un titre tous les mois.

Achevé d'imprimer
en mai 1989
sur presse CAMERON
dans les ateliers de la S.E.P.C.
à Saint-Amand-Montrond (Cher)
pour le compte de
Messidor/Éditions sociales
146, rue du Faubourg
Poissonnière
75010-Paris

N° d'Édition : 2048.
N° d'Impression : 1091.
Dépôt légal : mai 1989.
189033R3